LES 6 MESSIES

MARK FROST

LES 6 MESSIES

Roman

Traduit de l'anglais par
Jean-Michel Dulac

PLON

Titre original
The Six Messiahs

Remerciements

Mille mercis à Ed Victor, Susie Putnam, Howard Kaminsky,
Will Schwalbe et Bob Mecoy.

© Mark Frost, 1995.
© Plon, 1997, pour la traduction française.

ISBN Plon : 2-259-18391-3
ISBN édition originale : William Morrow and Company, Inc, New York,
0-688-13092-5.

Pour ma famille
Pour Lynn

PROLOGUE

Texas, juillet 1889

Pétrifié sur la main du joueur, le scorpion frémissait, ses instincts agressifs matés par une force supérieure que son système nerveux élémentaire était incapable de défier.

Il n'avait compris que l'ordre : *Attends !*

C'était le même pouvoir qui plaquait le joueur au sol comme une pierre, écartelé, muscles tétanisés, jointures bloquées. Il ne pouvait bouger que ses yeux exorbités. Il ne voyait que le scorpion sur le dos de sa main. Il n'entendait que le crissement de la terre sèche sous les bottes du Prêcheur, qui allait et venait derrière lui. La terreur qui hurlait dans sa tête était plus assourdissante que les braillements de l'opéra italien auquel il avait assisté à Saint Louis. Comme une neige de printemps, ses pensées se liquéfiaient avant même d'avoir pris forme. Son intellect qu'il avait eu tant de peine à éduquer, à affûter, ne lui était d'aucun secours, plus inutile qu'un puits tari.

Le Prêcheur apparut dans le champ de vision du joueur, s'arrêta, cracha un jet de jus de chique qui lui frôla le visage. Le spectacle du dandy paralysé dans la poussière, en gilet brodé et bottines à sous-pieds, lui tira un sourire.

— Apprends une bonne chose, l'ami : celui qui triche au poker avec moi mérite mieux qu'une simple balle pour prix de ses efforts, déclara le Prêcheur avec l'accent caressant de l'Alabama. Et maintenant, mon fils, fais bien attention. La rétribution que je te réserve sera plus équitable qu'un pied de lame dans tes tripes.

Les bras levés, le Prêcheur sentit le Feu Sacré monter en vibrant le long de son échine. *Oui*, se dit-il, *c'est ainsi que le Tout-*

9

Puissant récompense son fidèle serviteur. Mes douleurs incessantes, mes années gâchées, la fange noire où mon esprit s'enlisait, tout est oublié : en moi a éclos la semence du Prophète ! Le Seigneur m'a élu ! La Vision venue peupler mes rêves ces derniers mois est un don de mon Dieu. Ma destinée s'étend devant moi avec la clarté du cristal : c'est à moi qu'il incombe de guider les multitudes dans le désert pour y bâtir la Jérusalem nouvelle. D'abattre sur ce monde perverti le maillet du Salut...

Le Prêcheur interrompit son invocation muette, le temps de jeter au joueur un ricanement de mépris. *Ce tricheur de pacotille, avec des as dans sa manche et un pistolet à sa ceinture, ne vaut pas mieux que les autres imbéciles crottés, vulgaires outres vides qui attendent que je donne un sens à leurs vies stériles. Que l'Archange m'emporte sur ses ailes et emplisse mon âme du Pouvoir Suprême !*

Alors, ainsi qu'il s'y était entraîné, le Prêcheur concentra le Pouvoir qu'il sentait bouillonner dans ses entrailles et le projeta devant lui comme le faisceau d'un phare. Un crépitement sec s'ensuivit, un grouillement de vie souleva le sable que le couchant teintait de rouge. La main en visière contre le soleil bas, le Prêcheur scruta l'horizon : un innommable moutonnement de pinces, d'écailles, de pattes et de mandibules rampait vers lui avec un bruit de crécelle. Capturés dans les mailles d'un filet magnétique, crotales et vipères, mille-pattes et tarentules affluaient par milliers en réponse à son appel.

Feignant la surprise, le Prêcheur inclina son cou tordu, déformé, raidi en permanence.

— Ma parole ! Qui se serait douté qu'il y en ait eu autant dans les parages ?

La vague de reptiles, d'araignées, de scorpions cerna l'homme gisant dans la poussière avant de s'arrêter à un pouce de lui, telle une houle soudain prise par le gel. Leur masse dressée lui cachait le soleil, mais son cerveau chaviré n'était plus en état de comprendre ce qu'il voyait.

Les mains tendues, le Prêcheur lança le flux de sa volonté sur l'amas de créatures. D'un seul élan, la vermine reprit sa reptation jusqu'à recouvrir entièrement le corps de l'homme dont le souffle rauque était à peine audible à travers la masse d'antennes et de pinces. Alors, les créatures se figèrent, aussi immobiles que leur victime désignée, et attendirent docilement l'ordre suivant.

Parodiant l'artiste qui évalue son œuvre, le Prêcheur recula, se croisa les bras, se tapota le menton.

— Une forme humaine reconstituée en insectes et en reptiles. Voilà qui est digne d'Arcimboldo, ma foi ! Un si beau tableau mérite un titre, ce me semble. Voyons... J'ai trouvé ! dit-il en claquant des doigts. *Nature morte dans le désert.* Hein, qu'en dis-tu, l'ami ?

Un rire graillonna jusqu'à ses lèvres. La main serrée au fond de sa poche sur l'épais rouleau de billets dont il avait délesté le joueur, le Prêcheur sentit la joie le submerger comme les flots tièdes d'une mer tropicale.

Oh, oui ! Tout cela valait mieux, mille fois mieux que de se traîner sur le bord de la route, tremblant de froid, sans nom, sans voix, dénué de passé et d'avenir comme une bête piégée dans une faille du temps. Ressusciter ! Renaître à Son image ! Répandre le Verbe, accomplir l'Œuvre Sacrée !

Son Seigneur le comblait de bienfaits.

À l'instar du chef d'orchestre conduisant ses musiciens, le Prêcheur leva les mains. Queues dressées, gueules béantes, crocs dénudés, venin prêt à jaillir, les exécutants réagirent instantanément à son ordre. De sous leur masse, le joueur perçut le changement d'atmosphère et son dernier vestige de conscience s'enfuit comme un voleur.

Allez !

Sa mission accomplie, la nature morte se décomposa. Solitaire à nouveau et craintif, chacun de ses éléments disparut pour regagner son trou dans le désert.

Le Prêcheur essaya de trouver quelque parole appropriée à prononcer sur le corps du joueur mort et s'en désintéressa très vite. Son regard remonta vers la bourgade dont les contours se détachaient au loin en ombres chinoises contre l'horizon rouge orangé. Dans l'encadrement d'une fenêtre, à l'étage du saloon où s'était déroulée la partie de poker, une lampe semblait lui cligner de l'œil.

Comment dénomme-t-on cette contrée perdue, déjà ? Ah, oui. Le Texas. Fichu pays, le Far West américain ! Un ramassis de rustres ignares. Aucune ville digne de ce nom. Pas de théâtres ni même de cafés. Tant de beaux terrains inutilisés, quel gaspillage ! D'un autre côté, ces provinciaux incultes sont d'autant plus faciles à impressionner...

Le Prêcheur jeta distraitement une poignée de poussière sur le cadavre exsangue et boursouflé, tourna les talons et reprit le chemin du village. Sa jambe raide lui imposait un pas inégal qui faisait tinter ses éperons d'argent.

Il va quand même falloir que je lise la Bible à ces bouseux, pensa-t-il tout à coup. *Ils doivent y compter, je ne pourrai pas faire moins.*

LIVRE UN
L'ELBE

CHAPITRE 1

19 septembre 1894, 11 heures du soir

« Tout cet incroyable battage autour de Holmes devient une véritable plaie ! Que ce sphinx fait homme, que cette machine à calculer ambulante et parlante, douée d'autant de sentiments humains qu'un cheval de bois, puisse susciter de telles passions dans le cœur des lecteurs constitue pour moi un mystère plus insondable que ceux que j'aurais pu imaginer pour les lui confier à résoudre.

« Ce soir encore, au Garrick Club où je donnais mon dîner d'adieux, le sujet de son trépas prématuré n'a cessé d'accaparer la conversation avec la persistance importune d'un politicien américain en campagne électorale. Conçu à un moment où j'avais pour unique souci de nourrir ma famille, cet Holm-inidé, ce pantin a pris dans la vie de mes lecteurs une place plus importante, voire plus réelle que celle de leurs amis et de leurs proches. Scandaleux ! Mais après tout, si Dieu avait voulu que Ses créations soient à jamais prévisibles, Il aurait sans doute jeté l'éponge après avoir érigé l'Himalaya.

« Quelle naïveté de croire qu'il suffisait de précipiter l'Holm-anoïde dans les chutes de Reichenbach pour mettre un terme à ses élucubrations et reprendre mon travail sérieux ! Près d'un an a passé depuis le grand plongeon de Chère-loque, et sa fin continue à soulever un tel tohu-bohu que la fureur du public semble ne jamais pouvoir s'apaiser. De fait, il m'est arrivé d'éprouver à plusieurs reprises de sérieuses inquiétudes concernant ma sécurité : la mégère congestionnée brandissant un parapluie vengeur sur un chemin de campagne près de Leeds ; l'espèce d'épouvantail au regard égaré qui poursuivait ma voiture toute la journée

15

dans les rues ; ou encore le gamin illuminé qui m'avait abordé dans Grosvenor Square, en bégayant de rage au point que je m'attendais à voir sa tête exploser avant qu'il n'ait réussi à proférer une phrase. Pure démence que tout cela !

« Ce qui me plonge dans des abîmes de désolation, c'est de penser que mes autres livres, ceux qui me tiennent à cœur, puissent, par la faute de mon Frankenstein de Baker Street, ne jamais recevoir devant le tribunal de l'opinion publique le traitement impartial qu'un auteur est en droit d'espérer. Je me console cependant en me disant que, sans M.H., mes œuvres soi-disant personnelles se limiteraient aux quelques volumes empilés au fond de ma malle.

« Pourtant, à la question qui m'était infligée ce soir avec la dernière vigueur, comme à chacune des occasions où je me résous à paraître en public (y compris, effroyable souvenir, ma dernière séance chez le dentiste, bouche béante et gorge offerte aux instruments tranchants dans la main de mon inquisiteur !), ma réponse demeure résolument : non. Dix fois, cent fois, mille fois NON !

« Il n'y aura pas de résurrection. L'individu a fait une chute de deux mille pieds dans le fond d'une crevasse et il y est resté. En miettes. Irréparable. Sans l'ombre d'un espoir de guérison. Plus mort que Jules César. Les dieux de la logique méritent un minimum de respect, que diable !

« Je me demande combien il me faudra encore de temps pour rappeler à ces fanatiques que l'homme a non seulement péri, mais qu'il n'a jamais existé ! Il n'est pas plus en mesure de répondre au courrier dont ils l'inondent qu'il ne réside au 221B Baker Street (adresse elle aussi purement fictive) et que, par conséquent, il ne peut ni ne pourra leur être d'aucun secours pour résoudre le mystère qui ne cesse de les hanter. Si je recevais un shilling à chaque fois qu'on me demande... Au fait, tout bien pesé, j'en perçois sans doute davantage.

« À quoi la mort de S.H. m'exposera-t-elle en Amérique ? Je me suis laissé dire que la passion pour le personnage est encore plus dévorante là-bas qu'ici. Mon enthousiasme à l'idée d'aborder ces rivages devrait au moins compenser les incommodités dont je pourrais souffrir par suite du bond dans le vide du satané Sherlock. Depuis mon enfance, les États-Unis et les Américains ont toujours captivé mon imagination. Leur exubérance, leur jeunesse d'esprit, la volonté inflexible qui les anime dans leur marche vers le progrès seront pour moi de puissants toniques qui me régénéreront.

« Je serai cinq mois absent. Loin d'être aussi vaillante qu'elle voudrait me le faire croire, ma chère épouse m'encourage cependant à accomplir ce voyage qu'elle juge essentiel pour ma carrière. Je me plie à ses désirs, car la frustration que me cause mon incapacité à adoucir ses maux ne nous apporte la paix ni à l'un ni à l'autre. En dépit de mes efforts, cette maudite maladie suivra son cours inexorable. Une distance se creuse entre nous, qui ne cesse de s'accroître quel que soit l'endroit où je me trouve : plus je m'aventure dans le monde extérieur, plus ma chère femme s'en retire. Les forces qu'elle consacre à tenter de me rassurer seront ainsi mieux employées à conforter ses propres ressources. Dans un tel combat, on est finalement seul à lutter.

« Pas de regrets, donc. Les jours à venir passeront vite, comme ils ont toujours tendance à le faire. J'effectuerai ma tournée de l'Amérique, le moment venu je serai de retour auprès de mes êtres chers. Mon jeune frère Innes sera un compagnon de voyage idéal : deux ans de service dans les Royal Fusiliers ont fait merveille pour ce garçon. Ce soir au Garrick, en le voyant prendre ma défense avec fougue, Innes me rappelait étrangement le blanc-bec impétueux que j'étais dix ans plus tôt, lorsque je parcourais un trop bref bout de chemin en compagnie d'un homme dont le souvenir demeure plus vivace et plus profondément gravé en moi que celui de quiconque j'ai connu dans ma vie jusqu'à ce jour.

« Notre train part à l'aube pour Southampton, le navire lève l'ancre à midi. Je me réjouis d'avance du luxe que représentera une longue semaine de détente ininterrompue.

« À plus tard, cher journal. »

— Innes, donne ces bagages au porteur, il est là pour cela. Allons, pressons !

— Nous avons largement le temps, Arthur, répondit son jeune frère en soulevant une valise.

— Non, pas celle-ci ! J'y ai mis toute ma correspondance, ne la quitte des yeux sous aucun prétexte.

— Je sais fort bien ce que chacune contient, voyons !

Pendant ce temps, un porteur âgé s'évertuait à charger leur première malle sur son chariot.

— Dépêchez-vous, porteur, une voiture nous attend à la sortie. Et attention à cette cantine, elle est pleine de livres !... Tu lui donneras une demi-couronne, souffla Doyle à l'oreille d'Innes, pas un penny de plus. Ces retraités feignent toujours de déployer des efforts surhumains alors qu'ils en remontreraient en réalité à un Hercule de foire. Que diable fabrique donc Larry ?

— Le train vient à peine d'arriver, Arthur.

— Larry était censé nous attendre sur le quai ! À quoi bon l'avoir dépêché ici avec vingt-quatre heures d'avance s'il n'est pas fichu de retrouver...

— Hello ! Hello ! monsieur ! Je suis là ! J'arrive !

Larry le hélait depuis l'entrée de la gare et s'approchait en louvoyant dans la foule. Doyle lança un coup d'œil à sa montre en bougonnant :

— Nous sommes arrivés depuis dix minutes. À l'heure juste. On a déjà vu des navires lever l'ancre sans attendre les retardataires.

— Nous avons encore plus d'une heure devant nous, Arthur. Regarde, on voit le bateau d'ici. Tu n'as aucune raison de t'énerver à ce point.

Innes montrait la direction du port tout proche, où les deux imposantes cheminées rouges du paquebot *Elbe* se détachaient contre les nuages gris et bas.

— Je me détendrai une fois que nous serons à bord, installés dans notre cabine et nos bagages arrimés dans la cale, pas une minute avant, déclara Doyle en vérifiant les billets et les passeports pour la troisième fois depuis leur descente du train.

— Tu es vraiment atteint de tracassin aigu, commenta Innes avec le sourire narquois que méritait, selon lui, le comportement ridicule de son frère aîné.

— Vas-y, moque-toi de moi ! Le jour où tu manqueras un train ou un bateau, nous verrons si tu auras encore envie de t'amuser à mes dépens. Les contretemps qui se dressent entre nous et notre destination forment une liste plus longue que la perche d'un allumeur de réverbères. Arriver quelque part à l'heure dite n'est pas dû à la chance, mais à un constant effort de volonté. Toute attitude contraire de la part du voyageur revient à inviter les désastres à fondre sur sa tête — non qu'ils aient besoin d'encouragement...

— Me voici, monsieur ! annonça Larry, encore haletant de sa lutte à contre-courant dans le flot des voyageurs qui se ruaient vers la sortie.

— Dieu tout-puissant, Larry, où étiez-vous fourré ? Nous sommes arrivés depuis une éternité !

— Désolé, monsieur. Une fichue matinée, croyez-moi.

— Ah ! vraiment ? dit Doyle en lançant à son frère un regard entendu. Racontez-nous cela.

— Eh bien, pour commencer, l'alerte au feu a sonné dans

l'hôtel à cinq heures du matin — un vacarme du diable, des femmes hurlantes dans les corridors, tout le monde dehors en chemise de nuit, imaginez la scène ! Et nous n'avons pas eu le droit de rentrer avant trois longues heures. Un cheikh d'Arabie qui aurait mis le feu aux rideaux en voulant faire rôtir un mouton dans sa chambre, paraît-il.

— Quelle barbarie ! s'indigna Doyle en vérifiant du coin de l'œil l'effet du récit de Larry sur son frère. Alors, que s'est-il passé ensuite ?

— Le résultat, c'est que tout le monde était en retard et voulait quitter l'hôtel en même temps, si bien qu'il m'a fallu attendre près d'une demi-heure avant de retrouver mon fiacre. J'avais eu beau prendre la précaution de le retenir la veille, les abords de l'hôtel étaient si encombrés que le bougre ne pouvait pas même s'approcher et que je n'arrivais pas à le repérer dans la cohue.

— Encore heureux qu'il n'ait pas brisé un essieu.

— Une vraie mêlée, pire qu'un match de rugby ! renchérit Larry, toujours trop heureux de saisir le moindre prétexte pour donner libre cours à son éloquence. Bref, je ne voyais mon cocher nulle part, j'étais sur le point d'abandonner le navire en détresse et de sauter dans la première chaloupe en vue quand l'automédon s'est enfin extirpé du pack. Et là, nous commencions à peine à rouler quand un fardier plein de tonneaux de bière s'est renversé au milieu de la chaussée, au point que ni homme ni bête ne pouvait plus bouger le petit doigt ou remuer une oreille à trois rues à la ronde.

— Il aura bien fallu une bonne demi-heure pour dégager le passage, supputa Doyle avec un regard appuyé en direction de son frère.

— Une demi-heure ? Pas loin de trois quarts d'heure, oui ! Bref, nous n'étions pas sitôt repartis que le cheval perd un fer et se met à boiter plus bas qu'un chien à trois pattes. Du coup, voilà mon cocher qui commence à jurer et à tempêter sans vouloir entendre raison — rien d'étonnant, de la part d'un Gallois ! — si bien qu'il ne me restait qu'à abandonner mon misérable équipage en pleine rue et à courir jusqu'ici sous une pluie battante, en me frayant un chemin dans la foule des touristes affolés, pour tenter de mettre la main sur un autre fiacre. Si je ne m'étais pas ébranlé une grande heure avant l'arrivée de votre train, j'aurais eu plus de dix minutes de retard, vous pouvez me croire.

— Je vous crois sans peine, mon bon Larry. Et je vous sais gré de votre diligence.

Le récit de cette accumulation de catastrophes ayant, à n'en pas douter, convaincu son frère de la justesse de sa mercuriale sur les caprices du destin, Doyle lui décocha un sourire triomphant. Mais Innes, avec la mauvaise foi propre à la jeunesse, affectait le désintérêt le plus complet et fixait l'horizon comme si la grande pyramide de Gizeh s'était soudain matérialisée sur une colline avoisinante.

Doyle salua sa réaction d'un grognement réprobateur et se dirigea vers la sortie, suivi du porteur et précédé par Innes qui leur dégageait un passage dans la foule avec la délicatesse d'un chasse-pierres à l'avant d'une locomotive.

— Une chance que notre nouveau cocher soit un admirateur fervent de la Machine à Calculer, dit Larry en usant d'une des périphrases peu flatteuses dont Doyle et lui affublaient l'illustre dénoueur d'énigmes. J'ai dû lui promettre un autographe pour le décider à nous attendre.

Avant que Doyle ait pu s'enquérir d'un support éventuel pour ledit autographe, Larry exhiba de sous son imperméable un numéro du *Strand*, qui rééditait les aventures classiques de Sherlock Holmes. Cinq ans au service de Doyle avaient doté l'ex-mauvais garçon cockney de la faculté quasi surnaturelle de prévenir les moindres désirs de son maître.

— Je me suis permis..., commença-t-il.

— Vous avez bien fait, dit Doyle en sortant son stylo de sa poche. Comment s'appelle votre lascar ?

— Roger Thornhill.

Doyle prit le magazine des mains de son fidèle secrétaire et, sans ralentir l'allure, griffonna : *Pour Roger. Le coup d'envoi est lancé ! Bien à vous, Arthur Conan Doyle.*

— Nous avons encore largement le temps, observa Innes avec un calme olympien.

— À vrai dire, intervint Larry, j'ai dû hausser le ton pour me faire entendre du cocher dans le vacarme et j'ai bien peur que la nouvelle de votre arrivée soit déjà...

Un rugissement lui coupa la parole :

— LE VOILÀ !

Une cinquantaine de fanatiques armés d'exemplaires du *Strand* cerna Doyle en dressant une infranchissable barrière de corps entre lui et le fiacre dont le cocher, grimpé sur son siège, agitait frénétiquement les bras. À l'arrière-plan, proches et pourtant inaccessibles, les cheminées de l'*Elbe* semblaient narguer les voyageurs.

— Jeu et match, souffla Doyle à son frère. Admettras-tu enfin l'existence des impondérables ?

Sur quoi, décidé à accorder un mot aimable à chacun tout en

écourtant l'épreuve autant qu'il serait humainement possible de le faire, Arthur Conan Doyle affronta son public, stylo en bataille et sourire aux lèvres.

Entre les signatures, les échanges d'aménités, les anecdotes subies (« J'ai un oncle à Brighton qui est un bon détective, lui aussi... ») et les manuscrits d'amateurs refusés avec courtoisie mais fermeté, une demi-heure s'envola. Les dix minutes de trajet jusqu'aux docks se déroulèrent ensuite sans incident, ponctuées par le monologue du cocher qui se félicitait de son incroyable bonne fortune par des variations sur le thème : « Quand ma bourgeoise saura ça ! »

À la douane, le franchissement du steeple-chase bureaucratique, imposé à ceux qui désertent la mère patrie, s'opéra avec une telle aisance que Doyle en conçut un certain dépit. Résolu à annihiler le premier fonctionnaire assez obtus pour manifester la prétention de lui mettre des bâtons dans les roues, il s'était constitué une réserve de sainte fureur qu'il n'eut pas même l'occasion d'entamer.

Quelque chose clochait, tout était trop facile.

Un employé déférent tamponnait son passeport. Il restait cinq minutes avant l'appareillage du paquebot, distant d'une centaine de pas, quand, avec l'instinct infaillible de la proie confrontée au prédateur, Doyle repéra du coin de l'œil et identifia aussitôt la silhouette d'un journaliste à l'affût, prêt à fondre sur lui comme un fauve affamé.

— Monsieur Conan Doyle !

Bloc et crayon en main, mégot de cigare au bec, complet avachi et panama difforme sur le crâne, l'homme bondit avec l'avidité du setter sur un lièvre au gîte. Il s'agissait bel et bien d'un journaliste — américain, par-dessus le marché. L'espèce la plus redoutable.

La peste étouffe le chasseur de manchettes ! pensa Doyle en jetant autour de lui un regard éperdu. Larry et Innes s'occupaient des bagages. Il était coincé sans recours, sans issue par laquelle prendre la fuite.

— Monsieur Arthur Conan Doyle !

Résigné, Doyle se tourna vers l'agresseur.

— Je vous écoute, monsieur.

— Alors, comme ça, vous êtes sur le départ ? Votre premier voyage en Amérique ? Quelles réflexions ?

— Trop nombreuses pour en faire état.

— Bien sûr ! Quand même, dites : vous êtes content, non ? New York à vos pieds ! Quelle ville ! Immense ! Toujours plus haut, vous n'en croirez pas vos yeux, dit l'homme en gesticulant des deux mains vers le ciel. À en attraper le vertige, vous verrez !

Cet énergumène est complètement fou, pensa Doyle. Souris, mon ami. Il ne faut pas contrarier les aliénés.

— Des grands projets, hein ? reprit l'autre. Tournée de conférences, quinze villes ? C'est quelque chose, ça ! Le grand Charles Dickens lui-même n'en a pas fait autant !

— On ne peut aspirer à mettre ses pas dans ceux des génies qu'avec la plus grande humilité, répondit Doyle.

L'autre n'en fut pas troublé le moins du monde.

— Oui, oui. Mais dites-moi...

— Veuillez me pardonner, je dois embarquer.

— Laquelle préférez-vous ?

— Laquelle quoi ?

— Laquelle des aventures de Holmes. Il y en a bien une que vous aimez mieux que les autres, non ?

— À vrai dire, je ne sais pas. Celle du serpent, peut-être... du diable si je me souviens du titre.

Le journaliste claqua des doigts d'un air triomphant.

— *La Bande mouchetée* ! Fantastique, cette histoire !

— Vous n'avez lu aucun autre de mes... ouvrages, je suppose ? hasarda Doyle.

— Quels ouvrages ?

— Soit, mettons que je n'ai rien dit. Excusez-moi, il faut vraiment que je vous quitte.

— OK. Mais d'abord, dites-moi la vérité. Qu'espérez-vous trouver en Amérique ?

— Ma chambre d'hôtel et un peu de tranquillité.

— Alors là, n'y comptez pas ! Vous ferez la une de tous les journaux, monsieur Doyle ! La Sherlock-mania est une fièvre contagieuse, vous savez. Il faudra vous y habituer. Ils feront la haie pour vous accrocher !

— Ils ? La haie ? M'accrocher ?

— Bien sûr. Tout le monde veut savoir : qui c'est, ce type-là ? Qu'est-ce qu'il a dans le ventre ? Qui peut avoir l'esprit assez tordu pour inventer des trucs pareils ?

— Charmant !

— Pourquoi croyez-vous que mon journal me paie le voyage sur ce bateau ? Pour être le premier à vous faire parler, c'est aussi simple que ça.

— Vous... sur *ce* bateau-*ci* ?

Grand Dieu ! Trop tard pour changer.

— Oui, bien sûr. Alors, voilà ce que je vous propose, déclara le journaliste en adoptant un ton de conspirateur. Rendez-moi le service de quelques scoops exclusifs pendant la traversée et je vous faciliterai le travail à l'arrivée, OK ? À New York, j'ai des relations à la pelle. Animal, végétal, minéral : l'embarras du choix. Pas de limites. Et toujours sur un plateau d'argent.

L'homme souligna ses propos d'un clin d'œil complice. Quel ahurissant personnage ! pensa Doyle pendant que le douanier lui rendait son passeport.

— Il fallait vraiment le tuer, gouverneur ? se lamenta l'honnête fonctionnaire avec un sourire timide.

— Que voulez-vous, mon ami, répondit Doyle aimablement, nous devons tous nous en aller un jour ou l'autre.

Doyle fourra ses papiers dans sa poche et s'éloigna à vive allure. Mais le journaliste lui emboîta le pas en lui agitant sa carte de visite sous le nez.

— Je m'appelle Pinkus. N'oubliez pas : Ira Pinkus, du *New York Herald*. Et pensez à ce que je vous ai dit, hein ?

— Merci, monsieur Pinkus.

— Je peux vous inviter à dîner ce soir ?

Doyle refusa d'un signe et d'un sourire froid.

— À boire, alors ? Un cocktail ? Hein, qu'en dites-vous ?

À la grille, miracle ! Le garde barra le passage au journaliste qui s'apprêtait à suivre Doyle. L'envahissant Pinkus n'avait pas sacrifié aux formalités de douane ! Doyle pressa le pas, sourire aux lèvres. Quoi de plus gratifiant au monde que d'échapper à un danger pressant ?

— Dites, cria Pinkus, quand ramenez-vous Sherlock à la vie ? Vous n'allez pas le laisser pourrir dans ce trou des Alpes suisses ! Le public veut de nouvelles histoires ! Vos lecteurs sont prêts à faire la révolution !

Doyle ne se retourna même pas. Trop d'autres choses méritaient son attention : Innes qui payait le porteur, Larry qui surveillait le chariot, des dockers qui empoignaient leurs bagages et gravissaient la passerelle. Un peu plus loin, des cercueils de bois blanc alignés sur le quai étaient directement chargés dans la cale — des morts qui avaient voulu être inhumés chez eux. Bizarre, pensa Doyle machinalement. D'habitude, sur les paquebots transatlantiques, on embarque les cercueils à rapatrier pendant la nuit, hors de vue des passagers payants. À moins d'une urgence de dernière minute, comme ce devait être le cas.

Sur la plage arrière du navire, l'air soucieux, des officiers se penchaient vers le quai en consultant leur montre. Il était midi moins deux minutes. Les frères Doyle étaient donc les derniers voyageurs à monter à bord — à part Ira Pinkus ou, avec un peu de chance, *sans* lui.

— Je n'ai plus le temps de vous installer dans votre cabine, monsieur, dit Larry.

— Alors, disons-nous adieu ici. Voici mon courrier de ce matin, dit Doyle en lui tendant un paquet de lettres.

La mine plus affligée qu'un basset d'Artois, Larry fixait le bout de ses bottines.

— Je suis vraiment désolé de ne pas pouvoir partir avec vous, monsieur.

— Pas plus que moi, mon bon Larry, répondit Doyle avec une affectueuse bourrade sur l'épaule. Je ne sais comment je m'en sortirai sans vous, mais il faut que quelqu'un reste pour veiller au grain et nul n'est mieux qualifié que vous.

— J'ai bien du dépit de penser que vous pourriez avoir besoin de moi à un moment ou à un autre et que je ne serais pas là pour vous servir.

— Innes fera du très bon travail, j'en suis sûr.

— Ou j'y laisserai ma peau, affirma Innes, martial.

— Nous vous écrirons tous les jours. Faites de même. Et veillez à garder ma femme à l'abri de l'humidité, dit Doyle d'une voix chargée d'émotion.

Il serra avec affection le bras de Larry et se détourna aussitôt pour dissimuler ses yeux embués de larmes.

— Allons, Innes, en avant ! Allons conquérir l'Amérique.

— Bon voyage, monsieur ! cria Larry pendant que les deux frères s'engageaient sur la passerelle.

Le commissaire de bord les accueillit chaleureusement à la coupée. Doyle se retourna une dernière fois. Sur le quai, Larry agitait les bras comme un sémaphore. Derrière lui, un homme surgissait du bâtiment de la douane et courait à toutes jambes vers la passerelle.

Ira Pinkus. Au diable l'empoisonneur !

Seul pour la première fois depuis que les remorqueurs avaient halé le paquebot vers le large, Doyle sortit sur le pont supérieur en aspirant une longue bouffée d'air marin. À trente-cinq ans, c'était un bel homme vigoureux de six pieds deux pouces dont une stricte discipline, à base de boxe et de gymnastique, maintenait les deux cents livres de muscles dans une forme irréprochable. Son épaisse moustache noire était taillée avec soin, l'expérience soulignait les traits de son visage charnu, son regard était empreint de l'autorité que justifiait sa réussite matérielle — à laquelle il s'était adapté sans peine, comme en témoignaient sa mise et son comportement. Il émanait de sa personne le magnétisme naturel de l'homme promis à une grande destinée. Doyle ne se considérait

pas moins comme un père de famille avant tout ; sa longue séparation d'avec sa femme et ses trois jeunes enfants représentait
pour lui une pénible épreuve.

Les agréments de la renommée ne dispensaient pourtant pas
des mauvaises surprises de la vie, ainsi que Doyle s'en était vite
rendu compte, pas plus qu'ils ne soulageaient des afflictions plus
profondes telles que la solitude ou les désordres affectifs. Ils exigeaient en outre de celui censé en bénéficier le maintien d'un
train de vie conforme à son apparente prospérité, au prix de
telles dépenses que la marge entre rentrées et sorties de numé-
raire s'amenuisait au point de frôler parfois la pénurie, ce mal
dont le spectre hante l'existence de tous les hommes.

Non que Doyle ait jamais attendu de ses semblables qu'ils
compatissent aux difficultés engendrées par sa fulgurante réussite. Sa fortune était fort éloignée de celle que l'opinion lui attribuait, mais puisqu'il avait fait son lit, il devait s'y coucher. Il
avait beau chercher, il ne comprenait cependant toujours pas
pourquoi l'arrivée d'une somme d'argent dans son escarcelle ne
précédait que d'un trop court instant sa fuite précipitée, le plus
souvent pour l'acquisition d'objets inutiles, voués au rebut dans
des caisses ou des fonds de placards où ils se couvraient de
poussière. C'était d'autant plus absurde venant d'un Écossais
pur sang, homme économe jusque dans les fibres de son être,
qui s'était héroïquement évertué toute sa vie à éviter le gaspillage
et les extravagances.

À quoi bon lutter contre l'inéluctable ? Mieux vaut se soumettre aux caprices migratoires de l'argent comme à une loi de
la nature. Un homme travaille pour gagner de quoi couvrir ses
besoins fondamentaux — se loger, se nourrir, se chauffer —
puis, ceux-ci satisfaits, se récompense de son épuisant labeur en
s'offrant le luxe du superflu... jusqu'à ce que ses dépenses somp-
tuaires mettent en péril l'essentiel et le forcent à tout reprendre à
la base, victime de son destin génétique comme le saumon qui
remonte le courant à seule fin d'expirer sur le lieu de sa naissance.

Une semaine en haute mer : quelle joie, grand Dieu, de laisser
derrière soi ces casse-tête quotidiens ! Ce n'est qu'en voulant
nager qu'on prend conscience du poids de ses responsabilités,
accumulées comme des pierres dans ses poches. À elle seule,
une semaine de corvée de courrier, soixante lettres par jour en
moyenne, ferait couler à pic n'importe qui ! Et quel merveilleux
moyen d'évasion que ce superbe paquebot, cet opulent masto-
donte quasi insensible aux éléments, qui fend la houle de son
étrave orgueilleuse ! Quel contraste entre ce monument de puis-

sance raffinée et les frégates ou les sloops étriqués sur lesquels, jeune médecin de marine, Doyle avait navigué ! Cela se passait quinze ans auparavant mais lui paraissait déjà vieux d'un siècle.

Un pied sur la rambarde, Doyle regardait s'éloigner l'Angleterre, sa longue-vue pointée sur la promenade qui longe le rivage au-delà du port de Southampton. Des touristes déambulaient, des phtisiques en fauteuil roulant prenaient l'air. Avec sa longue-vue, Doyle voyait les couvertures dépliées sur leurs genoux, les linges noirs appliqués sur leurs bouches comme des bâillons...

Un poignard lui perça le cœur. À peine trois mois plus tôt, c'était lui qui poussait Louise, sa femme, dans un de ces fauteuils sur un sentier en Suisse. Sous un ciel bleu et froid, les montagnes semblaient l'écraser de leur masse. Combien il haïssait leur majestueuse indifférence ! Moins, cependant, que la cordialité artificielle et condescendante avec laquelle le personnel du sanatorium traitait Louise.

À la fin, n'y tenant plus, il avait agrippé une des infirmières par le bras, une Autrichienne rébarbative qu'il avait secouée rudement : « Vous parlez à la maladie ! Parlez-lui à *elle* ! C'est une personne qui est assise là, pas un objet ! » Louise gênée de son esclandre, la femme livide qui reculait pas à pas, les mains tremblantes. Ces gens étaient tous odieux. Haïssables. Pour eux, sa femme n'était rien de plus qu'un numéro. Ils ne faisaient aucun effort pour nouer avec elle un minimum de rapports humains, pour la réconforter, reconnaître la réalité des épreuves que cette femme bonne et courageuse endurait sans une plainte.

Pourquoi les gens se détournent-ils ainsi de la souffrance d'autrui ? Certes, les ravages de la maladie étaient cruels à observer. Il s'était lui-même assez souvent senti coupable de se retrancher derrière le masque d'autorité du médecin alors que le malade en face de lui avait moins besoin d'un remède que d'un regard apaisant, compréhensif, capable de distinguer derrière la maladie un cœur, une âme implorant le secours. Sa colère devant l'indifférence de cette infirmière avait été en grande partie nourrie de ses propres faiblesses, la pire étant son incapacité à arracher sa femme aux griffes de ce mal débilitant, contre lequel il n'existait aucun remède et qui l'éloignait de lui peu à peu. Depuis combien de temps n'étaient-ils plus charnellement mari et femme ? Quatre mois ? Davantage ?

Le port militaire de Portsmouth et ses chantiers navals se profilèrent au sud-est. Que d'après-midi il avait passés là, pendant son apprentissage de médecin, à regarder de la fenêtre de son bureau les canonnières manœuvrer dans la rade ! Quand on reçoit un patient tous les six mois, on n'a pas grand-chose d'autre à faire, à vrai dire. Près de dix ans déjà depuis son installation dans cette petite ville côtière après ses aventures avec les Sept ? Incroyable !...

Un flot de souvenirs le submergea. Le jeune Innes, douze ans à l'époque, venu travailler chez lui cet été-là comme réceptionniste, attendant avec impatience les coups de sonnette des clients qui ne se manifestaient pas. Le chaud soleil du matin envahissant paresseusement la cuisine de leur cottage de Southsea. L'âcre odeur de la lampe à pétrole sur son bureau d'érable, où il écrivait des nuits entières en rêvant à la vie nouvelle que son travail leur apporterait peut-être. La petite chambre où Mary, leur fille aînée, avait été conçue et était venue au monde. Le jour où il avait porté Louise dans ses bras pour franchir le seuil de la maison en riant de bonheur. Ils abordaient leur vie conjugale aussi pleins l'un et l'autre d'amour, de naïveté juvénile et d'espoirs aveugles.

L'horizon se brouilla, les larmes lui venaient aux yeux. Ne pense pas à elle en ce moment ! Allons, mon vieux, ressaisis-toi. Un peu de dignité, que diable !

Un brouhaha de conversations montait vers lui des autres ponts où les passagers se pressaient. Le navire était complet, des Allemands en majorité, à peine deux douzaines d'Anglais embarqués à Southampton. Venant de Brême, son port d'attache, l'*Elbe* était un paquebot de neuf mille tonnes d'un type entièrement nouveau. Propulsé par deux hélices à une vitesse maximale de dix-sept nœuds, ce fleuron de la compagnie Norddeutscher Lloyd se jouait du rude clapot des eaux grises de la Manche. Il pouvait accueillir deux cent soixante-quinze passagers en première classe, cinquante seulement en seconde. Avec leurs équipages impeccablement sélectionnés et disciplinés, les compagnies de navigation allemandes détenaient un quasi-monopole sur les lignes de l'Atlantique nord. Le public appréciait le professionnalisme sans faille d'un peuple réputé pour son dynamisme.

Doyle aperçut Innes en compagnie d'un homme qui parlait avec animation et lui tendait une carte de visite. Doyle se pencha. Difficile sous cet angle de voir de qui il s'agissait... Grand Dieu ! Ira Pinkus, encore lui !

— Vous regagnez votre pays ou vous le quittez ?

Doyle, qui se croyait seul, sursauta. À quelques pas de lui, un homme vêtu de noir était accoudé à la rambarde. Corpulent, le visage rubicond, la tête couronnée de cheveux roux, grisonnants comme ses épais favoris. La cinquantaine. Une pointe d'accent irlandais.

— Je le quitte, répondit-il.

— La tristesse d'un déchirement précède parfois les longs voyages.

Oui, irlandais à coup sûr. Doyle se borna à acquiescer d'un signe de tête. Sans cesser de regarder vers le large, l'homme se tourna légèrement vers lui. Doyle vit alors le col romain, la poche d'où dépassaient les grains d'un chapelet. Ah, non ! Il n'était pas d'humeur à se laisser infliger les homélies oiseuses d'un prêtre catholique...

— Il arrive, reprit ce dernier, que la mélancolie nous procure un plaisir plus doux que celui du bonheur. Nous sentons quelque chose de nouveau venir nous habiter. Nous devenons capables de considérer l'inconnu sans préjugés, voire d'y reconnaître une chance. Nous pouvons aussi découvrir en nous-même un territoire inexploré, proche du cœur de ce mystère qui nous effraie : qui sommes-nous en réalité ?

Son ton était chaleureux, sa sincérité indéniable. Ce n'était pas là quelque pieux et creux verbiage, mais bien l'expression d'une connaissance profonde de la nature humaine et de compassion pour ses tourments. Doyle en fut touché malgré lui mais ne sut que répondre. Comment cet inconnu avait-il si précisément deviné les sentiments qui l'agitaient ? Étaient-ils transparents à ce point ? Pourtant, soucieux de ne pas empiéter sur son intimité, le prêtre s'abstenait de le dévisager et continuait à fixer le rivage qui défilait devant eux.

— Nous laissons quelquefois derrière nous le meilleur de nous-mêmes, répondit enfin Doyle.

— Il arrive que les voyages conduisent vers un but que l'on ne prévoyait pas au départ, dit le prêtre. Sauver une vie, par exemple. Parfois même une âme.

Doyle laissa ces paroles pénétrer en lui. Les clameurs de ses voix intérieures firent silence peu à peu, le rythme paresseux de la houle acheva de l'apaiser.

Un soudain rayon de soleil reflété sur les eaux brisa sa rêverie. Doyle ne sut dire depuis combien de temps ils s'étaient parlé. Le paysage avait changé. On ne voyait plus sur le rivage que des champs vallonnés, une ferme isolée çà et là. Droit devant, la Manche annonçait déjà l'immensité de l'Océan. Doyle tourna la tête.

Le prêtre avait disparu.

Un pont au-dessous de celui où Doyle se tenait seul, un grand et bel homme élégamment vêtu, blond et large d'épaules, émergea d'un escalier d'accès aux cales. Il se mêla insensiblement à la foule, adressa aux uns et aux autres quelques mots aimables en un allemand châtié, aux intonations sèches et distinguées qui dénotaient un natif de Hambourg. Puis, étant ainsi parvenu à sembler s'intégrer aux passagers sans laisser sur quiconque une impression durable, l'homme se fit servir à boire par un steward, alluma une cigarette et alla s'adosser à un pilier légèrement à l'écart, d'où il observa la foule avec une désinvolture étudiée.

Absorbés par le spectacle du rivage, aucun de ces bons bourgeois suffisants n'avait remarqué son arrivée sur le pont par une écoutille, constata l'homme qui s'en félicita. Nul ne s'était aperçu auparavant de sa présence dans la cale. Quant aux officiers et membres de l'équipage, ils ne lui avaient jusqu'à présent pas même accordé un regard.

Tandis que la terre s'amenuisait à l'horizon, le grand blond examina les passagers à mesure qu'ils s'éloignaient du bastingage. Entendant ne pas perdre une minute des distractions sans fin propres aux traversées transatlantiques, ils s'engouffraient au bar pour la plupart. Seuls quelques-uns s'attardaient. L'homme redoubla d'attention.

Ah ! Les deux jeunes gens à la dégaine de boutiquiers, moins soignés de leur personne que les bourgeois, étaient là, près des canots de sauvetage. Ils discutaient avec ces mines de conspirateurs que le grand blond avait souvent eu l'occasion d'observer quand il les surveillait à Londres. Deux petits Juifs qui s'efforçaient de passer inaperçus — sauf à ses yeux à lui, bien sûr.

Avaient-ils conscience d'être espionnés ? Pas maintenant, en tout cas. À Londres, en revanche, quelque chose les avait alertés et suffisamment effrayés pour les faire partir précipitamment. Rassembler son équipe en si peu de temps et les suivre jusqu'à bord de ce bateau n'avait pas été de tout repos, mais il y était parvenu.

Tout en parlant, les deux jeunes gens posèrent par hasard les yeux sur le grand blond. Il affecta aussitôt de lorgner une femme qui passait et la salua d'un coup de chapeau. Lorsqu'il reprit sa surveillance, les jeunes gens regardaient ailleurs. Peu après, toujours plongés dans leur conversation, ils s'éloignèrent sans se retourner.

Le grand blond attendit un instant. Il ne lui restait qu'à repérer leurs cabines. Ensuite, ce serait aux autres de faire le nécessaire.

Il jeta sa cigarette par-dessus bord et prit d'un pas nonchalant la direction suivie par les jeunes gens.

Ces deux-là lui facilitaient vraiment la tâche.

À l'autre bout du monde, le *Canton*, sordide rafiot rouillé arrivant de Shanghai avec une cargaison d'émigrants entassés dans l'entrepont, embouquait la passe d'accès à la baie. Accoudé à la rambarde de tribord, un homme psalmodiait une prière silencieuse en regardant grandir cette terre inconnue. Autour de lui, la horde de miséreux clamait sa joie à la vue du mythique paradis de l'abondance. Après avoir été quinze jours confinés comme des bêtes dans un enfer pestilentiel, grouillant de maladie et de crime, ils concevaient pour la première fois que ce pari insensé sur leur vie valait peut-être la peine d'avoir été pris.

L'homme se tenait seul au milieu de la foule, sans que nul ne se hasarde à le serrer de près ou à le bousculer. Ni jeune ni vieux, ordinaire d'allure, moyen de taille et de corpulence, il occupait peu d'espace mais, s'il le désirait, cet espace restait inviolé. Rien en lui n'attirait l'attention, sa présence même se remarquait à peine au sein de la foule surexcitée. C'était là une de ses plus précieuses facultés : se rendre invisible lorsque la situation l'exigeait. Aussi les autres le laissaient-ils seul : il imposait un respect qu'ils lui accordaient sans en avoir conscience.

Ses parents, sa famille lui étaient aussi inconnus que les étrangers massés autour de lui. Personne ne lui avait attribué de nom avant de l'abandonner dans une ruelle quelques heures après sa naissance. Dès sa petite enfance, il manifestait une telle capacité de concentration mentale et de telles dispositions à ne compter que sur lui-même que les frères du monastère, qui l'avaient recueilli et élevé, l'avaient appelé Kanazuchi — le Marteau.

Une fois le bateau ancré à San Francisco et ses passagers soumis au contrôle de l'immigration, aucun officiel ne mettrait en doute ce qu'il prétendait être, l'un d'entre les quatre cents misérables ouvriers chinois originaires de la province de Quongdong. Grâce à son front rasé et à sa tresse plantée au sommet du crâne, il savait pouvoir compter sur l'incapacité de l'homme blanc à distinguer les Asiatiques les uns des autres. Ces gens n'imagineraient pas davantage qu'il puisse être japonais, peuple trop rarement aperçu dans ces parages. Qu'il soit consacré et membre d'un vénérable ordre monastique de l'île d'Hokkaido dépasserait à coup sûr leur entendement. Quant à l'idée même qu'il était l'un des hommes les plus redoutables de la planète, elle ne viendrait jamais à l'esprit d'aucun être en ce monde.

Par souci d'équilibre esthétique, Kanazuchi conclut sa méditation profane par une pieuse action de grâce. Plus le navire se rapprochait de l'Amérique, plus les visions qui peuplaient ses rêves depuis trois mois le troublaient. Seule la méditation était capable de l'apaiser.

L'agitation redoubla sur le pont à mesure que l'approche de la grande ville se précisait sur les vertes collines du rivage. Kanazuchi rajusta le ballot oblong qu'il portait sur le dos et se demanda s'il serait obligé d'en montrer le contenu en débarquant. Beaucoup des travailleurs qualifiés à bord, charpentiers et maçons, étaient munis de leurs propres outils. Peut-être seraient-ils tous autorisés à passer sans devoir exhiber leurs affaires. Dans le cas contraire, il devrait trouver le moyen d'éviter les autorités.

Kanazuchi était prêt à toute éventualité. Trop avancé maintenant pour reculer, il s'était fermé l'esprit à l'idée même d'un échec. Il savait aussi que si quiconque voyait le sabre caché dans son ballot, il serait forcé de le tuer.

CHAPITRE 2

— Je m'appelle Werner, monsieur. Si je puis faire quoi que ce soit pour vous rendre la traversée plus agréable, n'hésitez pas à faire appel à moi.

— Merci, Werner, je n'y manquerai pas.

Doyle voulut entrer dans sa cabine, dont l'obligeant Werner lui barrait le passage.

— Permettez-moi, monsieur... J'ai lu les aventures de votre célèbre détective et j'aimerais vous prouver que le grand M. Holmes n'est pas le seul homme doté de pouvoirs de déduction, déclara le steward dans un anglais irréprochable à peine teinté d'accent allemand.

— Fort bien, répondit Doyle patiemment. Et comment, je vous prie, pensez-vous le démontrer ?

— Je n'ai eu le temps de vous observer que quelques instants, n'est-ce pas ?

— Je ne vous contredirai pas sur ce point.

— Et pourtant, je suis en mesure d'affirmer que vos voyages vous ont emmené l'an passé à Cherbourg, Paris, Genève, Davos et Marienbad avant de regagner Londres, d'où vous vous êtes rendu une fois à Édimbourg et deux fois à Dublin. N'est-ce pas exact, monsieur ?

Doyle dut convenir que ce l'était.

— Désirez-vous savoir comment je suis parvenu à cette conclusion ?

Doyle admit volontiers qu'il était intrigué.

— C'est très simple, monsieur : j'ai vu les étiquettes de vos valises.

Sur quoi l'espiègle Werner cligna de l'œil, pouffa d'un petit rire qui fit frétiller sa fine moustache blonde, salua et s'éloigna d'un pas allègre dans la coursive.

Doyle venait de commencer à défaire ses bagages quand Innes fit irruption dans la cabine — en cognant son chapeau melon contre le linteau de la porte.

— Des nouvelles épatantes ! déclara-t-il en ramassant son couvre-chef. J'ai rencontré quelqu'un qui nous rendra d'immenses services quand nous arriverons à New York.

— Qui donc, Innes ?

— Voici sa carte : il s'appelle Nels Pimmel.

— Pimmel ?

— Oui, il est reporter au *New York Post*. Un personnage amusant comme tout, Arthur ! Je suis sûr que tu le trouveras tout à fait sympathique.

— Montre-moi cela, dit Doyle d'un air soupçonneux en prenant le rectangle de bristol.

— Et serviable au possible, poursuivit Innes. Il connaît tous les gens qui comptent d'un bout à l'autre du pays.

— Que voulait de toi le serviable M. Pimmel ?

— Rien. Juste nous inviter à dîner ce soir.

— Tu n'as pas accepté, j'espère ?

— Si, bien sûr. Je ne vois pas quel mal il y a...

— Écoute-moi bien, Innes : à partir de maintenant, tu n'adresseras la parole à cet individu, tu ne rechercheras sa compagnie et tu n'encourageras ses avances en aucune façon et sous aucun prétexte. Est-ce clair ?

— Je ne vois pas pourquoi ! C'est un type très bien...

— Ce n'est ni un *type bien* ni un être humain normal, mais un journaliste. Ces gens-là sont une espèce à part.

— Tu t'empresses donc d'en déduire qu'il ne cultive mon amitié que dans le but de t'approcher. C'est bien cela ?

— S'il s'agit de l'homme auquel je pense, sois certain que gagner ton amitié est le cadet de ses soucis et qu'il ne s'intéresse pas le moins du monde à ta conversation.

Innes devint cramoisi, ses pupilles se contractèrent jusqu'à ne plus former que des têtes d'épingle. Allons bon ! pensa Doyle, atterré. Je l'ai mortellement vexé...

— Tu me dis, en fait, que je suis un parfait imbécile de m'imaginer qu'on pourrait trouver un quelconque intérêt à mes seules qualités individuelles.

— Je t'en prie, Innes, je n'ai jamais rien dit de semblable...

— Ah ! oui, vraiment ?

— À bord d'un navire, sache que les relations sociales obéissent à des règles différentes. Ce Pimmel, Pinkus ou quel que soit le nom dont il s'affuble, m'a déjà accosté. Je pense que lui donner le moindre signe d'encouragement alors que la terre est encore en vue signifie que nous l'aurons sur le dos, sinon dans nos cabines, pendant toute la traversée.

— Eh bien, veux-tu savoir ce que je pense, moi ? répliqua Innes en haussant le ton. Je pense que tu as lu trop d'articles flatteurs sur ton compte et que tu te crois supérieur aux autres ! J'ai vingt-quatre ans, Arthur. Je n'ai peut-être pas encore mis les pieds sur un paquebot, mais cela ne me fera pas oublier mes bonnes manières. Je parlerai et je dînerai avec qui bon me semble.

Voulant ponctuer sa tirade par une sortie spectaculaire, Innes ouvrit à la volée... la porte du placard. Il eut quand même le mérite de ne pas perdre contenance et d'en inspecter l'intérieur comme s'il s'agissait de son intention première. Puis il claqua la porte avec un grognement satisfait, sortit aussi impétueusement qu'il était entré... et fit de nouveau tomber son chapeau en le heurtant au linteau.

Seigneur, pensa Doyle avec un soupir accablé, cinq mois sans Larry ! Je ne rentrerai jamais vivant en Angleterre.

Ce soir-là, Doyle dîna à la table du capitaine Karlheinz Hoffner tandis qu'à l'autre bout de la luxueuse salle à manger, son jeune frère prenait son premier repas en mer en compagnie d'Ira Pinkus/Nels Pimmel — et des quatre autres pseudonymes sous lesquels le personnage exerçait ses talents pour six journaux new-yorkais. Une brève lueur de déception traversa le regard de Pinkus/Pimmel en constatant que l'illustre frère d'Innes ne serait pas leur commensal, mais après tout, se dit-il à titre de consolation, un ver ne s'introduit pas dans le fruit en commençant par le milieu.

Furieux de l'attitude d'Arthur, qu'il qualifiait de pur snobisme, Innes n'éprouva aucun scrupule à relater par le menu des anecdotes sur son frère. Quel mal y avait-il à cela ? Ce n'était pas comme si l'autre le soumettait à un interrogatoire en règle. D'ailleurs, le récit de ses aventures dans les Royal Fusiliers captivait le journaliste autant que les faits et gestes du Grand Auteur. Pimmel se révélait lui-même le plus distrayant des hommes en parlant de la vie à New York et il était intarissable sur les girls des music-halls de Broadway, sujet passionnant entre tous.

Rien de plus facile que de vous présenter les plus jolies, affirmait-il à Innes, je les connais pour ainsi dire toutes. Tenez, il me vient une riche idée : pourquoi ne pas sortir un soir, vous et moi, avec toute une bande de filles, hein ? Ou plutôt, non : organisons une soirée, invitons-les. Mais votre verre est vide, Innes. Encore un peu de vin ?

Quel type sympathique, ce Pimmel !...

Ayant pris conscience qu'il serait tenu de s'attabler tous les soirs avec le capitaine Hoffner — homme flegmatique, dénué de la plus légère trace d'humour et dont les seules préoccupations semblaient se borner aux statistiques maritimes, au respect de l'étiquette à bord et aux tableaux des marées —, Doyle se creusait la tête pour le questionner sur son navire, dans l'espoir que ses réponses ouvriraient dans la conversation des brèches par lesquelles introduire des sujets moins stériles. Mais le discours du capitaine Hoffner manquait cruellement de souffle. Ses phrases étaient aussi précises, concises et exaltantes qu'un manuel de mécanique récité par un perroquet. En outre, ayant passé le plus clair de sa vie sur l'eau, il ne s'était formé aucune opinion sur les sujets étrangers à la navigation et, selon les apparences, n'avait même jamais eu la curiosité d'entrouvrir un roman — aucun de ceux de Doyle, en tout cas.

Les autres convives, des brasseurs bavarois se rendant aux États-Unis avec leurs épouses pour visiter les brasseries du Middle West en guise de partie de plaisir, n'offraient guère plus de ressources. S'ils possédaient des notions d'anglais courant, ils craignaient sans doute de les dilapider car ils n'en usaient qu'avec une extrême parcimonie et restaient pendus aux lèvres de Doyle, comme si chacune de ses paroles recelait quelque trésor caché. En Allemagne, il est vrai, Sherlock Holmes représentait un gros chiffre d'affaires.

Le syndrome de l'Auteur Célèbre offrait d'habitude à Doyle l'occasion d'enfourcher un de ses dadas. Ce soir-là, hélas ! à peine une chance de pontifier se profilait-elle que la vision d'Innes, à tu et à toi avec Pinkus/Pimmel de l'autre côté de la salle, suffisait à lui couper son élan. Il se sentait aussi borné, aussi rasoir que l'impassible capitaine Hoffner. La conversation languissait, les pauses s'étiraient et le grincement des couverts sur la porcelaine se faisait assourdissant.

C'est alors que la seule Anglaise de la table, qui avait gardé jusque-là un silence attentif, intervint :

— Je crois savoir, monsieur Doyle, que vous portez de longue date un certain intérêt aux sciences occultes.

En effet, admit-il. Mais, se hâta-t-il de préciser, un intérêt tempéré par un judicieux scepticisme.

À peine eut-il parlé que les mornes visages des convives s'animèrent. D'un seul élan, les dames se tournèrent vers le capitaine Hoffner pour l'inciter, dans leur langue maternelle, à faire quelque chose où Doyle comprit qu'il était question de lui. Hoffner laissa passer l'orage et se tourna vers son hôte avec toutes les marques d'une profonde contrition.

— Hier soir, pendant notre traversée de la Manche, je racontais au dîner que certains membres de l'équipage sont persuadés que nous avons un fantôme à bord.

— Ce navire est hanté ! renchérit l'Anglaise.

Perchée au bord de sa chaise, menue comme un oiseau, Doyle ne lui avait guère prêté attention depuis le début du repas. Mais maintenant qu'elle faisait intrusion dans son élément, il reconnut dans ses yeux pâles la lueur quelque peu égarée qui distingue les Vrais Croyants.

— Je crains, madame Saint-John, de ne pouvoir l'affirmer avec autant d'assurance, la contra courtoisement le capitaine Hoffner. Il est vrai que depuis quelques années, poursuivit-il à l'adresse de Doyle sur le ton de l'excuse, un certain nombre d'événements étranges, parfois inexpliqués, sont survenus à bord de l'*Elbe*.

— Parlez donc à M. Doyle du plus récent, capitaine, dit Mme Saint-John, les yeux papillotants et le sourire crispé.

Hoffner haussa les épaules, résigné.

— Il s'est produit dans la soirée, admit-il.

— Donc, après l'appareillage ?

— Oui. Une passagère a entendu des bruits bizarres émanant de la cale : des cris aigus, des martèlements sourds.

— D'autres témoins ? voulut savoir Doyle.

— Non, seulement cette personne.

— C'est un exemple classique ! intervint Mme Saint-John en tripotant nerveusement son rond de serviette. Vous serez sûrement d'accord avec mon diagnostic, monsieur Doyle : des bruits de pas dans un local désert, des chocs, des grincements, des gémissements. Et en plus, l'apparition d'une énorme silhouette grisâtre dans un couloir de la cale.

— Je tiens à préciser que je n'ai jamais rien vu de tel par moi-même, déclara le capitaine.

À l'évidence, son esprit méthodique se refusait à admettre la présence d'un fantôme dans ses soutes.

— Une ou plusieurs tragédies auraient-elles pris place à bord de l'*Elbe*, capitaine ? demanda Doyle.

— Ce navire est en mer depuis dix ans, j'ai navigué à son bord chaque jour de ces dix années. Lorsque de nombreuses vies humaines se croisent et se rassemblent régulièrement en un même lieu, il est fatal que des drames s'y produisent.

— C'est fort exact, hélas ! approuva Doyle, étonné de l'éloquence dont le taciturne loup de mer venait de faire preuve dans sa réponse. L'un de ces drames se signale-t-il de façon particulière à l'attention ? Un crime violent, par exemple, ou un suicide rendu mémorable par ses circonstances ?

À ces mots, les placides brasseurs de bière et leurs épouses manifestèrent un certain émoi. Enfin un sujet qui va me permettre de briller ! se réjouit Doyle in petto.

— Veuillez pardonner mon franc-parler, mesdames et messieurs, reprit-il, mais il serait vain d'user d'euphémismes. Les phénomènes tels que ceux décrits par Mme Saint-John résultent le plus souvent d'un drame. On ne peut l'effacer en minimisant les faits par souci de bienséance.

— Certains événements de cette nature se sont en effet produits par le passé, admit prudemment le capitaine Hoffner.

— Bien, mais abstenons-nous d'en préciser les détails afin de ne pas troubler la compagnie. Je me permettrai toutefois d'évoquer une intéressante théorie sur les fantômes, la plus plausible à mon sens pour peu que l'on ajoute foi à la réalité du phénomène. Un spectre constitue, en quelque sorte, le résidu émotionnel d'une vie interrompue dans la violence ou un trouble spirituel profond, ce qui explique que ses apparitions soient le plus souvent liées à la victime d'un crime, d'un accident ou d'un suicide. En d'autres termes, on pourrait comparer un spectre à une empreinte de pas dans le sable d'une plage, c'est-à-dire à une trace dénuée de référence temporelle pour celui qui la voit et que ne relie à la personne disparue aucun rapport plus significatif que l'empreinte laissée par un passant...

Mme Saint-John lui coupa la parole :

— Ah, mais non ! Pas du tout ! Ce que nous voyons n'est autre que l'âme immortelle de l'infortunée victime, piégée entre le Ciel et la Terre dans le néant du Purgatoire...

— Il s'agit là d'un point de vue, l'interrompit Doyle, agacé d'avoir été coupé dans son élan. Un point de vue que je ne partage pas, ajouta-t-il d'un ton sec, et auquel je ne puis souscrire.

— Je vous assure cependant, monsieur Doyle, que c'est bel et bien le cas. Nous en avons fait l'expérience à maintes reprises, de sorte que...

— *Nous* ? De qui d'autre parlez-vous, madame ?

Mme Saint-John arbora un sourire satisfait.

— Je me réfère avant tout à mon Guide Spirituel et, dans une moindre mesure, à moi-même.

Seigneur ! soupira Doyle. Encore une de ces hystériques qui prétendent vivre dans l'intimité d'une Entité invisible, comme un chien pékinois, et les suivent partout en trottinant sur leurs talons. Celle-ci est mûre pour l'asile de fous.

— Je déplore que Sophie ne se soit pas sentie en état de partager notre dîner ce soir, reprit Mme Saint-John. Elle vient d'accomplir une épuisante tournée de conférences en Allemagne et nous nous rendons en Amérique sans même avoir pu faire étape chez nous le temps de souffler un peu.

— Votre amie et vous semblez fort demandées, commenta Doyle, un peu soulagé d'apprendre que le Guide en question avait forme humaine — pour le moment du moins.

— Certes, Sophie est irremplaçable. Nous avons lié connaissance il y a trois ans, expliqua-t-elle, peu après la mort de mon mari. J'étais bouleversée, inconsolable car je croyais alors, comme vous venez de le professer, monsieur Doyle, que mon bien-aimé Benjamin était purement et simplement anéanti à jamais. J'atteignais le fond du désespoir quand une amie proche m'a conseillé de rencontrer Sophie Hills. Depuis, nous ne nous quittons plus.

— *La* Sophie Hills ?

— Ah ! Je vois que son nom vous est familier.

Sophie Hills était en effet la plus connue des médiums extralucides d'Angleterre. Elle se disait le truchement d'une vaste armée d'esprits désincarnés, tous directement reliés au quartier général de l'Au-Delà, qui lui fournissaient à la demande des informations vérifiables sur des sujets divers : chers disparus, enveloppes envolées, bagues de fiançailles volatilisées, maladies mystérieuses et même, dans un cas qui avait fait sensation en son temps, la solution d'un crime impuni commis dix ans plus tôt dans le Heresfordshire, révélation confirmée par les aveux du coupable. Elle manifestait parfois aussi l'étrange capacité de faire apparaître en trois dimensions des objets aussi variés qu'incongrus, allant de nids d'oiseaux africains à des pièces de monnaie romaines, voire à des poissons exotiques encore frétillants. La communauté scientifique soumettait ses étonnantes facultés à des épreuves exhaustives sans être parvenue, jusqu'à ce jour, à confirmer les doutes émis sur leur authenticité. Lors d'une de ces épreuves réalisées devant des témoins dignes de foi, Mlle Hills, la tête couverte d'un sac, immobilisée par une camisole de force et attachée sur une chaise, avait commandé à un de ses esprits de jouer une chanson populaire sur un accordéon placé sous un panier à l'autre bout de la pièce.

Oui, certes, son nom disait quelque chose à Doyle. Il serait même enchanté d'avoir enfin l'occasion de voir opérer la vieille folle et, si possible, de la confondre.

— J'ai demandé à Mme Saint-John, dit le capitaine Hoffner, si nous pouvions abuser de l'obligeance de Mlle Hills pour la prier de nous faire un soir la démonstration de ses pouvoirs.

— Et accorder le repos à l'esprit tourmenté qui hante ce navire, compléta Mme Saint-John. En apprenant que vous feriez la traversée avec nous, monsieur Doyle, j'ai moi-même suggéré que vous participiez à l'expérience. Si elle suffisait à vous convaincre de sa rigueur scientifique, votre réputation nous serait précieuse pour faire reconnaître du grand public la valeur des pouvoirs de Sophie.

— Disons donc demain soir après le dîner. Cela vous convient-il, monsieur Doyle ? s'enquit le capitaine.

— Oui, capitaine. Avec plaisir.

Pourvu qu'Ira Pinkus n'ait pas vent de l'affaire ! pensa Doyle en frémissant. Il voyait déjà les manchettes qui l'accueilleraient à New York : LE PÈRE DE SHERLOCK HOLMES CHASSEUR DE FANTÔMES TRANSATLANTIQUES.

L'horreur !

Chicago, Illinois

Regarde-toi, Jacob : qu'est-ce que tu fais là ? Si tu en doutais encore, tu ne peux plus : à l'âge respectable de soixante-huit ans, alors que les hommes comme toi se sont depuis longtemps assagis, toi tu perds la raison !

Pourtant, vieux fou, tu allais tout juste aborder la meilleure partie de ta vie. Rappelle-toi comment tu subissais les privations en te promettant de te consacrer à l'étude une fois la retraite venue. Libéré des distractions familiales et des obligations professionnelles, tu te voyais enfin dans ta bibliothèque avec toute la sagesse du monde autour de toi. La paix, la tranquillité, des mois et des mois d'études métaphysiques et de méditations solitaires. Le couronnement, la récompense logique d'une vie de travail, le bonheur qui t'attendait ! Et mieux encore, à portée de main, la réelle possibilité de parvenir à la connaissance.

Mais au lieu d'être assis à ton bureau au milieu de tes livres dans ton douillet petit cabinet de Delancey Street, une tasse de thé chaud devant toi et la plume à la main, te voilà debout sous une pluie battante sur un quai de la gare de Chicago en attendant un train... pour où ? Le Colorado, que Dieu te pardonne ! Un endroit où tu ne connais pas âme qui vive. Depuis quand a-t-on vu un rabbin se perdre dans le Colorado, je voudrais bien le savoir ?

Et tout cela parce qu'un rêve t'a dit d'y aller.

Pas vraiment un rêve, soit. Disons, si tu préfères, une vision qui hante ton sommeil depuis trois mois. Une vision assez impérieuse, effrayante même, pour te chasser de ton terrier et t'expédier dans l'inconnu comme quelque prophète biblique à l'esprit dérangé. Le genre de cauchemar digne des Livres saints que tu lisais avec tant d'intérêt, assis dans ton fauteuil et des chaussons bien secs aux pieds.

Meshugener mamzer ! Ce n'est pas d'un aller simple pour le Far West que tu as besoin, mais d'un bon docteur ! Tu couves une fièvre exotique ou une maladie mentale galopante. Il te reste quand même une chance de te ressaisir. Sans souffler mot à personne de ton accès de folie, tu pourrais être de retour à New York avant que ton fils n'ait débarqué de son bateau. Voyons, Jacob, as-tu idée du souci que Lionel va se faire quand il arrivera avec ce livre, qu'il s'est donné tant de mal à te rapporter, pour s'apercevoir que tu t'es évaporé dans la nature ? Un train part pour New York dans deux heures. Au nom du Ciel, dis-moi ce qui t'empêcherait de le prendre ?

Tu sais très bien ce qui t'en empêche, vieux fou.

Après avoir consacré ta vie à l'étude des mythes et des allégories de la Kabbale, tu sais qu'il existe bien plus que des mots dans ces vieux parchemins transmis depuis le fond des âges. Tu sais que cette Terre est un champ de bataille entre les puissances de la Lumière et des Ténèbres, et que lorsque tu es appelé au combat — parce que c'est bien de cela qu'il s'agit, Jacob ! — tu n'as pas le droit de te dérober à ton devoir en dévidant la liste de tes infirmités. Quoique... entre tes névralgies et tes rhumatismes, Dieu sait si tu serais convaincant.

Que disaient les rabbins quand tu as voulu étudier la Kabbale ? Que seul un homme marié, âgé d'au moins quarante ans, les pieds solidement plantés sur la terre et la tête sur les épaules devrait se plonger dans un livre pareil. Que ce qu'on trouve dans ses pages est bien trop dangereux pour un dilettante. Que la connaissance est une force et que les livres ésotériques sont comme des bâtons de dynamite. Qu'il fallait être un homme à part pour s'engager dans cette voie.

« Je le suis », leur as-tu répondu.

Pourquoi ? Quelle folie t'a saisi ? Si c'était par soif de connaissance, tu avais des centaines de puits moins dangereux auxquels t'abreuver. Et te voilà, vingt-huit ans plus tard, debout sur un quai de gare ! Mystérieux, non ?

Allons, sois honnête avec toi-même. À peine avais-tu ouvert le livre — le *Sefer ha-Zohar*, l'authentique — que tu savais au fond de toi-même qu'il en résulterait un jour pour toi quelque chose d'extraordinaire. En fait, tu le désirais. Alors, sincèrement, de quoi te plains-tu ? Qu'a-t-elle de si précieuse, la vie que tu mènes ? Ta femme, Dieu ait son âme, est décédée depuis six ans. Ton fils est à l'âge d'homme. Et ton cher cabinet de Delancey Street, Jacob, sois franc : ce n'est pas exactement le havre de paix que tu imaginais, avoue. Tu t'y ennuies à périr. Là ! Tu l'as dit.

Tu monteras donc dans ce train pour le Colorado, rabbin Jacob Stern, et tu iras Dieu sait où pour les mêmes raisons qui t'ont amené jusqu'à Chicago. Parce que tu es de ceux qui croient qu'il ne faut pas dédaigner les visions et ce qu'elles ordonnent de faire, même quand elles tombent sur un homme de soixante-huit ans perclus de douleurs et qui ne s'est jamais exercé le corps. Parce que tu as découvert qu'une partie de ta vision s'était réalisée : l'exemplaire du Tikkunei Zohar, dont le rabbin Brachman avait la garde dans sa synagogue de Chicago, a bel et bien été volé.

Mais aussi et surtout, parce que si tu tournais le dos à cet appel, si Lucifer se manifestait quelque part dans un désert et si la Terre tombait au pouvoir de l'Esprit du Mal, comme tu l'as vu dans tes rêves... Eh bien, tu ne te sens peut-être pas vaillant maintenant, alors imagine un peu comment tu te sentirais à ce moment-là !

Le train arrive. Dieu Tout-Puissant, veillez sur mon fils. Je ferais peut-être mieux d'attendre le retour de Lionel avant de partir. Et s'il était en danger, lui aussi ? Je pourrais au moins lui écrire une lettre...

Non, ce n'est pas ce que conseillait la vision, Jacob ! Calme-toi, respire. Voilà, c'est mieux ainsi. Au fond, perdre la raison épargne les remords et donne confiance en soi... As-tu ton billet, au moins ? Mais oui, il est là, dans ta poche. Si seulement cette vieille valise était moins lourde ! Je n'avais encore jamais eu à me préparer à l'improviste, sans savoir quoi emporter...

Assez ! Rappelle-toi ce que tu disais aux affligés qui venaient dans ta synagogue implorer des consolations : vos problèmes passeront, à quoi bon tant de chagrin ? Et puis, tu peux aussi te réconforter en te répétant cette partie de la vision que tu ne comprends toujours pas :

Nous sommes Six.

Aucune idée de ce que ces mots peuvent vouloir dire. Mais ils ont quand même quelque chose d'encourageant, non ?

Le *Canton* jeta l'ancre dans l'après-midi, mais la nuit était tombée lorsque les autorités permirent aux passagers de débarquer. Mieux valait, pensa Kanazuchi, que les Blancs ne voient pas en plein jour un si grand nombre d'Asiatiques envahir leur territoire.

Tandis que la foule se bousculait à la coupée pour descendre à terre, il prit position au dernier rang afin d'observer ce qui se passait sur le quai. Au pied de la passerelle, deux Chinois criaient des ordres : « Tout droit ! Silence ! Entrez dans ce bâtiment ! » Comme du bétail marchant à l'abattoir, les immigrants avançaient entre deux rangées de gardes en uniformes noirs, munis de longues matraques, qui les canalisaient vers un vaste hangar. À l'intérieur, obéissant à de nouvelles séries d'ordres, ils se mettaient en rang et exhibaient leurs papiers aux officiels installés derrière des comptoirs près desquels des gardes ouvraient leurs bagages pour en inspecter le contenu.

Kanazuchi devrait donc prendre d'autres dispositions.

Au-dessus de lui, sur le pont supérieur, trois matelots débraillés évoquaient avec de gros rires la bordée qu'ils allaient tirer à terre et les plaisirs vulgaires qu'ils en escomptaient. Lorsque les derniers Chinois s'engagèrent sur la passerelle, Kanazuchi se coula dans l'ombre. Empoignant une drisse, il se hissa jusqu'au pont supérieur, se laissa retomber sans bruit à quelques pas des trois hommes et attendit que l'un d'eux, un mécanicien râblé, s'éloigne pour aller uriner par-dessus bord du côté du large.

L'homme avait à peine fini de se vider la vessie que deux mains lui étreignirent la tête comme dans un étau. Un geste bref, un craquement : les vertèbres brisées, l'homme n'eut pas le temps de tomber. Les mains le déposèrent en silence sur le pont et le dépouillèrent de ses vêtements.

Une seconde plus tard, le corps de l'homme sur son dos, Kanazuchi enjamba le bastingage, se déplaça le long de la coque jusqu'à l'écubier et descendit par la chaîne d'ancre au niveau de l'eau huileuse dans laquelle il déposa le cadavre. Puis, tenant d'une main au-dessus de sa tête le ballot qui contenait ses armes et ses herbes, il nagea sans bruit jusqu'à une cale inoccupée, gravit une échelle de fer et se hissa sur le quai, obscur et désert à cet endroit.

Les vêtements lui allaient à peu près. Il trouva un peu d'argent américain dans les poches. Les dieux se montraient cléments, mais il n'était encore qu'au début de son voyage. Kanazuchi ne manqua pas de remercier le mort pour le don de sa vie et pria qu'il ait déjà reçu sa récompense.

Il escalada une clôture sans être vu, cala le ballot sur son épaule et prit d'un pas mesuré la direction de la ville. Il savait que son esprit conscient n'avait pas besoin de se soucier de sa destination ni de la manière dont il y parviendrait : la Vision qui l'avait choisi pour accomplir cette tâche le guiderait vers le Livre disparu.

Une tour noire érigée sur le sable.
Un labyrinthe obscur sous la terre.
Des coolies chinois creusant un tunnel.
Un vieil homme maigre à barbe blanche coiffé d'un chapeau noir.
Nous sommes Six.

Tout en marchant, Kanazuchi se répétait la phrase par laquelle il avait coutume de commencer sa méditation : *La vie est un rêve dont nous essayons de nous éveiller.*

Butte, Montana

— *Jamais plus ils ne me reprendront vivant dans cette maudite tour de Zenda ! C'est à vous, cousin Rudolfo, que je dois la vie ! À vous, mon plus cher, mon plus fidèle ami, que je dois d'avoir retrouvé le trône de Ruritanie !*

Bendigo Rymer se laissa lourdement tomber à genoux aux pieds du roi. Comme d'habitude, le choc fit onduler le décor mité représentant les Alpes de Ruritanie pendant que Rymer agitait les bras comme des ailes de moulin, jeu de scène censé exprimer l'intensité de l'émotion qui l'étreignait et, pour une fois, le laissait sans voix.

— Allons, grotesque vieux cabot, arrête d'en rajouter, grommela Eileen qui attendait en coulisses, en s'assurant que les épingles qui fixaient le diadème de strass sur sa tête l'empêcheraient de voler dans la fosse d'orchestre au moment de son entrée, incident déplorable qui s'était produit la semaine précédente à Omaha.

— *Je ne puis accepter ni vos compliments ni votre gratitude, Sire !* articula enfin le fidèle cousin. *Je n'ai fait que servir Votre Majesté de la seule manière que je connaisse : avec toute mon âme et toutes mes forces !*

43

Puis, se relevant laborieusement, il s'avança jusqu'à la rampe pour lancer en aparté :

— *Se dévouer à une si noble cause n'est pas un sacrifice mais un immense bonheur !*

Cette sublime déclaration devait inciter les spectateurs à applaudir et les spectatrices à sortir leurs mouchoirs. Comme prévu, les bons citoyens de — dans quel trou jouaient-ils, déjà ? Ah ! oui : Butte, Montana — furent trop heureux de s'exécuter, de sorte que Rymer put se repaître à loisir de l'admiration d'un public cruellement dénué de sens critique.

Eileen lâcha un grognement écœuré. Si les acteurs ne sont pas réputés pour leur modestie, celui-ci faisait preuve d'une impudeur proprement répugnante.

— *Il me reste un dernier devoir à accomplir !* reprit le généreux Rudolfo avec un trémolo dans la voix. *Rendre à Votre Majesté l'amour de sa fiancée, la princesse Flavia, qui a prié avec ferveur tout au long de ces heures sombres.*

Le bras tendu, il montrait les coulisses côté jardin. Eileen remonta sa poitrine du plat de la main — tu deviens un peu usée, ma vieille, pour jouer les ingénues ! — et entra en scène de son allure la plus éthérée.

— *Mon seigneur et mon roi, vous êtes en vie ! Dieu a exaucé mes vœux les plus chers ! Qu'Il vous garde à jamais !*

Elle se jeta dans les bras du monarque — au moins, cet imbécile n'avait pas jugé drôle de croquer des oignons crus pendant sa prétendue captivité dans la tour de Zenda, comme il avait eu le culot de le faire à Cleveland — et joua avec assez de conviction la grande scène finale du Baiser des Retrouvailles pendant que, côté cour, Bendigo Rymer/cousin Rudolfo se détournait pudiquement du spectacle insoutenable de la femme qu'il aimait livrée aux caresses du roi dont il avait sauvé la vie et le trône. Sur quoi, le rideau retomba accompagné d'un tonnerre d'applaudissements.

Les Américains étaient vraiment trop bon public.

— Dans notre dernière scène ensemble, Eileen mon cœur, quand je te déclare mon amour éternel, pourrais-tu marquer un temps un peu moins long avant de dire ta réplique sur ma bague dont tu ne te sépares jamais ?

Le visage encore à demi couvert de fond de teint graisseux, Bendigo Rymer se contemplait dans le miroir avec une admiration que Narcisse lui-même aurait jugée indécente.

Eileen lui jeta du coin de l'œil un regard dégoûté. Se trouver sur scène avec lui était déjà pénible, mais être obligée de partager la même loge faute de place tenait de la torture pure et simple.

— Flavia hésite, mon chou, parce qu'elle est déchirée entre son devoir envers le petit roi et sa passion dévorante pour Rudolfo. Si elle répondait trop vite, cela indiquerait que l'affection que tu lui inspires est plutôt tiède. C'est ainsi du moins que je comprends le rôle, ajouta-t-elle avec une touchante modestie.

Rymer se plongea dans une réflexion si ardue qu'Eileen entendit presque tourner les rouages de son cerveau.

— Si tu le vois comme cela... Selon toi, cette pause serait donc utile à nos personnages ?

— Bien sûr. Puisque Flavia est désespérément amoureuse de toi, il vaut mieux révéler le secret au public. Tu sais mieux que moi qu'on ne peut pas lui faire confiance pour saisir toutes les subtilités d'un texte.

Au bout d'un long silence pensif, Rymer bondit de sa chaise, au comble de l'exaltation.

— Tu as raison ! Cent fois raison ! Dieu te bénisse, ma chère enfant. Je t'ai toujours considérée comme le trésor le plus précieux de ma compagnie.

Sur quoi il empoigna sur sa table le vaporisateur plein du Tonique Buccal du Dr McGarrigle, dont il ne se séparait jamais, et s'en aspergea généreusement la bouche.

Seigneur ! gémit Eileen en son for intérieur, cela veut dire qu'il va m'embrasser. L'haleine de Bendigo Rymer suggérait le plus souvent la récente ingestion d'un chat momifié. Le Tonique du Dr McGarrigle ne faisait qu'aggraver le phénomène, car il donnait l'impression que le chat avait macéré dans une mauvaise eau de Cologne.

Rymer se pencha vers elle. Habilement, Eileen n'offrit à son affection que le sommet de son crâne, de sorte qu'il posa les lèvres sur ses cheveux où elles laissèrent un sillon gras. Mais déjà Bendigo Rymer arpentait la loge exiguë en triturant frénétiquement ses longues boucles teintes, signe indiscutable qu'il était en proie aux affres de l'inspiration.

Je vis un cauchemar, pensa Eileen Temple pour la énième fois. Lorsque, dix ans plus tôt, elle s'était envolée vers l'Amérique sur les ailes de l'espoir et de l'ambition, elle était loin d'imaginer que son étoile s'abîmerait jusqu'à sombrer au-dessous de l'horizon.

Eileen avait donc atterri dans la troupe ambulante de Bendigo Rymer, les Pénultièmes Baladins. (Elle n'avait jamais eu le courage de lui demander s'il connaissait la définition exacte du mot « pénultième ». Sans doute pas, croyait-elle.) Quant à Bendigo Rymer, jadis adulé du public féminin (de son vrai nom Oscar

Krantz et natif de Scranton, Pennsylvanie, comme elle l'avait vu une fois sur son extrait de naissance dans le coffre de la troupe), il frisait la cinquantaine — s'il n'en avait déjà franchi le cap.

Si seulement je n'avais pas couché avec lui cette seule et unique fois à Cincinnati ! soupira Eileen. Un instant de faiblesse au milieu de la tournée, un verre en trop du *vino bianco* de la trattoria bon marché du quartier italien. Et puis, le pauvre bougre pouvait encore faire illusion quand il présentait son bon profil dans la lumière qu'il fallait — l'obscurité complète d'une mine de charbon, par exemple. Mais après tout, l'erreur est humaine et la solitude provoque parfois des réactions bizarres.

Par la suite, elle n'avait eu aucun mal à esquiver ses nouvelles tentatives de séduction. Rymer était trop infatué de sa propre personne pour s'intéresser durablement à un autre être humain. Et la conquête occasionnelle de quelque naïve paysanne, quand la troupe écumait les bourgades retirées du Far West, suffisait à satisfaire — comment le dire sans trop de méchanceté ? — ses maigres appétits virils.

Et mes appétits à moi ? se demanda Eileen. La scène ne lui avait rien apporté de ce dont elle nourrissait ses espoirs. Oh ! bien sûr, elle avait vécu quelques bons moments à New York, les premiers temps. Chaque lumière de Broadway paraissait lui promettre la gloire, la fortune et une réserve inépuisable d'hommes plus séduisants les uns que les autres. Cette euphorie avait duré à peu près une semaine — le théâtre peut se montrer un maître impitoyable envers une fille qui a dépassé trente ans. Dieu merci, elle avait de beaux cheveux, un joli visage, un corps qui conservait sa ligne, sinon il y a belle lurette qu'elle se serait retrouvée sans emploi. Heureusement, Eileen était foncièrement réaliste, sévère handicap dans une profession peuplée de rêveurs et de ratés. Elle savait donc que les meilleurs rôles étaient le plus souvent distribués à des jeunettes aux dents longues et que les bellâtres qui se bousculaient dans les coulisses ou à l'entrée des artistes ne cherchaient, dans neuf cas sur dix, qu'à se distraire le temps d'un week-end d'un enfer conjugal dont ils étaient trop heureux de vous rebattre les oreilles en vous abreuvant de mousseux frelaté.

Si les bourgeoises américaines avaient, dans le domaine du sexe, des connaissances un peu plus étendues que ce qu'on ferait tenir sur une tête d'épingle, leurs maris n'iraient pas tous les soirs hurler à la lune ! Eileen tenait un inventaire précis de ses défauts — et celui-ci n'en faisait pas partie, loin de là ! Dommage qu'elle ne puisse pas en faire son métier. Non qu'elle ne l'ait jamais envisagé — les propositions alléchantes ne lui manquaient pas — mais s'il lui arrivait d'accepter une babiole de ses admirateurs, elle ne se permettait jamais d'aller au-delà afin de ne pas compromettre son statut d'amateur surdoué. Non, décidément, faire de l'amour un commerce lui enlèverait tout son charme et Eileen n'avait pas si souvent l'occasion de s'amuser. Elle n'avait pas davantage l'intention de finir dans la peau de ces habilleuses aigries et confites dans l'alcool, qui hantent les coulisses en ressassant leurs souvenirs sur le bon vieux temps, leurs prétendus grands premiers rôles avec Untel ou Untel et leurs toilettes somptueuses qui faisaient verdir de jalousie les figurantes.

Alors, qu'avait-elle prévu pour le jour, inéluctable, où même un Bendigo Rymer ne lui offrirait plus de rôle dans une minable tournée en province d'un quelconque *Prisonnier de Zenda* ? Avec sa garde-robe à renouveler sans arrêt pour que les hommes continuent à la regarder, elle n'avait guère pu se constituer de bas de laine au fil des ans...

Ne pense pas à l'avenir, ma belle ! La soirée s'achève, demain il fera jour. Encore une représentation à Butte avant d'aller à Boise, Idaho. Ensuite, trois semaines sur la route en descendant vers le Sud — et une obscurité de plus en plus opaque. Bendigo vient d'ajouter au programme une étape qui n'était pas prévue au départ. Un patelin près de Phoenix qui ne figure même pas sur les cartes, fondé par une sorte de communauté religieuse du genre des mormons de l'Utah. Mais Rymer se moque bien du dieu que prient ces péquenots, du moment qu'ils paient en bon argent comptant le droit de poser leurs derrières sur les chaises de la salle.

C'est fou les désillusions dont on finit par s'accommoder dans la vie, se dit-elle tandis Rymer faisait les cent pas en grommelant et en gesticulant. Contre qui en a-t-il cette fois, ce vieux clown fossilisé ? Edwin Booth, à qui il reproche encore de l'avoir flanqué à la porte de son théâtre à vingt-six ans ? Dommage que son talent soit inversement proportionnel à sa vanité. Mais après tout, s'il n'avait pas la folie des grandeurs, il n'aurait pas de grandeur du tout...

Allons, princesse, regarde-toi avec tes grands airs ! Qui donc partage cette loge minable dans ce trou du Montana avec ce pitoyable cabotin ? De quel droit le juges-tu ? Ton gros bon sens te donne-t-il quelque chose de plus que ce que ses illusions lui apportent à lui ? Tu es si heureuse quand un jeune Roméo rougissant vient te bafouiller un compliment sincère à la porte des coulisses, un bouquet de fleurs fanées à la main, que tu en pleures de reconnaissance !

Ce n'est peut-être pas une vie, ma jolie, mais c'est la tienne.

47

Pas de mari qui te donne des ordres pendant que tu lui reprises ses chaussettes. Pas de moutards qui braillent et qui grimpent aux rideaux. Toujours de nouvelles rencontres, de nouveaux endroits à découvrir. La chance d'une bonne surprise qui attend peut-être au prochain coin de rue. Combien de filles, crois-tu, peuvent se réveiller tous les matins en se disant la même chose ?

Le triomphe de l'espérance sur l'expérience...

Quand j'aurai fait ma dernière sortie et tiré ma dernière révérence, voilà une bien belle phrase à faire graver sur ma tombe.

CHAPITRE 3

Drapeaux allemands sur les tables, musique allemande jouée par un orchestre bavarois, bières et vins allemands, cuisine allemande servie par des stewards allemands s'adressant en allemand aux passagers allemands... Tout à bord, jusqu'à la décoration, est décidément germanique en diable ! pensa Doyle. Il ne manque que le Kaiser Guillaume pour que le tableau soit complet. Dieu merci, les bons bürger de Francfort et de Munich ne se sont pas offusqués de nos représailles, quand Innes a déployé l'Union Jack et que je me suis emparé du tuba de l'orchestre pour exécuter ma version syncopée du *God Save the Queen*.

Innes me tapait dans le dos après mon numéro musical et paraissait même presque fier de son vieux frère. Voilà qui me réchauffe le cœur ! À vrai dire, Innes s'est fort bien conduit toute la journée. Il a rempli à la perfection ses fonctions de secrétaire et le nom de ce Pinkus/Pimmel n'a pas franchi ses lèvres une seule fois depuis le dîner de la veille. Ce garçon a un bon fond, après tout. Je devrais lui faciliter les occasions de se racheter.

De fait, la contre-offensive bon enfant des frères Doyle avait remonté le moral des rares Britanniques noyés dans cet océan allemand. Doyle s'était d'ailleurs rendu compte qu'il n'avait pas lieu de craindre la susceptibilité des sujets du Kaiser, peuple qu'il avait toujours jugé cordial et de bonne compagnie. Certes, il lui arrivait de penser que s'il se trouvait naufragé avec certains d'entre eux sur une île déserte, il serait assez vite tenté de se munir d'un gourdin. En tout cas, les applaudissements qui avaient salué son patriotique solo de tuba étaient sincères ; un sourire avait même fissuré le visage granitique du capitaine Hoffner. Au cours de ses précédents voyages, Doyle avait maintes fois observé ce relâchement dans les inhibitions : plus les gens s'aventurent loin en mer, moins ils restent soumis à la rigidité de leurs comportements terrestres.

Un curieux incident l'intriguait, cependant. Peu avant le dîner, il avait surpris près de la passerelle un affrontement à voix basse entre le capitaine et deux jeunes hommes à l'accent américain, juifs sans doute — l'un d'eux arborait une étoile de David —, qui s'inquiétaient de la sécurité à bord et des conditions dans lesquelles était entreposé un livre précieux qu'ils étaient chargés de convoyer. Le plus jeune, courte barbe et moustache blond cendré, avait même l'air effrayé. Hoffner restait poli mais paraissait excédé. L'apparition de Doyle dans la coursive les avait tous trois fait taire, mais le plus âgé des deux Américains l'avait reconnu et dévisagé avec une expression de soulagement et d'espoir. Visiblement impatient d'en finir, Hoffner avait salué Doyle d'un signe de tête assez sec et attendu qu'il se soit éloigné avant de reprendre la conversation.

Depuis, Doyle avait essayé de revoir les jeunes gens mais ils n'avaient pas paru au dîner... Si : le plus âgé était là, près de la porte, dressé sur la pointe des pieds comme s'il voulait retrouver quelqu'un dans la foule des dîneurs qui se dispersaient. C'est sans doute moi qu'il cherche, pensa Doyle. Mais je n'ai pas le temps de m'en occuper maintenant, je suis déjà en retard pour la séance.

Trapue, grisonnante, le regard vif, la poignée de main aussi ferme que celle d'un amiral et le visage carré de qui ne s'en laisse pas conter, Sophie Hills ressemblait à une nounou sévère mais dévouée ou à l'épicière du coin. Elle ne faisait aucune concession à la mode, portait sans corset une robe informe de suffragette et ne montrait aucune des vaporeuses affectations communes à la plupart des femmes engagées dans le commerce du spiritisme. Après avoir été présentée à Doyle, elle réclama le silence en tapant dans ses mains, comme si elle présidait une séance du club d'horticulture de Wimbledon, puis, sans plus de cérémonie, s'assit face aux cinq rangs de chaises alignées dans la bibliothèque du navire. L'auditoire se le tint pour dit.

Sophie Hills ne s'encombrait pas davantage de table ronde, d'incantations, de pénombre fuligineuse et autres artifices de mise en scène. Mme Saint-John prit place à côté d'elle, prête à l'assister dans son ministère. Doyle s'assit au premier rang parmi les convives de la table du capitaine. Dieu merci, Innes et le journaliste américain n'étaient nulle part en vue ; Doyle n'avait pas soufflé mot de la séance à son frère et, selon les apparences, la nouvelle n'en était pas parvenue aux oreilles de l'importun Pin-kus.

Un rang derrière lui sur sa droite, Doyle reconnut le prêtre irlandais, qu'il n'avait pas revu depuis leur rencontre de la veille sur le pont supérieur. Les deux hommes se saluèrent poliment d'un bref signe de tête.

Mme Saint-John ouvrit la séance par les mises en garde d'usage : les esprits se montraient parfois réticents et imprévisibles, leurs déclarations étaient sujettes à caution et nul n'en pouvait garantir l'authenticité...

— Ils sont même souvent têtus comme des mules et aussi ridicules que n'importe quel être humain, intervint Sophie Hills. Surtout les esprits de nos proches.

Un éclat de rire salua sa déclaration. La glace était rompue. Elle avait détendu l'atmosphère avec une habileté remarquable, jugea Doyle. Pas d'inepties ni de galimatias — jusqu'à présent, du moins.

Il jeta un regard autour de lui. Tiens ? Le jeune Américain de la passerelle se glissait dans la pièce et s'installait à l'une des dernières places libres. Leurs regards se croisèrent. Que peut-il bien me vouloir ? s'étonna Doyle. Bah ! Je le saurai toujours assez tôt...

Ah, diable ! Deux autres silhouettes entraient à leur tour : Innes et Pinkus, reconnaissable de loin à son grotesque panama. La peste étouffe ce maudit journaliste !

— Si nous pouvions maintenant avoir le silence complet, je vous prie ! dit Mme Saint-John.

Sophie Hills sourit, salua de la main, ferma les yeux et prit une série de profondes inspirations. Peu à peu, on vit son corps se relâcher puis, d'un seul coup, adopter une posture totalement différente de celle qui précédait sa transe : buste droit, coudes écartés, mains croisées sur les avant-bras comme dans les amples manches d'une robe de chambre. Sa tête se balança lentement de gauche à droite sur son cou tendu, sa bouche se fendit en un sourire énigmatique, ses yeux se bridèrent... Impossible de décrire le phénomène autrement, pensa Doyle. Elle est devenue chinoise !

Un rire cristallin monta aux lèvres de la médium.

— Voyez tous ces visages amicaux ! dit-elle d'une voix haut perchée mais masculine, radicalement différente de sa véritable voix et... oui, on ne pouvait s'y méprendre : avec un accent mandarin caractérisé.

Le public réagit involontairement en pouffant de rire.

51

— Tout le monde est heureux à bord d'un bateau. Tout le monde laisse ses ennuis derrière soi.

Elle rit à nouveau. Sa gaieté emplissait la pièce de manière presque tangible. L'air lui-même semblait plus vif, plus léger, tonique comme une eau de source. Ma parole, pensa Doyle en riant malgré lui, je me sens mieux moi-même. D'où tire-t-elle ce bien-être contagieux ? Quel genre de truc est-ce donc ? Je ne le connaissais pas encore.

— Personne n'a le mal de mer ?

Un grognement de protestation mêlé de rires émana du public. Dans un rang du milieu, une femme leva la main.

— Oh ! quel dommage, madame ! Comment mange-t-on sur ce bateau ? Bien, j'espère ?

D'une seule voix, le public répondit que la cuisine était excellente. Certains riaient à s'en tenir les côtes.

— Je vous envie, dit la médium. Nous autres, ici, nous ne mangeons rien.

Elle, en tout cas, elle nous fait manger dans sa main, pensa Doyle qui n'avait pas perdu tout sens critique. Les séances de spiritisme faisaient le plus souvent intervenir des esprits lugubres, victimes de suicide ou de mort violente. Celui-ci était le plus joyeux que Doyle ait jamais vu invoquer par un médium. Pas étonnant que Sophie Hills soit si populaire dans le grand public...

— Je m'appelle M. Li, dit Sophie. Mais vous pouvez aussi m'appeler... M. Li.

Un tonnerre d'hilarité salua cette plaisanterie absurde. Peut-être ce M. Li avait-il été bouffon à la cour impériale dans une vie précédente.

— Toutes sortes de gens de ce côté-ci. Tous heureux, tous contents. Sinon, ils le sont après avoir rencontré M. Li. Même chose pour vous. M. Li vous dit : la vie doit rendre heureux. Pas de raison d'être triste. Regardez-vous sur ce beau bateau, avec de la bonne cuisine. Personne n'a le mal de mer, sauf la dame. Ne restez pas trop près d'elle, vous risqueriez d'attraper son mal !

Sophie éclata de rire. Le public n'y résista pas.

Elle possède un extraordinaire talent de mime, se dit Doyle. Je suis moi-même convaincu d'avoir sous les yeux un vieux Chinois facétieux, plutôt qu'un de ces vieilles filles anglaises rébarbatives qu'on voit arpenter les allées de Hyde Park le dimanche après-midi. Mais il n'y a encore rien de surnaturel dans tout cela.

— Toutes sortes de gens ce soir, enchaîna Sophie/Li en exagérant son accent chinois. Quelqu'un veut parler à une personne de ce côté-ci, dites à M. Li. Si la personne y est, M. Li la trouvera. Comme demoiselle du téléphone !

Un éclat de rire salua son bon mot. Il s'agissait, somme toute, d'une classique entrée en matière à une série d'évocations. Voyons maintenant comment M. Li remplit ses engagements, se dit Doyle en redoublant d'attention.

— Que ceux qui souhaitent interroger l'esprit lèvent la main ! intervint Mme Saint-John. Nous essaierons de répondre à tout le monde, si le temps dont nous disposons le permet.

Les uns après les autres, les spectateurs posèrent à Sophie des questions sur des oncles, des cousins, des maris décédés. Elle leur donna des réponses directes et détaillées qui parurent amplement satisfaire leur curiosité. Faisant appel à toutes ses facultés d'observation, Doyle ne décelait dans sa présentation aucun des lieux communs ni des à-peu-près habituels. Cela semblait apporter, se dit-il, une preuve de plus à l'appui de sa théorie selon laquelle les médiums, observateurs pénétrants et souvent dotés de connaissances psychologiques approfondies, puisaient d'une manière ou d'une autre les éléments de la réponse dans l'esprit même du questionneur — explication plus facile à avaler, en tout cas, que celle d'une armée d'esprits désincarnés branchés sur une sorte de standard téléphonique de l'Au-Delà...

Doyle décida alors d'abattre l'atout qu'il tenait en réserve. Il prit dans sa poche son stylo, un morceau de papier et écrivit un nom :

Jack Sparks.

Lorsque Mme Saint-John lui fit signe, il le lui tendit.

— Est-ce bien la personne disparue avec laquelle vous souhaitez vous entretenir ?

— Oui.

Depuis la mort de Jack, dix ans auparavant, il soumettait au même test tous les médiums sur lesquels il enquêtait. Sérieux ou charlatans, ils avaient tous échoué.

Mme Saint-John chuchota le nom à l'oreille de Sophie. M. Li fronça les sourcils, tendit le cou, ferma les yeux et, au bout d'une longue pause, secoua négativement la tête.

— Cet homme n'est pas ici.

— Vous ne pouvez pas entrer en contact avec lui ? insista Doyle.

D'habitude, il avait droit à toutes sortes de mensonges et d'échappatoires, jamais à une réponse aussi nette.

— Non. Lui pas ici. Désolé.

— Excusez-moi, je ne comprends pas.

— Pourquoi vous ne comprenez pas ? Vous n'êtes pas bête, pourtant. Écoutez ce que dit M. Li : l'homme n'est pas ici parce qu'il n'est pas mort.

— Pas mort ? C'est impossible !...

— Ah ! Vous traitez M. Li de menteur ? On a traité M. Li de bien pire, vous savez, mais M. Li ne se trompe jamais !

Doyle se sentit rougir. Il était là, au vu et au su d'un groupe de touristes allemands — et d'un journaliste américain ! — en train de se disputer avec une Anglaise qui se faisait passer pour un Chinois, au sujet de la mort d'un homme dont les circonstances lui avaient été décrites avec précision par Larry, son fidèle secrétaire, témoin oculaire de la tragédie. C'était indigne d'un auteur célèbre ! D'un autre côté, les médiums qu'il avait questionnés s'étaient tous avérés incapables de lui fournir une réponse valable...

Crac !

Doyle crut d'abord à un coup de feu. Non, une ampoule électrique d'un lustre avait éclaté en projetant sur le public une pluie d'étincelles.

— Voyez ce que vous faites ! Vous fâchez les esprits !

Cette fois, M. Li fut seul à éclater d'un rire grinçant. Sa voix même changea, devint dure, métallique. La température de la pièce se refroidit subitement. Des spectateurs frissonnèrent. Une femme poussa un gémissement involontaire.

Autour de Sophie Hills, l'air parut soudain s'épaissir et la dissimuler aux regards. Le rire de M. Li cessa d'un coup. Les yeux écarquillés, en proie à la panique, Sophie haletait, étouffait. Il ne restait plus trace de M. Li. Affolée, Mme Saint-John était paralysée sur sa chaise.

Cela ne fait pas partie de leur programme, pensa Doyle en se levant, inquiet. Il aperçut Pinkus livide, plaqué au mur par une terreur viscérale, Innes qui faisait un pas vers les deux femmes. Personne d'autre n'esquissait un geste.

Crac !

Une autre ampoule éclata. Des cris de frayeur, une bousculade pour échapper aux étincelles.

Doyle sentit une main se poser sur son épaule, se retourna : le prêtre.

Tombée à genoux, secouée par un tremblement convulsif mais le regard redevenu lucide, implorant, Sophie Hills se débattait contre une force invisible qui semblait vouloir pénétrer en elle. Le prêtre s'élança.

— Il y a dans cette pièce quelqu'un qui est autre que ce qu'il paraît être ! s'écria-t-elle d'une voix étranglée par la terreur. Un imposteur !

Le premier arrivé près d'elle, Innes se pencha alors qu'elle succombait, rigide et les yeux clos, à la force mystérieuse contre laquelle elle luttait. Lorsque la main d'Innes se posa sur elle, elle les rouvrit, tendit le bras et repoussa Innes avec une force telle qu'il alla s'affaler contre le premier rang de chaises comme s'il avait reçu une ruade en pleine poitrine.

L'épaule en avant, Doyle se jeta sur elle de tout son poids sans réussir à l'ébranler d'un pouce. Il se glissa derrière elle, parvint à la ceinturer et à lui immobiliser les bras tandis que le prêtre brandissait un crucifix devant elle. Elle cessa aussitôt de lutter, les yeux fixés sur la croix. Relevé d'un bond, Innes vint prêter main-forte à son frère en la saisissant aux épaules. Elle n'offrit plus de résistance, mais les deux frères convinrent par la suite qu'ils la sentaient parcourue d'une incroyable énergie, comme s'ils avaient maintenu un tigre enragé.

Le prêtre intervint avec autorité :

— Esprit impur ! Au nom de tout ce qui est sacré, je t'ordonne de quitter ce corps !

Soudain paisible, sereine, Sophie le dévisageait, un sourire angélique aux lèvres.

— Te souviens-tu de ton rêve ? lui demanda-t-elle.

Elle s'exprimait d'une voix chaude, tendre, mélodieuse. Une voix de femme — mais pas celle de Sophie.

Le prêtre la regarda avec effarement.

— Ils sont Six. Tu es Un. Prête attention au rêve.

Que diable cela pouvait-il signifier ?

— Tu dois trouver les autres. Les cinq autres. Tu les reconnaîtras. Si tu échoues, l'espérance périra avec toi. Telles sont les paroles de l'Archange.

Elle parlait si bas que personne d'autre ne l'entendit que Doyle, Innes et le prêtre. Puis son sourire s'effaça et elle s'affaissa, inconsciente, entre les bras de Doyle qui l'étendit avec douceur. Elle respirait faiblement.

Aussitôt, l'atmosphère de la pièce redevint limpide. Le temps, suspendu pendant toute la scène, reprit son cours. Mme Saint-John perdit connaissance. Innes la rattrapa de justesse avant qu'elle ne tombe sur le parquet.

Le visage défait, le capitaine Hoffner s'approcha en marmonnant des *Mein Gott !* d'une voix tremblante.

— Faites-les porter dans leurs lits, lui dit Doyle.

Hoffner se ressaisit, des matelots apparurent, soulevèrent Sophie Hills avec précaution pendant qu'Innes éventait Mme Saint-John qui reprenait lentement ses esprits. Avec le soulagement hébété des survivants d'un accident, les spectateurs s'ébrouaient sans mot dire. Certains restaient cloués sur leur siège, d'autres quittaient la pièce à pas lents.

Le jeune Américain s'approcha de Doyle, lui lança du regard un appel pressant. Doyle acquiesça : ma cabine, dans une demi-heure. Il voulait avant tout parler au prêtre. Mais il eut beau chercher autour de lui, se tourner, aller à la porte, le prêtre avait disparu.

Il vit, en revanche, un spectacle réjouissant : seul dans un coin, Pinkus vomissait dans son chapeau.

Allons, la soirée n'était pas complètement perdue !

Innes rejoignit son frère quelques instants plus tard dans sa cabine.

— Ces dames sont endormies, elles se remettent.

— Tant mieux. Et le prêtre ?

— Nulle part sur le pont. J'ai demandé au commissaire du bord d'appeler sa cabine, mais ni lui ni les stewards ne paraissent savoir dans laquelle il est logé. Le personnel de la salle à manger, en revanche, m'a dit qu'il s'appelle le père Devine et qu'il est de Killarney.

On frappa à la porte. Innes introduisit le jeune Américain. Âgé d'environ vingt-cinq ans, de stature moyenne, le front haut, de grands yeux de chouette, les cheveux châtains légèrement bouclés, il se tenait voûté comme un homme habitué à s'effacer par humilité. Ses yeux sombres largement cernés de noir apportaient la seule touche de couleur dans son visage d'une pâleur mortelle.

— Je vous suis infiniment reconnaissant de bien vouloir me recevoir, monsieur Doyle, commença-t-il avec un léger accent new-yorkais. Je suis navré de vous importuner...

Il s'interrompit et lança un coup d'œil en direction d'Innes, comme s'il hésitait à poursuivre.

— Vous pouvez vous exprimer librement devant mon frère, monsieur. Maintenant, veuillez me dire qui vous êtes et en quoi je puis vous être utile.

— Je m'appelle Lionel Stern, monsieur. Mon associé et moi avons embarqué en même temps que vous. Je voulais vous parler parce que nous avons de sérieuses raisons de croire que quelqu'un, à bord de ce navire, a l'intention de nous assassiner avant notre arrivée à New York.

— Et vous vous en êtes ouverts au commandant ?

— Oui. Il affirme que toutes les précautions sont prises, que

56

la sécurité la plus absolue règne à bord de son navire et qu'il ne peut nous donner de plus amples garanties.

Tel était donc le sujet de la discussion à la passerelle.

— Quelles preuves lui avez-vous apportées de la menace qui pèse sur vous ?

La question parut déconcerter Lionel Stern.

— Nous avons été suivis de Londres à Southampton...

— Et, croyez-vous, jusque sur ce paquebot ?

— Oui.

— Avez-vous déjà subi une agression ?

— Pas encore, mais...

— Avez-vous eu un contact, visuel ou autre, avec la ou les personnes que vous soupçonnez d'intentions criminelles à votre encontre ?

— Non...

Le jeune homme lança aux frères Doyle un regard penaud. Il ne fournissait aucune preuve solide. Il ne faisait aucune allusion au livre précieux que Doyle l'avait entendu mentionner au capitaine. D'un regard, Doyle ordonna à Innes de lui prêter main-forte et alla ouvrir la porte.

— Je dois vous demander de vous retirer sur-le-champ, monsieur, dit-il à Lionel Stern d'un ton sans réplique.

Le jeune homme parut atterré.

— Mais monsieur, vous ne pouvez pas...

— Je ne puis, en effet, vous être utile en rien, car je n'apprécie nullement l'intrusion d'une personne qui vient solliciter mon assistance en refusant de me dire la vérité. Allez-vous-en, je vous prie.

Accablé, le jeune Stern se laissa tomber sur une chaise, la tête entre les mains.

— Pardonnez-moi, je suis à bout de forces. Vous n'imaginez pas la tension à laquelle je suis soumis....

Doyle referma la porte, s'approcha du jeune Stern et l'examina quelques instants avec attention.

— Vous êtes né et vous avez grandi à New York, dans le Lower East Side, de parents immigrés de Russie. Vous êtes un Juif non pratiquant, qui s'est assimilé de son plein gré à la culture américaine. Votre rejet des pratiques religieuses de votre père a provoqué nombre de frictions entre lui et vous. Vous êtes arrivé à Londres il y a environ six semaines en provenance d'Espagne — de Séville, je pense — où vous avez séjourné un mois ou davantage afin de négocier, en collaboration avec votre compagnon à bord de l'*Elbe*, une délicate transaction portant sur l'acquisition ou l'emprunt d'un livre très rare et d'une grande valeur que vous emportez aux États-Unis. Ce livre est la cause des inquiétudes que vous inspire votre sécurité. À partir de cet instant, je compte sur votre franchise absolue ou nous en resterons là.

Stern et Innes le dévisageaient, effarés.

— Ai-je omis quelque élément essentiel ? demanda Doyle.

Bouche bée, Stern fit un signe de dénégation.

— Au nom du Ciel, comment avez-vous ?...

— Vous portez au cou une étoile de David, n'est-ce pas ?

Stern exhiba la médaille en question, accrochée à une chaîne à peine visible sous le col de sa chemise.

— Mais comment savais-tu qu'il était d'origine russe ? voulut savoir Innes.

— Stern est une abréviation assez répandue, une américanisation si tu préfères, de groupes entiers de patronymes d'Europe centrale, de Russie en particulier. Vous n'arborez aucun des signes extérieurs qui distinguent les Juifs orthodoxes, poursuivit Doyle à l'adresse du jeune homme. En revanche, il est vraisemblable que votre père, ayant fait partie de la première vague d'immigration, est resté attaché à la pratique de sa religion. Vous portez toutefois sur vous un symbole religieux mais en secret, ce qui semble trahir un conflit interne, phénomène assez fréquent lorsqu'il résulte de désaccords profonds entre un père et son fils.

« Par ailleurs, vos chaussures sont presque neuves — quelques semaines tout au plus, comme le dénote l'absence d'usure des semelles — et sont confectionnées dans un cuir espagnol d'une qualité produite uniquement dans la région de Séville. Vous y avez séjourné assez longtemps pour faire fabriquer ces chaussures sur mesure — le délai moyen est habituellement d'un mois —, ce qui porte à croire que vous y étiez pour affaires. Il se trouve enfin que j'ai surpris par hasard une partie de votre conversation avec le capitaine Hoffner, à qui vous parliez d'un livre précieux.

Stern confirma à Doyle l'exactitude de ses déductions, sauf deux : il ne s'était jamais rendu en Espagne et il avait acheté ses chaussures à Londres, où il conduisait ses négociations, chez un bottier de Jermyn Street. En revanche, le cuir provenait bien de Séville et le livre était, lui aussi, d'origine espagnole.

Innes éprouvait une stupéfaction au moins égale à celle de Stern mais il s'abstint de la manifester, de peur qu'elle ne trahisse un excès d'admiration pour son illustre frère ou une embarrassante absence d'intimité entre eux.

— Ainsi, monsieur Stern, déclara Doyle d'un ton doctoral, vous avez intérêt à ne plus rien nous cacher, tant au sujet de ce livre, qui suscite une telle convoitise chez vos agresseurs potentiels, que des circonstances par lesquelles il se trouve en votre possession.

Stern acquiesça d'un signe et se passa nerveusement les mains dans ses boucles ébouriffées.

— Il s'appelle le *Sefer ha-Zohar* ou Livre de Zohar, ce qui veut dire le Livre des Splendeurs. Il s'agit d'un recueil de textes du XIIe siècle écrits en Espagne et qui sont à la base de ce qui porte dans le judaïsme le nom de Kabbale.

— En d'autres termes, la source de la tradition du mysticisme juif, observa Doyle — en regrettant amèrement la minceur de ses connaissances dans ce domaine.

— C'est exact. Des siècles durant, le Zohar est resté un document confidentiel, réservé à l'étude d'une poignée de rabbins plus ou moins marginaux.

— Qu'est-ce donc, au juste ? lâcha Innes malgré lui.

— La Kabbale ? C'est difficile à décrire. Un mélange de philosophies médiévales et de folklore, d'exégèse des Écritures et de légendes sur la Création, de théologie et de métaphysique, de cosmogonie, d'anthropologie, de métempsycose.

Innes regretta d'avoir posé la question.

— Ces textes sont pour la plupart écrits sous forme de dialogues entre un rabbin légendaire, peut-être même fictif, du nom de Siméon bar Yochai et son fils et disciple Éléazar. On dit qu'ils s'étaient cachés treize ans dans une grotte pour échapper aux persécutions d'un empereur romain et que lorsque le rabbin est sorti de sa retraite à la mort de l'empereur, il était si choqué du matérialisme de son peuple qu'il est retourné dans sa grotte pour chercher sa voie par la méditation. Au bout d'un an, il a entendu une voix lui dire de laisser les gens ordinaires faire ce que bon leur semblait et de ne prodiguer son enseignement qu'à ceux prêts à le recevoir. Le Zohar est donc la transcription de ces leçons, recueillies par ses disciples.

Bien qu'il soit complètement perdu, Innes ne voulut pas paraître d'une ignorance crasse.

— Un peu comme les dialogues socratiques de Platon et de... comment s'appelle-t-il, déjà ?

— Aristote, complétèrent Doyle et Stern à l'unisson.

— Bien sûr, j'avais son nom sur le bout de la langue.

Doyle préféra ne pas relever cette sottise.

— Ces manuscrits originaux ont-ils été sauvés ?

— Peut-être. Le Zohar est rédigé en araméen, la langue en usage en Palestine au IIe siècle. Le ou les véritables auteurs restent controversés, mais on en attribue la transcription à un obscur rabbin, Moïse de León, qui vivait en Espagne au XIIIe siècle.

On ne connaît aujourd'hui que deux des manuscrits originaux de ce Moïse de León. L'un d'eux, le *Tikkunei Zohar*, a été écrit plusieurs années après le recueil principal dont il n'est qu'un complément. Le *Tikkunei* a été prêté l'année dernière par Oxford, qui le détenait, à l'Université de Chicago afin d'être étudié par un groupe de chercheurs judéo-américains — au premier rang desquels figure mon père, le rabbin Jacob Stern, ainsi que vous l'aviez judicieusement deviné, monsieur Doyle.

« À l'issue de longues et délicates négociations, mon associé et moi avons obtenu le prêt du plus ancien et du plus complet des textes du Zohar. Connu sous le nom de Zohar de Gerona, il date du début du XIVᵉ siècle et a été découvert il y a quelques années sur le site d'une ancienne synagogue de Gérone, en Espagne. Son authenticité a été si vivement mise en cause par les experts que mon père et ses collègues espèrent résoudre la question une fois pour toutes en procédant à une comparaison minutieuse du Zohar de Gérone avec les autres textes connus.

— Qu'a donc de particulier le Zohar de Gérone ?

— Franchement, je l'ignore. Je ne suis qu'un homme d'affaires et si je fais commerce de livres anciens, ils ne m'inspirent aucune passion. Je n'ai ni le goût des études académiques ni la formation nécessaire. Mais mon père, qui a étudié la Kabbale pendant plus de trente ans, vous dirait que ce livre, une fois décrypté, pourrait éclairer l'humanité sur les mystères de la Création, l'identité de notre Créateur et la nature exacte de nos rapports mutuels.

— Vaste programme ! déclara Innes — en déployant à cette occasion son sens inné de la litote.

— Personne n'y est encore parvenu, je pense ? s'enquit Doyle qui, une fois de plus, préféra ne pas relever la bourde de son jeune frère.

— Tout cela est pour moi... du chinois — j'allais dire de l'hébreu. Je serais incapable de reconnaître le mystère de la Création s'il me sautait sur le dos. Je sais seulement que, pour mon père et les hommes de sa trempe, le Livre de Zohar est censé contenir tout ce qui permet de décrypter la signification secrète de la Torah...

— Le premier des cinq livres de l'Ancien Testament, intervint Doyle.

— Genèse, Exode, Lévitique, Nombres et Deutéronome, récita Innes dans l'espoir de se racheter.

— La Torah, enchaîna Doyle, aurait été rédigée par Moïse sur le mont Sinaï sous la dictée directe de Dieu.

— Comme vous l'avez observé, monsieur Doyle, reprit Lionel Stern, je ne suis pas religieux, ni par tempérament ni par inclination. S'il existait un Dieu tout-puissant et omniscient, et s'Il avait eu réellement l'intention de rendre l'homme capable de résoudre l'énigme de sa création, je doute fort qu'Il se serait donné le mal de cacher la clé du mystère dans les pages d'un vieux livre poussiéreux.

— Un livre pour lequel vous estimez néanmoins que quelqu'un irait jusqu'au crime afin de se l'approprier.

— Je n'ai pas dit qu'il était dépourvu de valeur marchande : avant d'en prendre possession, nous avons assuré le Zohar de Gérone auprès de la Lloyd's de Londres pour la somme de deux cent cinquante mille dollars.

— Par exemple ! ne put s'empêcher de clamer Innes. Qui débourserait une somme pareille pour un vieux grimoire ?

— Il existe dans le monde des bibliophiles qui brûleraient d'envie d'ajouter à leur collection un ouvrage aussi rare, dit Doyle. Des hommes pour qui l'argent ne compte pas et qui n'hésiteraient pas à commanditer le vol du livre.

— Commanditer ? À qui ? s'étonna Innes.

— À des voleurs, voyons ! gronda Doyle, agacé.

Bon sang, que ce garçon pouvait être obtus !

— Voilà précisément la cause de mon inquiétude, monsieur Doyle, dit Stern. Comme je vous le disais, ni moi ni mon associé — il s'appelle Rupert Selig et dirige notre bureau de Londres — ne pouvons fournir la preuve concrète que nous sommes menacés. Pourtant, depuis notre arrivée à Londres, nous avons éprouvé la sensation d'être constamment épiés, une sensation qui n'a fait que s'aggraver pendant que nous nous rendions à Southampton et que nous embarquions à bord de l'*Elbe*. Je ne sais comment vous la décrire... La chair de poule qui picote soudain la nuque, un bruit presque imperceptible qui cesse dès qu'on s'arrête pour tendre l'oreille, une ombre qui s'évanouit quand on se retourne...

— Je connais ce genre de sensation, dit Doyle.

— Ces événements étranges à la séance n'ont rien fait pour arranger les choses, je suppose ? observa Innes.

— C'est exact, approuva Stern. Je ne sais ce que vous en avez pensé, mais j'étais terrifié. Et puis, sans pouvoir vous dire pourquoi, j'ai l'impression qu'il existe un rapport entre ce que je ressens et ce qui s'est passé ce soir. Je me considère comme un homme rationnel à l'esprit logique, monsieur Doyle. Vous ne m'entendrez jamais proférer de propos plus insensés, du moins je l'espère.

Doyle sentait fondre sa méfiance initiale envers le jeune Stern.

Maintenant qu'il avait surmonté sa répugnance à se confier, il faisait preuve d'une franchise, d'une modestie et d'une intelligence qui le rendaient sympathique.

— Quand un sentiment tel que celui que vous décrivez provient d'une intuition profonde, répondit-il, on est bien avisé d'y prêter attention.

— C'est pourquoi, lorsque le capitaine nous a dit ne rien pouvoir faire pour nous, je me suis tourné vers vous. J'avais lu dans les journaux que vous prêtiez parfois votre concours à la police pour résoudre des affaires mystérieuses. Vous m'aviez aussi donné l'impression d'être un homme droit, qui ne craint pas de prendre fermement position pour défendre une juste cause...

Gêné du compliment, Doyle l'interrompit d'un geste :

— Où se trouve cet exemplaire du Zohar, monsieur Stern ?

— En cale, dans une caisse scellée et renforcée. Je m'en suis encore assuré cet après-midi.

— Et votre compagnon, M. Selig ?

— Dans notre cabine. Comme je vous l'ai dit, Rupert éprouve des inquiétudes plus vives que les miennes quant à notre sécurité. Depuis que nous avons levé l'ancre, il refuse de s'aventurer sur le pont à la nuit tombée.

— Nous ferions donc bien de conférer aussi avec lui, dit Doyle. Montrez-nous le chemin.

Lionel Stern frappa sur un rythme convenu à la porte de la cabine : trois coups rapides suivis de deux lents.

— Rupert ! Ouvre, c'est Lionel.

Pas de réponse. Il se tourna vers Doyle, soucieux.

— S'est-il endormi ? demanda Doyle.

Stern fit un signe d'ignorance, frappa à nouveau.

— Rupert ! répéta-t-il d'une voix plus forte.

Toujours pas de réponse. L'oreille collée au panneau, Doyle entendit un mouvement furtif suivi d'un léger cliquetis.

— Votre clef ?

— À l'intérieur, répondit Stern. Nous étions convenus qu'il valait mieux ne pas la garder sur nous.

— Il faut faire venir le steward.

D'un signe, Doyle ordonna à son frère d'aller chercher un steward. Innes s'éloigna pendant que Stern recommençait à secouer la poignée de la porte.

— Rupert ! Ouvre, je t'en prie !

— Pas si fort, monsieur Stern. Je suis sûr qu'il n'y a pas lieu de s'inquiéter.

— Vous m'avez pourtant dit de me fier à mon intuition, n'est-ce pas ? dit Stern en frappant du poing sur la porte. Ce silence est anormal. Rupert !

Innes revint accompagné d'un steward qui, après une brève explication, accepta d'ouvrir avec son passe-partout. Mais la porte, retenue par une chaîne, s'entrebâilla à peine. Le steward commençait à dire que la chaîne ne pouvait être débloquée que de l'intérieur quand Doyle, d'un vigoureux coup de pied, la fit sauter et ouvrit la porte en grand.

La cabine, longue et étroite, comportait deux couchettes superposées fixées à la cloison de gauche et, au fond, une table de toilette sous un hublot fermé. Rupert Selig gisait sur le sol métallique, les jambes étendues, les bras levés au niveau des épaules, les poings fermés. Sa bouche béante et ses yeux écarquillés exprimaient une indicible terreur, telle que Doyle n'en avait jamais observée.

— Reculez ! ordonna-t-il aux autres.

Le steward partit en courant chercher de l'aide. Innes n'eut que le temps de soutenir Stern, affaissé contre la cloison de la coursive. Doyle franchit le seuil avec précaution et marqua une pause afin d'assimiler le plus de détails possibles, avant que la pièce soit envahie et les indices éventuels détruits ou inutilisables.

— Est-il mort ? murmura Stern.

— J'en ai peur, oui, répondit Innes.

Les yeux révulsés, le jeune homme perdit connaissance. Innes l'allongea avec douceur dans la coursive.

Doyle s'agenouilla près du corps de Selig pour examiner une sorte de graffiti sur la cloison. Il remarqua alors des traces de boue grise près de la porte — la même boue visible sous les ongles de la main droite du mort.

— Essaie d'empêcher les autres d'entrer quelques instants, veux-tu ? dit Doyle à son jeune frère en sortant une loupe de sa poche.

— Certainement, Arthur.

— Bien, mon garçon. Rends-toi utile.

Réserve de Rosebud, Dakota du Sud

La lune serait pleine dans une nuit. Le premier souffle de l'hiver arrivait dans les poches du vent. Les feuilles changeaient de couleur. Dans le ciel, les oies désertaient leur patrie et volaient vers le sud. Du haut de la colline, la femme baissa les yeux vers les masures et les huttes de la réserve. Elle se demanda combien de membres de son peuple seraient emportés lorsque viendraient les neiges, combien de survivants accueilleraient le prochain printemps.

La femme rajusta la couverture sur ses épaules. Elle espérait qu'une patrouille ne la trouverait pas ici, au-delà des murs, et la forcerait à rentrer. Tant de malheurs, dans la réserve : la nourriture infecte, le whisky, la maladie qui fait tousser. Les tuniques bleues et leurs fusils à répétition. Le chef Sitting Bull assassiné par un des siens. Les Visages Pâles et leurs traités iniques, qui éventraient la colline sacrée pour lui arracher de l'or...

Elle avait peur de dormir à cause de son rêve de fin du monde. Mais en quoi ce rêve était-il pire que ce qu'elle voyait les yeux ouverts ?

Elle savait que le monde des Dakotas était fini, leur culture morte. Un seul voyage à la ville de Chicago le lui avait montré. Les Blancs y bâtissaient un nouveau monde avec des machines, des lignes droites, des angles aigus. Si c'était ce monde-là dont son rêve annonçait la fin, pourquoi en perdrait-elle le sommeil ? Et si le monde des Dakotas, les premiers êtres humains, avait été détruit en une génération, alors aucun autre monde ne serait durable — sûrement pas un monde bâti sur le sang et les ossements de son peuple.

Ce rêve n'était pas une malédiction lancée aux Blancs. Ils avaient tué son père et sa mère, elle les avait déjà souvent maudits, mais le rêve n'apportait pas une vision de vengeance. Il s'était glissé malgré elle dans son esprit endormi et, depuis trois mois, il revenait lui infliger des tourments nocturnes pour lesquels elle ne trouvait aucun soulagement. Il la poussait à sortir la nuit pour demander à son grand-père une réponse, un conseil qui ne venait toujours pas au bout de sept nuits d'attente.

Dans sa famille, la tradition restait assez forte et vivace pour qu'elle sache que lorsqu'une vision venait, elle devait la suivre partout où elle la conduirait. Cette vision ne lui montrait pourtant pas de symboles familiers : une tour sombre dressée contre un ciel en feu dans un désert sans vie creusé de tunnels, six silhouettes joignant leurs mains, l'Homme-Corbeau noir sortant d'un trou dans la terre en chevauchant une roue de flammes. Ces images lui rappelaient ce que les chrétiens appelaient l'Apocalypse. S'il fallait en arriver là, elle n'avait pas peur de mourir. Lorsque viendrait le moment du combat auquel la vision l'appelait, elle n'aurait peur que d'échouer.

Trente étés, beaucoup de soupirants mais pas de mari. Comment accepter un homme qui n'a jamais chassé, qui ne s'est jamais battu ? Un homme qui ne sait tenir qu'une plume à écrire et se détourne de la Voie ? Les Blancs tuaient les plus forts, le whisky les autres. Alors, elle avait appris à monter à cheval, à chasser, à tuer, à dépouiller ses proies, à devenir elle-même un guerrier par le corps et par l'esprit. Elle était aussi allée à l'école des Blancs, comme la loi l'exigeait, elle avait appris à lire et à écrire leurs mots, à comprendre la manière dont ils vivaient. Et puis ils l'avaient baptisée — encore un de leurs rites étranges, à eux qui considéraient son peuple comme des primitifs ! — et lui avaient donné le nom de Mary Williams.

Quand cela lui convenait, elle répondait à ce nom, elle portait leurs vêtements — ces jupes qui l'entravaient — et se faisait belle avec leurs peintures. Mais elle ne prenait un amant que quand elle en avait envie et gardait toujours ses distances. Toute petite déjà, elle savait qu'une vie de pouvoir l'attendait et qu'elle devait s'y préparer. Depuis le début des rêves, elle savait que le temps était venu et que la préparation était finie.

Un hibou vola en rond autour de la lune. Grand-père savait tout sur l'esprit du hibou et le lui avait enseigné. Il commandait à des sorts très puissants, bien plus que les hommes-médecine encore en vie chez les Hunkpapas ou les Oglalas, avec leurs gros ventres. Si son grand-père était là, s'il était le hibou, qu'allait-il lui conseiller ?

Le hibou se posa au-dessus d'elle sur une branche de sapin, replia ses ailes, la regarda dans les yeux. Alors, elle sentit la vraie présence de son grand-père.

Retourne dans ton lit, dors et attends le rêve. Le rêve est la question et la réponse. Le rêve te dira ce que tu dois faire.

Le hibou cligna deux fois des yeux, s'envola, disparut dans la nuit. Elle se souvint d'une autre phrase que son grand-père lui disait parfois : *Sois prudente dans ce que tu demandes aux dieux.*

Marche Seule, c'était là son vrai nom, se leva et rentra dans l'enceinte de la réserve. Après une si longue attente, le sommeil viendrait vite.

La Cité Nouvelle, territoire de l'Arizona

Cornelius Moncrief avait un mal de crâne si sévère que les perspectives de le calmer lui paraissaient plutôt maigres. Dans tout l'Ouest, il n'y avait sûrement pas un individu, homme ou femme, qu'il n'ait été capable d'amener à voir les choses de son point de vue — c'était son métier, après tout. Or, il en arrivait à se demander si le Révérend A. Glorious Day allait oui ou non finir par mettre les pouces. Merde ! Dans une discussion avec le chemin de fer, personne n'avait encore jamais eu le dessus. Et Cornelius Moncrief n'était autre que le chemin de fer personnifié !

Dieu sait pourtant que je lui ai exposé la question comme il fallait — poliment pour commencer, puisque c'est la politique de la compagnie. Mais cette espèce de bossu en lévite noire, ce bonimenteur de Bible aux cheveux raides et aux yeux blancs fait comme s'il ne se doutait même pas de l'étendue de mon autorité ! Il a la tête détraquée ou quoi ? Je suis venu lui dicter mes conditions et il n'arrête pas de me dégoiser ses sornettes, comme si j'étais un pauvre pécheur venu le supplier de le guider vers la rédemption !

Ce gaillard doit prêcher de sacrés sermons, on ne peut pas lui enlever ça. Un coup d'œil à sa figure sinistre suffirait à faire sauter les pièces directement de ma poche dans son panier de quête ! Une bouille pareille ne devrait se voir que dans une boîte en sapin au couvercle solidement cloué. C'est décidément dans sa caboche que ça ne tourne pas rond parce que, moi, je suis sûr d'une chose : il n'y a rien qui cloche dans celle de Cornelius Moncrief.

Bien entendu, aucun des pieux boniments du Révérend ne pouvait détourner Cornelius Moncrief de son objectif. Depuis quinze ans qu'il écumait l'Ouest, il en avait vu de toutes les couleurs dans ce que l'espèce humaine peut imaginer de plus crapuleux. Crimes, viols, bagarres, méfaits en tous genres, des gens qui se coupent de la civilisation ne peuvent pas se conduire autrement. Il fallait quand même quelqu'un pour faire respecter les volontés du chemin de fer et, de tous les gros bras de la Compagnie, Cornelius Moncrief était sans conteste le numéro Un. Grèves, coolies en fuite, arriérés à récupérer, c'était lui qu'on envoyait régler les problèmes quand tous les autres recours étaient restés sans effet. Cornelius ne se séparait jamais de sa carabine à bisons, une Sharps de fort calibre dans son étui spécial, et du Colt 45 à canon long pendu à sa ceinture. Avec ses six pieds quatre pouces et ses deux cent quatre-vingts livres, il n'était encore jamais tombé sur une situation qu'il n'ait pu dominer.

Pourtant, dès l'instant où il était descendu de cheval dans ce bled perdu, Cornelius avait senti la chair de poule le hérisser de partout, comme si un crincrin lui jouait faux dans les oreilles.

D'abord, pourquoi ce nom de La Cité Nouvelle ? voulait-il demander au Révérend. Y en avait-il eu une vieille au même endroit ? A quoi sert le *La* ? Et à quoi rime le sourire idiot de tous ces hurluberlus ? Il n'avait pas entendu un mot désagréable dans la bouche des habitants. Nègres, Indiens, Mexicains, Blancs, tous mélangés, ils étaient si gentils, si aimables avec lui qu'il se serait cru Gentleman Jim Corbett en personne venu disputer un match de boxe pour les amuser ! De quoi ces bouffe-poussière avaient-ils lieu de se montrer si béats ? De vivre dans les masures pourries de ce trou à rats en plein désert de l'Arizona, à cent lieues de tout ? Ces salopards d'Apaches avaient eux-mêmes assez de jugeote pour ne pas venir planter leurs wigwams au milieu des sables. Pas d'eau, pas d'électricité. Pas même un saloon digne de ce nom, bon Dieu ! « L'alcool est banni de La Cité Nouvelle », qu'ils lui répétaient en souriant comme des imbéciles !

Ils se sont quand même construit un théâtre où des troupes ambulantes viennent donner des représentations. S'ils crèvent, au moins, ce ne sera pas faute de distractions. Mais à part l'Opéra, comme ils disent, il n'y a pas une baraque en ville qui soit rien de plus qu'un assemblage de quatre planches avec un toit de tôle ondulée.

Sauf cette espèce de grande église noire, à l'extérieur. Comment l'appelle le Révérend, déjà ? Ah, oui : la Cathédrale !

Cornelius avait vu du pays. Il était allé à Saint Louis, à La Nouvelle-Orléans, à San Francisco, mais cette bâtisse ne ressemblait à aucune des cathédrales sur lesquelles il avait eu l'occasion de jeter les yeux : des tours, des flèches pointues, des escaliers qui partaient dans tous les sens, oui, mais le tout en pierre noire et sans une croix. Elle avait plutôt l'air d'un de ces châteaux forts comme il y en a dans les contes pour les gamins. Assez grande quand même pour une ville importante. Et elle montait vite : les ouvriers grouillaient comme des abeilles dans une ruche.

Il y avait aussi des travaux souterrains : depuis son arrivée, Cornelius entendait des explosions étouffées. Creusaient-ils une mine sous les falaises, derrière leur espèce d'église ? Qu'avaient-ils trouvé là-dessous, du quartz, de l'argent peut-être, ou même de l'or ? En tout cas, il fallait de l'argent frais pour faire tourner tout ça.

Cornelius perdait sérieusement patience. Pour commencer, on le laisse lanterner la moitié de la matinée dans le salon du Révérend, sans même lui offrir une limonade pour humecter son gosier desséché par la poussière. Et quand finalement il réussit à s'asseoir en face du grand manitou, il n'a pas même le temps de dire bonjour que le Révérend se lance dans un discours interminable sur les péchés de l'espèce humaine et le destin de La Cité Nouvelle, désignée par la volonté divine pour s'élever dans le désert afin de recréer un monde délivré du péché — ce qui est la raison pour laquelle il n'est pas question de permettre au chemin de fer de venir apporter les miasmes de la prétendue civilisation dans la pureté de leur nouveau Jardin d'Éden.

Depuis le début du sermon, Cornelius essaie en vain de placer un mot : économise ta salive, l'ami, je n'ai pas la moindre envie de prier ton Dieu — même s'il m'est arrivé de lui expédier un Chinetoque de temps en temps. Mais Cornelius a beau s'évertuer, impossible de trouver une ouverture pour y glisser l'objet de sa visite, à savoir que personne avec deux sous de jugeote n'a jamais refusé le chemin de fer.

Au fait, maintenant que j'y repense...

L'équipe de coolies qui a déserté il y a trois mois le chantier de la desserte nord-sud de l'Arizona a fauché en partant plus d'une tonne de matériel, des explosifs entre autres. À moins de cent miles d'ici. Et j'ai repéré pas mal de Chinetoques dans la population. Je n'aurai peut-être pas complètement perdu mon temps, après tout.

Pourtant, tandis que j'écoute le *padre* dégoiser des boniments dont je me fiche éperdument, il y dans sa voix quelque chose qui m'empêche de me concentrer sur ce que j'ai à lui dire. Et il y a un autre bruit dans la pièce, comme un bourdonnement de mouches...

Qu'est-ce qu'il y a donc sur le bureau ?

On dirait une boîte d'épingles. Oui, c'est ça : des épingles dans une boîte ouverte. Je n'avais encore jamais vu d'épingles comme celles-ci. Brillantes. Longues. Neuves, on dirait. Est-ce qu'elles sont vraiment neuves ?...

— C'est exact, monsieur Moncrief. Ce sont de belles épingles, brillantes et neuves.

— Excusez-moi..., bredouilla Cornelius.

Il ne pouvait s'arracher à la contemplation des épingles et n'en avait d'ailleurs plus envie. Il se sentait bien, tout à coup. Beaucoup mieux que depuis son arrivée — quand était-ce, déjà ? Ce matin ? La veille ?

— Ne vous gênez pas, regardez-les. Il n'y a aucun mal à vouloir regarder des épingles, n'est-ce pas, monsieur Moncrief ?

Cornelius approuva d'un lent signe de tête. Une douce chaleur se répandait dans tout son corps, comme s'il avalait une rasade du meilleur bourbon du Kentucky. Il voulait se détendre, profiter de cette bonne chaleur. Il n'y avait aucun mal, en effet, à regarder des épingles.

— Prenez tout votre temps. Rien ne presse.

Derrière son bureau, le Révérend était immobile, mais Cornelius ne pouvait pas le regarder. Sa vue se brouillait. Il était sûr de voir les épingles bouger d'elles-mêmes, comme si elles étaient vivantes.

Alors, une par une, elles sortirent de la boîte et restèrent suspendues en l'air. Brillantes comme des décorations d'arbre de Noël — non : comme des diamants, plutôt. La lumière qui jaillissait d'elles lançait des reflets dans toute la pièce. Par poignées.

— C'est beau, murmura Cornelius. Si beau...

Il entendait des cloches tinter, claires comme du cristal. Des chants d'oiseaux. Des murmures mélodieux.

— Regardez-les bien, Cornelius.

Il hocha la tête, plein d'un bonheur inattendu. La voix du Révérend se fondait avec douceur dans le tintement des cloches. D'autres voix, aussi — un chœur d'enfants ?

Les épingles se déployèrent devant lui en une sorte de rideau scintillant. Des images se formèrent à sa surface, d'autres en dehors. Une vaste étendue d'herbes hautes qui ondulaient sous le vent. Un rayon de soleil reflété sur la neige. Une cascade tombant en perles de cristal sur un champ de fleurs jaunes...

Et la vie, une vie intense. Des poissons frétillant dans un ruisseau. Des chevaux courant en liberté dans un canyon verdoyant. Un cougar marchant paisiblement au milieu d'un troupeau d'antilopes. Des faucons planant dans un ciel sans nuages. Et là, en bas, près de l'horizon, qu'était-ce donc ? Quelle perfection de formes, de lignes et de couleurs éblouissait son regard ?

Une Cité épanouie dans le désert comme une orchidée dans une serre. Une oasis de verdure se dressant vers les cieux. Des tours de cristal rouge, bleu, ambré, qui scintillaient sous le soleil comme un tapis de pierres précieuses.

Des larmes ruisselèrent sur les joues de Cornelius. Une joie inexprimable luttait pour lui monter aux lèvres. Son cœur s'ouvrait comme un jasmin la nuit. Il voyait une lumière radieuse se frayer un chemin à travers les murs translucides de la Cité. À peine en eut-il esquissé la pensée qu'il se sentit glisser vers cette lumière et franchir les murs comme s'ils étaient immatériels. Sur une vaste pelouse entourée d'arbres, une foule paisible s'assemblait autour d'une estrade d'où émanait la lumière. Jamais il n'avait vu tant de visages souriants, accueillants.

Des mains se tendirent vers lui, le guidèrent ; des bras l'enlacèrent avec une tendresse infinie. Tous ces êtres l'aimaient. Il sentait leur amour l'envelopper, pénétrer jusqu'au plus profond de son cœur. Et il les aimait, lui aussi. D'un élan puissant qui le bouleversait.

Alors, d'un même mouvement, la foule se tourna vers une

silhouette de lumière apparue au centre de l'estrade. Cornelius ne put retenir un cri devant cette beauté surhumaine, aux formes indistinctes, dont irradiaient des ondes d'amour, de bonté et de générosité sans limites.

La silhouette était immense. Elle avait des ailes dont l'œil ne pouvait distinguer l'envergure.

Un ange !

Tels de grands cercles de ciel, les yeux de l'ange se posèrent sur lui. Cet ange était le sien, venu pour lui seul. L'ange lui sourit, le bénit et s'adressa à lui sans parler. Cornelius entendait les mots dans sa tête.

— Es-tu heureux ici, Cornelius ?

— Oh, oui !

— Nous t'attendions.

— Vous m'attendiez ?

— Depuis très longtemps. Nous avons besoin de toi.

— Vraiment ?

— Le temps approche. Tu auras beaucoup à faire.

— Je n'aspire qu'à vous aider.

— Ces gens là-bas, au dehors, te traitaient mal.

Les larmes lui revinrent aux yeux.

— Oh, oui !

— Parce qu'ils ne te comprennent pas. Pas comme nous, n'est-ce pas ?

— Non.

La silhouette de l'ange emplissait sa vision, sa voix résonnait jusqu'au plus profond de son être.

— Tu veux rester ici avec nous, Cornelius ?

— Oh, oui ! Je veux rester ici !

L'ange lui sourit. Cornelius sentit un souffle sur ses cheveux. Les mains jointes, l'ange déploya ses ailes et prit son envol vers le firmament, suivi par tous les regards. Une musique céleste résonna dans un crescendo majestueux qui noya les murmures de la foule transportée de bonheur.

Cornelius sourit : il partageait désormais leur savoir secret.

Il avait trouvé sa vraie patrie. Il était chez lui.

CHAPITRE 4

Ils flottaient sur une eau noire, huileuse, trop calme. De ce calme trompeur qui annonce un déchaînement de fureur. Vers le nord, un grain bouchait l'horizon. Au couchant, les nuages filtraient une lumière jaunâtre qui posait des touches sales sur l'écume des moutons. La lune se levait ronde et plate, terne comme de l'étain.

À la poupe, accoudé au bastingage de tribord, Doyle calculait leur position à l'estime. Ils étaient près du 30e parallèle par 50 degrés nord. La terre la plus proche, les Açores, se trouvait donc à un millier de milles au sud. Sous ses pieds les moteurs haletaient, les hélices bourdonnaient. Innes devait le rejoindre d'un instant à l'autre. Ici, personne n'entendrait ce qu'ils diraient.

Doyle examina son croquis du graffiti tracé près du corps de Selig sur la cloison de la cabine. Il désespérait d'en tirer quelque chose d'intelligible. Après avoir passé des heures à tenter de résoudre l'énigme, il se sentait sur le point d'en découvrir la clé, mais le dernier morceau du puzzle s'obstinait à rester hors de sa portée. Aucun signe non plus du père Devine, le prêtre irlandais. Doyle hésitait à exposer au capitaine Hoffner les conclusions, encore trop fragmentaires, dont il disposait. Le danger n'était cependant pas moins réel. S'il n'agissait pas, Lionel Stern ne passerait peut-être pas la nuit.

Ah ! Enfin Innes.

— Outre leurs effets personnels dans la cabine, Stern et Selig avaient quatre bagages en cale, dit le jeune homme en montrant une liste. Une malle, deux valises et une caisse, je les ai vues moi-même. Oui, ajouta-t-il en réponse au coup d'œil interrogateur de son frère, j'ai glissé un billet de cinq livres à un mécanicien.

71

— Bien joué, approuva Doyle.

— La caisse a à peu près la taille d'un gros carton à chapeaux et elle est scellée par un plomb de douane intact. C'est sans doute là-dedans qu'ils ont mis leur bouquin.

Doyle s'abstint de commenter.

— Où est Stern ? s'enquit Innes.

— Dans la cabine du capitaine, où il ne risque rien pour le moment. Je n'imaginais pas le volume de paperasses que nécessite la mort d'un civil en mer.

— Moi non plus. Qu'a-t-on fait du corps ?

— Stocké en chambre froide. C'est indispensable dans les paquebots de croisière qui ont une clientèle souvent âgée, suralimentée, sujette à l'apoplexie...

Innes frissonna.

— Ce n'est pas trop près des cuisines, au moins ?

— Non, quelque part dans la cale, près de l'endroit où ils entreposent les cercueils que nous avons vu charger.

— Il y a quand même de quoi couper l'appétit...

— Écoute, l'interrompit Doyle, agacé. Le médecin du bord attribue la mort de Selig à une cause naturelle.

— Il n'est pas sérieux ?

— Si, et je ne peux pas le contredire : tous les symptômes semblent indiquer une attaque coronarienne aiguë, comme les assassins veulent sans doute nous le faire croire. Le bateau ne dispose pas d'installations permettant de procéder à une autopsie en règle et je ne suis même pas certain qu'elle prouverait le contraire. De toute façon, le capitaine n'a sûrement aucune envie de laisser courir le bruit qu'un passager a été assassiné sur son luxueux paquebot.

— C'est pourtant bien le cas, non ?

— Tuer un homme de frayeur en le forçant à produire un flot d'adrénaline capable de lui faire littéralement exploser le cœur ? Ma foi oui, j'appellerais cela un meurtre.

— Qu'est-ce qui a bien pu lui faire peur à ce point ?

Doyle fit un signe d'ignorance.

— Il a peut-être rencontré le fantôme du bord qui se promenait dans les coursives, reprit Innes.

— Grand Dieu !...

Doyle dévisagea son frère comme s'il venait de lui assener un coup de maillet sur la tête.

— Arthur, ça ne va pas ? s'inquiéta Innes.

— Mais c'est... bien sûr ! Bravo, Innes !

— Qu'est-ce que j'ai fait ?

— Tu as résolu le mystère, mon garçon ! répondit Doyle en l'entraînant vers l'écoutille la plus proche.

— Moi ?

— Oui. Retourne voir ton mécanicien, demande-lui de se procurer une hache, un marteau et un ciseau à froid. Il est grand temps que nous ayons un entretien avec M. Stern et le capitaine Hoffner.

Le mécanicien dirigea le faisceau de sa lanterne vers un recoin sombre de la cale où, parmi les autres, se trouvait une caisse rectangulaire de petites dimensions.

— Est-ce votre caisse, monsieur Stern ? demanda Doyle.

— Oui.

— Tout cela me paraît fort intéressant, monsieur Doyle, dit le capitaine Hoffner avec une courtoisie affectée, mais je crains de ne pas bien saisir l'objet de cet exercice...

Doyle leva la hache et l'abattit d'un coup sec. Le couvercle de la caisse vola en éclats. Stern poussa un cri d'horreur. Doyle se pencha, écarta les éclats de bois et extirpa de la boîte... une rame de papier blanc.

— À peu près du même poids que le Livre de Zohar, je suppose ? dit-il à Stern en soupesant le paquet.

— Je n'en savais rien, je vous le jure ! protesta le jeune homme. J'étais présent lorsque le livre a été emballé à Londres et...

— Il semblerait que votre ami Selig ait eu d'autres projets à ce sujet, ce qui expliquerait sa répugnance à s'éloigner de la cabine.

— Puis-je savoir ce que signifie tout cela ? demanda sèchement le capitaine Hoffner.

— Encore un peu de patience, capitaine, je vous répondrai dans un instant. Veuillez maintenant avoir la bonté de nous accompagner à notre destination suivante.

Doyle rejeta la rame de papier dans la caisse fracturée et posa la hache sur son épaule. Innes fit signe au mécanicien — secrètement ravi de voir son inflexible commandant se plier aux ordres de cet Anglais excentrique — et guida le petit groupe jusqu'à la chambre froide. Il y régnait une odeur fétide mêlée à d'âcres relents de désinfectant. Des rangées de tiroirs métalliques superposés en occupaient une paroi. Des ampoules électriques nues projetaient du plafond une lumière blafarde.

— Ai-je le droit de demander ce que nous venons faire à la morgue ? s'enquit Hoffner.

Sans répondre, Doyle fit glisser un des tiroirs. La forme rigide d'un cadavre recouvert d'un drap apparut.

— Innes, la lanterne.

Doyle rabattit le drap du visage de feu Rupert Selig et, d'une main exercée, souleva les paupières. Des réseaux de veinules bleues et rouges sillonnaient le blanc des yeux.

— Contrairement à l'opinion de votre médecin du bord, selon lequel M. Selig jouissait d'une parfaite santé, le défunt souffrait d'une maladie cardiaque chronique et d'une sévère hypertension, ces ruptures de vaisseaux en témoignent. Il n'avait révélé sa condition à personne, pas même à vous, monsieur Stern, si je ne me trompe ?

Stern approuva d'un signe de tête.

Doyle exhiba ensuite un flacon contenant de petites pilules sphériques de couleur blanche.

— M. Selig usait de ce remède homéopathique — mixture de potassium, de calcium et de teinture d'iode fort répandue mais d'une efficacité pour le moins douteuse — qu'il dissimulait dans la doublure de sa veste.

— Tout cela est bel et bon, monsieur Doyle, et confirme les conclusions de mon médecin quant aux causes du décès de ce monsieur, intervint le capitaine. Mais je ne vois toujours pas le rapport qu'il y aurait avec...

Doyle l'interrompit d'un geste :

— Une chose à la fois, capitaine. Nous avons affaire à un plan délibéré que je me propose, si vous le voulez bien, d'élucider en procédant par ordre.

Doyle rabattit le drap sur le visage de Selig et repoussa le tiroir qui se ferma avec un claquement sec.

— Innes, s'il te plaît.

Innes prit la lanterne des mains du mécanicien afin d'éclairer un autre coin de la pièce, où des cercueils étaient alignés contre une cloison.

— Vous avez chargé ces cinq cercueils à Southampton, n'est-ce pas, capitaine ?

— En effet.

— Ils vous ont tous été remis par le même transitaire, je pense ?

— Bien entendu, puisqu'il s'agissait d'un lot.

— Avec votre permission, j'aimerais tout à l'heure en examiner le connaissement.

Doyle prit le marteau et le ciseau à froid que lui tendait le mécanicien.

— Il me reste un obstacle à surmonter pour vérifier ma théorie, poursuivit-il. Ainsi que nous l'avions constaté au moment de notre embarquement, les mesures de sécurité étaient à toute épreuve. Je n'en dirais pas autant de la solidité de ce cercueil.

D'un léger coup de marteau, il inséra le ciseau à froid sous le couvercle du premier cercueil.

— *Mein Gott !* Que faites-vous là ? s'exclama Hoffner en bondissant vers Doyle pour arrêter son geste.

Innes l'immobilisa en l'empoignant par un bras pendant que Doyle poursuivait sa tâche.

— Si une bande d'assassins professionnels s'est introduite à bord de l'*Elbe* — car je vous assure, capitaine, que c'est exactement ce dont il s'agit —, ces malfaiteurs ont sûrement imaginé un moyen moins conventionnel que de franchir la passerelle au vu et au su de tout le monde.

— Je vous donne l'ordre de cesser !...

— Vous vous rappelez sans doute qu'une passagère vous a rapporté avoir entendu les gémissements d'un fantôme dans la cale peu après avoir quitté le port.

Doyle pesa sur le levier, le couvercle se souleva, les clous émirent un grincement sinistre qui se répercuta en écho dans l'espace caverneux de la cale. Doyle empoigna le rebord du couvercle et ouvrit le cercueil en grand.

— Je n'admettrai pas une telle profanation !...

Hoffner échappa à la poigne d'Innes, s'élança — et s'arrêta net devant le cercueil parfaitement vide qu'il contempla, bouche bée.

— Les prétendus gémissements du pseudo-fantôme étaient suivis, si je ne me trompe, d'une série de coups sourds.

Doyle laissa retomber le couvercle, le recloua à coups de marteau et fit signe à Hoffner de se pencher.

— Regardez de près : vous verrez que le bois a déjà été martelé, quand on a refermé le cercueil pour la première fois. Vos soutiers affirment que chacun de ces cercueils contenait le poids d'un homme. Or, si vous voulez bien les examiner avec soin, vous constaterez dans les angles la présence de trous pour la circulation de l'air.

Hoffner tâta les orifices du bout des doigts.

— Je ne sais que dire...

— Des excuses à M. Stern me sembleraient appropriées, pour commencer. Et la prochaine fois qu'un de vos passagers, quelles que soient sa nationalité ou sa religion, viendra vous exprimer ses craintes quant à sa sécurité, il serait souhaitable que vous lui manifestiez une compréhension et une générosité plus conformes à votre position.

Cramoisi, Hoffner prit des mains de Doyle le marteau et le ciseau à froid. Trois minutes plus tard, il reposa les outils devant les quatre autres cercueils vides et se tourna vers Stern, la mine contrite.

— Monsieur, je vous prie d'accepter mes excuses les plus profondes et les plus sincères.

Stern se borna à hocher la tête en détournant les yeux.

— Vous avez cinq passagers clandestins à bord, capitaine, dit alors Doyle. Sur un paquebot de cette taille, ils disposent de dizaines de cachettes. Je ne pense pas avoir besoin de vous suggérer les mesures qu'il convient de prendre.

Hoffner s'épongea le front. S'il se targuait d'être un homme sensé, il n'était pas moins homme d'action.

— Non, bien entendu. Nous allons sans délai procéder à une fouille complète.

— Vos recherches devront également porter sur ce prêtre irlandais, le père Devine.

— Pourquoi donc ?

— Parce que ce n'est pas un prêtre. Cet homme est leur chef.

À cet instant précis, les lumières s'éteignirent.

San Francisco, Californie

Appeler cet endroit la Cuisine du Diable est un euphémisme, pensa Kanazuchi en regardant un rat poursuivre un cafard. Il était couché sur une palette de bois recouverte d'une couverture infestée de vermine, dont il s'assurait la jouissance pour deux pennies la nuit. Vingt autres vagabonds partageaient avec lui les quinze pieds carrés de la chambrée au troisième étage d'un taudis de cinq niveaux, tous également bondés, au cœur de Tangrenbu, ce quartier de San Francisco que les Blancs appelaient Chinatown.

Une fumerie d'opium occupait le sous-sol. La rumeur courait parmi les occupants, des journaliers agricoles illettrés qui refluaient en ville à la fin de la saison des récoltes, comme tous les automnes, qu'un démon en quête d'âmes à dévorer hantait nuitamment les couloirs. Les cadavres mutilés de trois hommes avaient été récemment découverts dans une venelle adjacente, mais le monstre semblait apaisé par les offrandes propitiatoires déposées devant les portes des dortoirs, avec les quelques sous que ces malheureux parvenaient à réunir. On l'entendait la nuit rôder dans les couloirs et, le matin, les offrandes avaient disparu. Depuis plus d'une semaine, il n'y avait plus eu de victimes.

Des quatre cents hommes entassés dans la baraque, un seul

avait vu le monstre et survécu pour le décrire au gardien, épaisse brute au visage grêlé et au cou de taureau chargé d'encaisser les loyers quotidiens et de maintenir la discipline. Selon les dires du témoin, le démon avait une tête de dragon, mille yeux et dix gueules voraces. C'était donc un démon de première catégorie, la plus redoutable du panthéon chinois qui en comprenait plus de dix mille. Le témoin l'avait vu de ses yeux éventrer un homme à coups de griffes, aussi facilement que s'il avait pelé une orange, avant de lui arracher le cœur.

Par mesure de sécurité, le gardien avait décidé de fermer à clé tous les soirs les portes des dortoirs. Aucun des hommes n'aurait pourtant osé s'aventurer dehors la nuit tombée — ce qui posait de sérieux problèmes d'hygiène. Kanazuchi déplorait que ses sens soient aussi aiguisés que la lame de son sabre, qui reposait près de lui dans son ballot à l'abri des regards indiscrets : la puanteur de ces paysans crasseux devenait insoutenable.

Noyé dans l'anonymat de cette foule misérable, Kanazuchi savait qu'il passait inaperçu depuis son arrivée la veille, mais il ne pouvait se résoudre à l'impossibilité de se déplacer librement la nuit. Il ne voulait cependant pas sortir avant que tous ses compagnons soient profondément endormis et, à deux lits du sien, un petit maigre en proie à une forte fièvre se tournait sans arrêt.

La nuit précédente, Kanazuchi avait encore été visité par sa vision. Une image lui revenait, si précise qu'il ne pouvait l'ignorer car elle avait valeur d'indice :

Des coolies chinois creusant un tunnel.

Ses deux premières journées dans la grande ville ne lui avaient pas permis d'élucider cette énigme. Les ignorants qu'il côtoyait ne pouvaient lui être d'aucun secours. Quant aux riches commerçants, plus cultivés, ils s'exprimaient dans un dialecte qu'il mettrait une semaine à maîtriser et, de toute façon, ils étaient d'une méfiance proverbiale envers les inconnus socialement inférieurs. Il avait aussi envisagé de se rendre dans les quartiers blancs, mais ceux auxquels il avait soumis l'idée l'en avaient dissuadé. Une vague anti-asiatique déferlait sur l'Amérique depuis quelques années. Lorsque les Blancs cherchaient un bouc émissaire à leurs problèmes, ils invoquaient le Péril Jaune. Les crimes racistes et la violence sévissaient dans les enclaves chinoises des villes de l'Ouest — mais qu'attendre d'autre d'un peuple de barbares ? Kanazuchi s'était donc résigné à ne pas aller en ville, non par crainte d'y être attaqué, mais parce que s'il se voyait obligé de tuer en public un homme blanc, cela entraînerait des complications inutiles.

Tout bien réfléchi, le moyen de se procurer l'information qu'il cherchait se trouvait peut-être ici même.

Le malade avait enfin cessé de gémir et respirait régulièrement. Son ballot sur l'épaule, Kanazuchi s'engagea dans l'allée centrale du dortoir, en prenant soin d'éviter les quatre lames de parquet qui grinçaient. Il s'arrêta près de la couche du surveillant à côté de la porte, fit glisser à l'aide de son couteau la clé cachée sous la palette et coupa la lanière de cuir qui la retenait à une latte.

Deux secondes plus tard, il était dans le couloir. Une fumée âcre se dégageait des bâtonnets d'encens qui brûlaient sur les autels improvisés, chargés de fruits et de piécettes offerts au démon. Sa vision déjà accommodée à l'obscurité, Kanazuchi examina la poussière du plancher : personne n'y avait marché depuis la fermeture des portes à minuit. Il se dirigea vers la cage d'escalier, se coula dans un recoin d'ombre et attendit, plus immobile qu'une statue.

Des ronflements montaient des dortoirs. Des grattements de pattes de cafards et de rats derrière les cloisons. Dans la rue, le fracas d'une poubelle de métal renversée par un chat ou un chien errant. Une voiture, les sabots d'un cheval sur les pavés. Des rires d'ivrognes...

Des pas approchaient. Kanazuchi déploya ses sens comme un filet capable de tout capturer, exercice si familier qu'il le pratiquait d'instinct.

Un homme pénétrait dans le bâtiment. Lourd. De haute taille, d'après la longueur de ses enjambées. Des bottes de cuir aux pieds. Traînant un sac sur le sol. Des crépitements, des sifflements de serpent. Un cliquetis de pièces. Des chocs sourds, un tintement de cymbales.

Aux étages inférieurs, les dormeurs réveillés par le bruit s'agitaient. Des chuchotements apeurés. Des claquements de dents. Pas un n'osait se lever.

Les pas dans l'escalier. Deuxième étage. Les chocs plus sonores — un tambour ? Les cymbales. Les sifflements, les crépitements. Encore des cliquetis de pièces tombant dans le sac. La terreur se répandait dans tout le bâtiment. Kanazuchi détourna son attention des paysans terrifiés et se concentra sur les pas lourds qui gravissaient l'escalier.

Le démon apparut sur le palier. Silhouette effrayante. Tête de dragon, membres emplumés, mains en serres d'oiseau de proie, l'une agrippant un tambourin qu'elle tapait contre la hanche, l'autre traînant un gros sac de jute qui rebondissait sur les marches.

Le démon allait s'engager dans le couloir quand une pièce tomba à ses pieds. Il s'arrêta, regarda : de l'or ! Il se pencha pour la ramasser, une ombre se détacha de l'obscurité. L'esprit du démon n'eut que le temps d'enregistrer un éclair argenté volant vers lui avant que sa conscience cesse d'exister. La lame avait tranché si vite que sa tête roulait sur les marches alors que son corps, encore debout, ne commençait pas même à s'affaisser.

Kanazuchi fit un pas de côté pour éviter que le sang du démon rejaillisse sur ses vêtements. Il remit son sabre au fourreau, tendit la main pour retenir le corps avant qu'il ne s'écrase bruyamment sur le plancher. D'un bond, il alla ramasser sur une marche le masque de papier, bariolé comme une tête de dragon, d'où il dégagea celle du mort, un vulgaire voyou aux traits épais, dont les yeux écarquillés et la bouche béante exprimaient la stupeur. Puis, il lui prit la flûte passée à sa ceinture et revint sur ses pas.

Le surveillant entendit le démon s'arrêter à la porte du dortoir, chercha sa clé et constata qu'elle avait disparu. La porte s'ouvrit, un sifflement grave de vent mauvais se fit entendre. Dans le dortoir, les hommes étaient déjà cachés sous leurs couvertures. Le tête de dragon apparut dans la porte ouverte, une griffe d'oiseau se tendit vers le surveillant et lui fit signe d'approcher.

Que diable fabrique donc cet imbécile de Charlie ? se demanda le surveillant. Ce n'était pas prévu !

Irrité, il sortit dans le couloir. Le sifflement du vent cessa soudain, la porte claqua derrière lui. Un nuage de fumée blanche se dissipa pour dévoiler le corps et la tête de son complice, Charlie Lee, gisant sur le plancher dans une mare de sang. Avant que ses jambes aient obéi à l'ordre de courir, une main de fer l'empoigna à la gorge et le souleva de terre.

— Les dieux sont mécontents de toi, lui dit à l'oreille une voix rauque.

Le surveillant tenta en vain de se débattre. Il suffoquait, il se sentait sur le point de mourir étranglé.

— Ils m'ont envoyé pour te punir de la mort des mille tourments, reprit l'horrible voix.

Que le ciel le protège ! C'était un vrai démon...

— Tu ne mérites aucune clémence. Je devrais te dévorer tout de suite, morceau par morceau, dit le démon en le secouant comme un pantin. Mais tu as de la chance, ce soir je suis de bonne humeur. Si tu rends à ces hommes l'argent que tu leur as volé, je te laisserai peut-être la vie sauve.

Le surveillant essaya de hocher la tête : oui, je ferai tout ce que vous voulez ! L'étau qui lui serrait la gorge se desserra juste assez pour le maintenir conscient.

— Parle. Voles-tu cet argent pour toi-même ?

Le surveillant secoua frénétiquement la tête.

— Vraiment ? Pour qui le voles-tu, alors ?

L'étau se relâcha le temps de chuchoter sa réponse :

— Little Pete.

— Little Pete ? Ce n'est pas un nom de personne civilisée.

— Vrai nom... Fung Jing Toy...

— De quelle *tong* est-il le chef ?

— Sue Yop Tong.

— Et où trouve-t-on cet homme ?

— Palais On-Leong... Chambre de la Conscience Apaisée.

L'étau se referma sur la gorge du surveillant, qui vit un éclair éblouissant avant de perdre connaissance.

Quand il revint à lui, les occupants du bâtiment étaient tous massés autour du cadavre décapité de Charlie Lee, un truand notoire du quartier. Le surveillant se releva en affectant de partager le soulagement des autres. Ce n'était pas un vrai démon, la terreur avait enfin cessé de régner ! Le surveillant ramassa le sac de jute et entreprit d'en distribuer le contenu sans rien garder pour lui-même — accès de générosité qui durerait peut-être un jour ou deux. Après tout, le démon, le vrai, l'avait laissé en vie...

Tout à sa joie, le surveillant ne remarqua même pas le petit homme insignifiant arrivé la veille. Il s'était levé le dernier de son grabat pour rejoindre les autres dans le couloir et se tenait au dernier rang, un peu à l'écart, son ballot sur l'épaule. Prêt à partir.

Fung Jing Toy suçota bruyamment les os de sa patte de canard confite, un régal que sa famille de paysans pauvres n'aurait jamais pu s'offrir. Déguster des pattes de canard tous les jours au déjeuner était pour lui une manière de célébrer sa fortune, acquise par vingt ans de sacrifices et de labeur incessant. Malgré sa petite taille, source de son sobriquet, Little Pete avait des appétits insatiables et n'obéissait que rarement au besoin de les maîtriser.

Il était le seul chef de tong avec lequel « Blind Chris » Buckley et les politiciens véreux de San Francisco traitaient à leur aise, les autres notables chinois étant beaucoup trop hautains pour leur goût. Little Pete riait des insultes dont ils l'abreuvaient, s'inclinait obséquieusement, bref, se comportait comme il convient à un clown de race inférieure.

Mais Chris Buckley et ses acolytes appréciaient surtout en Little Pete un homme attaché corps et âme à un objectif cher à leurs cœurs : l'asservissement et l'exploitation de la population chinoise de la ville. Aussi, les résidents de Tangrenbu vivaient-ils dans une terreur salutaire de Little Pete et de ses redoutables sbires de la Sue Yop Tong. Cinq autres organisations criminelles exerçaient leur domination sur d'importants secteurs du marché, mais c'était celle de Little Pete qui avait la haute main sur la distribution d'opium. Little Pete possédait aussi la plupart des ateliers clandestins où les esclaves de la drogue trimaient pour gagner les quelques sous de leur dose quotidienne et le loyer des taudis où ils dormaient en attendant le lendemain.

En échange de leur coopération avec la machine politique de la ville, les six tongs exerçaient un monopole de fait sur l'importation de la main-d'œuvre chinoise. Grâce aux liens étroits qu'entretenait Buckley avec les puissants « barons du rail » — Hopkins, Huntington, Crocker et Stanford — Little Pete était leur principal fournisseur de coolies pour l'expansion des lignes ferroviaires dans l'Ouest.

Little Pete avait ses habitudes. Une de ses préférées consistait à entendre les suppliques de ses obligés pendant qu'il déjeunait dans la galerie de sa luxueuse demeure de Kearney Street. Little Pete aimait se gaver devant ces misérables ouvriers et boutiquiers, humblement prosternés à ses pieds. De temps à autre, si une requête lui paraissait assez anodine ou ne lui coûtait rien, il déployait avec magnanimité une générosité d'autant plus légendaire qu'elle était rarissime.

Pourtant, à midi passé ce jour-là, Little Pete avait terminé sa troisième portion de pattes de canard et nul ne venait solliciter sa sublime bienveillance. Il appela à grands cris Yee Chin, son domestique : pourquoi aucun de ces imbéciles ne s'est-il encore présenté ? Si on les laisse attendre en bas, j'en connais qui seront punis...

Pas de réponse. Little Pete recracha les os sur son assiette et demanda la suite. Nul n'apparut. Cette fois, il avait de quoi se mettre en colère ! Ces incapables de garçons de cuisine avaient l'ordre de se tenir à portée de voix, prêts à le servir au premier appel. Ils avaient pourtant tous appris, à coups de cravache sur le dos, ce qu'il en coûtait de poser sur sa table un plat refroidi.

Furieux, Little Pete, agita sa clochette en criant de plus belle. Toujours rien. Yee Chin allait payer très cher le prix de son incompétence !

Little Pete dégagea son ventre bulbeux de derrière la table, souleva son plantureux postérieur des coussins de soie qui rem-

81

bourraient son fauteuil, saisit sa cravache et se dirigea pesamment vers le salon en pensant aux méthodes punitives inédites qu'il allait appliquer à sa domesticité.

Un plat recouvert d'une cloche d'argent était posé sur la desserte près de la porte. Si sa nourriture avait refroidi, Yee Chin comprendrait sa douleur ! Il souleva la cloche...

Soudain anéanti, quasi sourd et aveugle, Little Pete tomba à genoux et vomit tout ce qu'il avait absorbé depuis la veille. Ce n'étaient pas des pattes de canard qu'il y avait sur le plat mais des pieds.

Des pieds d'homme.

Ranimé par l'instinct de survie, Little Pete s'éloigna en rampant aussi vite que sa corpulence le lui permettait. Où étaient ses gardes du corps ? Il en avait quatre qui se relayaient en permanence au rez-de-chaussée. Avaient-ils négligé d'arrêter l'ennemi ? Les avait-on soudoyés ? L'attaque pouvait venir de n'importe où, à n'importe quel moment. Allait-il être obligé de se défendre seul ? À une époque, il ne craignait personne au couteau, mais il n'avait pas eu besoin d'exercer ce talent depuis au moins dix ans...

Le revolver, là, dans le tiroir !... Agrippé à la table pour ne pas tomber, Little Pete saisit l'arme d'une main tremblante. D'un revers de manche, il essuya la bave qui lui coulait des lèvres, essaya de retrouver sa voix pour appeler ses gardes, mais aucun son ne sortit de sa gorge desséchée par la terreur.

Du calme, Pete. D'où tu es, tu peux surveiller toutes les portes, toutes les fenêtres. Tiens le revolver à deux mains, attends qu'ils se montrent, ne gâche pas de balle...

Un coup d'une force surhumaine asséné par-derrière lui plaqua le visage sur la table en fissurant l'épaisse plaque de verre qui protégeait le bois précieux. Little Pete sentit son visage baigné d'un liquide chaud — son sang qui coulait à flots et s'insinuait dans les fentes du verre. Une main de fer lui tordit le bras derrière le dos et prit son revolver comme elle aurait enlevé son hochet à un nouveau-né.

— Tu comprends avec quelle facilité je pourrais te tuer, dit calmement une voix.

— Oui, croassa Little Pete.

— Tes gardes et tes domestiques sont morts, personne ne viendra à ton secours. Réponds à mes questions, n'essaie pas de gagner du temps et tu auras peut-être la vie sauve.

La voix s'exprimait dans un irréprochable mandarin. Little Pete voulut acquiescer d'un signe de tête et ne réussit qu'à s'enfoncer un éclat de verre dans la joue.

— Tu vends des travailleurs aux compagnies ferroviaires, dit la voix.

— Oui.

— Des spécialistes des tunnels. Des experts en explosifs.

— Oui, quelques uns.

— Les bons ne sont sans doute pas nombreux.

— Non.

— Alors, tu dois les connaître.

Au nom du Ciel, où l'inconnu voulait-il en venir ?

— Oui. Presque tous d'anciens mineurs. Ils sont arrivés au temps de la ruée vers l'or.

— Tu en as envoyé dans le désert, n'est-ce pas ?

Little Pete fit un effort désespéré pour raviver sa mémoire. Il ne restait pas beaucoup de Chinois experts en explosifs. Les meilleurs étaient très recherchés...

— Réponds vite ou je te tue.

Ils travaillaient généralement en équipes. Ses bureaux se chargeaient aussi de la vente et de l'expédition de la dynamite. Il faudrait pouvoir consulter ses registres, mais ce sauvage ne lui en laisserait pas le temps... Comment faire ? Attends ! Oui, quelque chose lui revenait :

— Santa Fe, Prescott & Phoenix. Une équipe.

— Quand ?

— Il y a six mois.

— Où les as-tu envoyés, au juste ?

— Territoire de l'Arizona, sur la ligne à l'ouest de Tucson. Ils venaient de Stockton en Californie, je ne me rappelle rien de plus. Quatre hommes. Je ne connais pas les noms mais je pourrais les retrouver si...

D'un coup sec, la main cogna contre le bord de la table la tempe de Little Pete qui s'écroula en tas, inconscient.

Kanazuchi sortit sur le balcon, gagna le toit en escaladant le treillage de la façade et disparut. Personne ne l'avait vu entrer, personne ne le vit partir.

Lorsque Little Pete reprit connaissance, le scandale du massacre dans sa propre maison s'était répandu comme un feu de brousse dans tout Tangrenbu. Selon les versions les plus extravagantes, le ou les agresseurs avaient coupé les pieds d'un de ses gardes du corps et forcé Little Pete à les manger à son déjeuner.

Kanazuchi était déjà très loin de San Francisco.

Un silence angoissant planait sur le navire : les moteurs s'étaient tus en même temps que les lumières s'éteignaient. Après avoir couru sur son erre, l'*Elbe* ne bougeait plus. La cale paraissait aussi sombre et inhospitalière que le ventre d'une baleine.

— *Gott im Himmel !...*

Doyle fit signe au capitaine de se taire. Immobiles, ils tendirent l'oreille. Quelqu'un s'approchait de la cale, quarante pieds en dessous de la ligne de flottaison, où les cinq hommes se tenaient près des cercueils vides.

Doyle prit le ciseau à froid des mains du capitaine Hoffner, la lanterne de celles d'Innes et en rabattit les volets pour faire l'obscurité totale.

— Tous contre la cloison, à l'écart de la porte, chuchota-t-il. Que personne ne souffle mot.

Une faible lueur apparut au fond de la cale — la flamme d'une allumette qu'on craque. Elle jaillit, s'éteignit. Une autre suivit, avança dans leur direction. Doyle attendit qu'une silhouette se profile et franchisse le seuil de la morgue. Alors, il fit un pas en avant et braqua la lanterne sur le visage d'un homme, soudain ébloui, qui poussa un cri et lâcha son allumette en s'abritant les yeux.

— Bon sang ! Qu'est-ce qui vous prend de faire ça ?

— Que venez-vous faire ici, Pinkus ? demanda Doyle d'un ton sévère.

Ira Pinkus se frotta les yeux, trop déconcerté pour avoir la présence d'esprit d'inventer un prétexte.

— Je vous suivais, avoua-t-il, penaud.

— Vous avez mal choisi votre moment. Ne restez pas devant cette porte, on pourrait vous tirer dessus.

Doyle le poussa sans ménagement contre la cloison et referma la porte derrière lui.

— Je descendais un escalier quand les lumières...

— Ne parlez pas si fort.

— Bon, bon... Seigneur ! Vous m'avez ébloui, je n'y vois rien... Alors, monsieur Conan Doyle ? que se passe-t-il, on joue aux pirates, maintenant ?... Tiens, bonjour, Innes. Content de vous revoir. Comment s'appelle votre ami ?

— Lionel Stern

— Enchanté, monsieur Stern. Mais voilà le capitaine Hoffner ! Ravi de faire votre connaissance, capitaine. Ira Pinkus, *New York Herald.* Vous avez un bien beau navire...

Hoffner se tourna vers Doyle :

— Pourquoi cet homme vous suit-il ? voulut-il savoir.

— J'écris une série de reportages sur les voyages trans-atlantiques, capitaine, enchaîna le journaliste. Si vous pouviez m'accorder une interview exclusive...

— Pinkus ! gronda Doyle d'un ton menaçant. Taisez-vous sur-le-champ ou je me verrais contraint de vous étrangler.

— Oui, bon, d'accord.

Le silence retomba, brisé quelques instants plus tard par une série de chocs et de grincements métalliques qui résonnaient quelque part au-dessus de leurs têtes.

— Le générateur de secours, expliqua le mécanicien.

— Ils cherchent à redémarrer les hélices ? demanda Doyle.

Le capitaine acquiesça d'un signe de tête.

— Mais ils n'y arrivent pas, observa Innes.

— Ce générateur a été inspecté. Il était en parfait état de marche au départ de Southampton, dit le capitaine.

— De même que les moteurs, je suppose ? dit Doyle.

Hoffner le dévisagea, horrifié :

— Vous ne suggérez quand même pas...

— Sabotage ? intervint Pinkus avec un malin plaisir.

Un silence pesant retomba. Pinkus regardait alternativement Doyle et le capitaine comme s'il suivait un échange de balles sur un court de tennis.

— Quelle procédure devez-vous suivre en pareil cas ? s'enquit Doyle.

— L'équipage distribuera des lanternes et raccompagnera à leurs cabines les passagers qui ne s'y trouvent pas déjà.

— Combien de temps cela prendra-t-il ?

— Vingt minutes, une demi-heure au plus.

— Les passagers sont-ils ensuite censés rester dans leurs cabines ?

— Oui, jusqu'à la remise en marche des moteurs.

— Dites-moi, capitaine, qui d'autre que nous est au courant de notre présence ici ?

— Mon second. Les officiers présents sur la passerelle.

— C'est donc bien moi qu'ils traquent, n'est-ce pas ? dit alors Lionel Stern d'un ton lugubre.

Doyle allait répondre quand il vit du coin de l'œil Pinkus se lécher littéralement les babines.

— Monsieur Pinkus, veuillez je vous prie aller dans ce coin et y rester jusqu'à ce qu'on vous rappelle.

— Pourquoi donc ?

— Parce que cette conversation ne vous regarde pas.

Pinkus haussa les épaules avec fatalisme et suivit Doyle, en jetant un regard inquiet aux cercueils vides.

— Voulez-vous aussi que je me tourne contre le mur ?

— Je vous en serais obligé.

— Bon, d'accord...

De retour auprès des autres, Doyle leur fit signe de se rapprocher de lui et assourdit la lanterne.

— Ces gens ont la ferme intention de vous tuer, monsieur Stern, dit-il à voix basse, si votre mort leur permet de mettre la main sur le Livre de Zohar.

— Pourquoi ne pas le leur livrer ? demanda Hoffner.

— Nous ne savons pas même où il est..., commença Stern.

— Dans ma cabine, l'interrompit Doyle.

Sa déclaration souleva des exclamations de stupeur.

— Messieurs, je vous en prie ! les morigéna Doyle en dirigeant le faisceau de la lanterne sur Pinkus au moment où il se retournait précipitamment contre le mur. Il sera temps de vous l'expliquer quand nous serons entre nous — à moins que vous ne vouliez l'apprendre à la une d'un journal.

— Je suis entièrement d'accord, approuva Hoffner.

— Sachez quand même ceci : ces passagers clandestins semblent savoir que le Livre de Zohar n'était pas dans la caisse et supposent qu'il se trouve encore dans votre cabine, monsieur Stern, puique c'est là qu'ils se sont efforcés de le dérober à M. Selig. C'est donc dans cette cabine qu'ils s'apprêtent à frapper de nouveau à la faveur de l'obscurité.

— Mais pourquoi en pleine mer ? s'étonna Stern.

— Plutôt qu'aussitôt après l'appareillage, quand ils avaient une chance de s'esquiver sans se faire remarquer ? répondit Doyle. Pour une raison très simple...

Innes lui coupa la parole :

— Parce qu'ils se sont rendu compte que nous sommes au courant de leur présence à bord et qu'ils ne peuvent donc pas attendre plus longtemps. C'est évident, non ?

Bravo, mon garçon ! s'abstint de le féliciter son frère.

— Comment le savent-ils ? voulut savoir le capitaine.

— Une fuite, répondit Doyle. Provenant vraisemblablement de la passerelle même.

— Impossible !

— La fuite ne vient pas d'un de vos hommes, capitaine, mais d'un des leurs.

— Un des leurs, en uniforme ?

— Vous aurez sans doute la mauvaise surprise de découvrir qu'un de vos officiers manque à l'appel.

— *Mein Gott !* Nous allons fouiller le navire de la quille aux cheminées et retrouver ces criminels !

— Nous pouvons faire encore mieux, capitaine, mais il faut agir vite, il nous reste moins d'une demi-heure. Avez-vous du phosphore à bord ? demanda-t-il au mécanicien.

— Oui, monsieur.

— Bien. Apportez-nous sans délai tout ce dont vous disposez.

Le mécanicien salua et se retira avec empressement.

— Pouvez-vous nous procurer des armes à feu, capitaine ?

— Bien sûr. Nous les gardons sous clé à la passerelle.

— Sans alerter vos officiers ? précisa Doyle.

Le commandant rajusta sa vareuse et se redressa de toute sa fierté d'officier prussien.

— Je m'en crois encore capable, dit-il sèchement.

— Qu'allons-nous faire, Arthur ? s'informa Innes.

— Tendre un piège.

— Vraiment ? intervint Ira Pinkus avec enthousiasme. Fabuleux ! Je peux me rendre utile ?

Doyle braqua la lanterne. Pinkus s'était approché à leur insu et se tenait à trois pas. Depuis combien de temps ? Qu'avait-il entendu ? Dieu seul le savait...

— Ma foi, monsieur Pinkus, je crois que, pour une fois, vous nous servirez à quelque chose.

Vingt minutes plus tard, un rayon de lune se coulait par le hublot dans la cabine de Lionel Stern, où régnait un silence complet.

Il y eut un léger bruit de crochet introduit dans la serrure, suivi d'une série de grattements et de cliquetis. Le pêne ainsi libéré, la poignée tourna, la porte s'ouvrit lentement jusqu'à ce qu'elle bute contre la chaîne de sûreté. Une pince coupante se glissa dans l'entrebâillement, saisit un maillon, exerça une pression graduelle afin d'amortir le claquement des lames. Le maillon une fois cisaillé, une main gantée rattrapa la chaîne avant qu'elle retombe de son poids contre le vantail métallique.

La porte livra passage à une silhouette tout de noir vêtue, le visage dissimulé sous une cagoule noire et chaussé de chaussures noires caoutchoutées. Du seuil, l'homme examina la cabine, nota la présence d'une forme étendue sur la couchette. Il fit signe à un deuxième personnage, à la tenue identique, d'entrer à son tour et se dirigea sans bruit vers le chevet de la couchette. La lumière de la lune qui passait par le hublot se refléta brièvement sur la lame d'acier qui brillait dans sa main.

C'est le moment, pensa Doyle.

Le premier homme en noir posait la main sur la couverture quand un cri épouvantable retentit dans la coursive. Un cri de détresse indicible, qui enflait et se répercutait entre les parois de métal jusqu'à devenir assourdissant.

Suffit ! pensa Doyle. Inutile d'exagérer.

Les deux hommes en noir se tournèrent vers la porte. Un troisième, qui se tenait à l'extérieur, passa la tête et leur fit signe de venir voir.

Une forme aux contours luminescents se dressait au bout de la coursive, celle d'un officier de marine en haillons, couvert de chaînes. Les yeux formaient deux trous noirs dans un visage livide et décomposé. Le spectre poussa un nouveau gémissement, brandit ses chaînes de façon menaçante et fit un pas vers les personnages en noir.

Déconcertés, ces derniers hésitèrent.

C'est alors que Doyle rejeta la couverture, se dressa sur la couchette et braqua un fusil de fort calibre sur les trois hommes en noir massés sur le seuil.

— Pas un geste ! ordonna-t-il d'une voix forte.

Au même moment, la porte de la cabine en face s'ouvrit à la volée et Innes apparut, un pistolet à la main.

L'un des agresseurs plongea sur Innes qu'il faucha aux genoux. En tombant, Innes lâcha un coup de feu qui ricocha sur le plafond métallique. Avant que Doyle ait pu faire feu à son tour, les deux autres avaient pris la fuite avec une incroyable rapidité, chacun dans une direction opposée. Doyle se précipita vers la porte : il vit l'un des fuyards faire tomber le fantôme de l'*Elbe* à la renverse avant de disparaître au coin de la coursive. L'autre courait vers l'écoutille où le capitaine Hoffner, Stern et le mécanicien étaient postés en embuscade.

Le troisième agresseur se relevait. Innes, toujours à terre, l'agrippa par une cheville. L'homme se débattit, martela à coups de pied le poignet d'Innes qui lâcha prise. Doyle bondit, lui assena sur la nuque un violent coup de crosse. À peine ébranlé, l'homme se retourna et lança dans le ventre de Doyle une ruade qui l'expédia dans la cabine où il s'affala, le souffle coupé, contre un des montants de la couchette. Mais l'agresseur n'avait pas encore reposé le pied quand Innes le fit trébucher, sauta sur lui et parvint enfin à l'assommer d'un coup de poing. Doyle se précipita et lui posa le canon de son fusil sur le cœur.

— Un geste et je tire ! dit-il, encore haletant.

L'homme en noir ne bougea plus. Doyle reprit son souffle en se félicitant de la présence d'esprit de son frère. Son service dans les Fusiliers lui avait bien profité.

— On l'a eu ? s'enquit le fantôme de l'*Elbe*, qui se tenait prudemment à dix pas.

Aucun des frères Doyle n'eut le temps de réagir : l'homme en noir sortit un pistolet de sa manche, appliqua le canon contre sa tempe et fit feu.

— Oh, bon Dieu ! s'exclama le fantôme. Il est mort ?

— Bien sûr qu'il est mort, Ira, répondit Innes, agacé. Il vient de se tirer une balle dans la tête.

Effaré, Ira Pinkus s'adossa à la cloison en frottant machinalement ses gants couverts d'une pâte phosphorescente.

— Qu'est-ce qui peut bien pousser un type à faire une chose pareille ?

— Demandez le lui donc, c'est vous le journaliste, dit Doyle, excédé. Innes, reste ici, ajouta-t-il en s'éloignant vers l'écoutille. Je reviens dans un instant.

Il trouva Lionel Stern et le mécanicien agenouillés dans le noir au pied de l'escalier de l'écoutille près du capitaine Hoffner, blessé au bras.

— Cet individu était si rapide, dit Hoffner, que nous n'avons pas eu le temps de l'intercepter.

— Il est passé comme une ombre, renchérit le mécanicien.

— Tout s'est déroulé si vite, précisa Stern, que je ne peux même pas vous dire quelle direction il a prise.

— Peu importe, dit Doyle, il nous l'indiquera lui-même.

Il montra la fine couche de matière phosphorescente qu'il avait étalée sur le sol après que les autres eurent parachevé le déguisement de Pinkus. Puis, ordonnant à Stern de rester avec le capitaine Hoffner, il fit signe au mécanicien, armé d'une grosse clé anglaise, de suivre avec lui la piste des pas lumineux qui montaient vers le pont.

Les épais bancs de nuages qui masquaient la lune rendaient les traces luminescentes plus visibles dans l'obscurité. Impossible à gouverner contre la houle de la tempête qui menaçait, l'*Elbe* roulait lourdement bord sur bord. Avec sa masse obscure, ses ponts déserts balayés par les embruns, ses haubans vibrant dans le vent comme les cordes d'une harpe, le navire avait moins l'allure d'un paquebot de luxe que d'une version moderne du *Hollandais volant*.

— J'ai cru voir le Diable, murmura le mécanicien d'une voix tremblante.

— Ce n'était pourtant qu'un homme, le rassura Doyle.

Ils marquèrent une pause prudente avant de s'aventurer à découvert et suivre les traces, qui gravissaient une échelle donnant accès au pont supérieur. À la faveur d'un fugitif rayon de lune entre deux nuages, Doyle distingua une silhouette humaine à la poupe, près du bastingage. Il braqua son revolver et allait faire feu quand le navire prit par le travers une forte lame. Lorsqu'il eut retrouvé son équilibre, la silhouette avait disparu. Doyle interrogea le mécanicien, mais celui-ci n'avait rien remarqué. La distance entre les traces de pas signifiait que l'homme avait couru jusqu'au bout du pont, où elles s'interrompaient brusquement.

— Il est passé par-dessus bord ? s'étonna le mécanicien.

— Tout porte à le croire.

— Se jeter dans une mer pareille ? dit le mécanicien qui, comme beaucoup de marins, éprouvait une sainte terreur de l'océan. Pourquoi ? Il faut être fou !

Oui, pourquoi ? pensa Doyle. Pourquoi deux hommes ont-ils préféré se donner la mort plutôt que de se laisser capturer ? Étrange.

Et tout cela pour le vol d'un livre !

Ils retirèrent le Zohar de Gerona du compartiment secret de la malle de Doyle pour le mettre en sûreté dans le coffre-fort du navire, placé sous bonne garde vingt-quatre heures sur vingt-quatre. Le bras en écharpe, le capitaine Hoffner regagna la passerelle, rassembla ses officiers et organisa une fouille détaillée, pièce par pièce. Ainsi que Doyle l'avait prédit, le premier lieutenant manquait à l'appel. Beaucoup affirmaient pourtant l'avoir vu — un jeune homme blond de belle prestance — présent à son poste en uniforme depuis les premiers signes annonciateurs de la tempête.

Les mécaniciens qui s'affairaient dans la salle des machines parvinrent enfin à remettre en marche le générateur de secours. Disposant d'un quart de sa puissance, le navire redevint gouvernable et, tandis que l'équipage redoublait d'efforts pour réparer les générateurs principaux, les passagers restèrent consignés dans leurs cabines avec l'ordre formel d'en garder les portes fermées à clé. La tempête et l'avarie des machines constituaient des prétextes assez convaincants pour justifier ces mesures d'urgence. Il n'y eut, bien entendu, aucune allusion à la présence de criminels encore en liberté à bord.

Après avoir posté des gardes interdisant l'accès de la coursive, Doyle, Innes, Stern et Pinkus — mieux valait, estimaient-ils, subir sa compagnie que de le laisser divaguer Dieu savait où — se réunirent à la lumière d'une lampe à pétrole dans la cabine de Stern, autour du cadavre du suicidé en noir.

La cagoule dévoila un visage aux traits asiatiques, japonais peut-être ou philippin. L'homme semblait avoir une trentaine d'années. Il portait au creux du coude gauche une sorte de tatouage, un cercle brisé traversé par trois lignes dentelées, identique au graffiti relevé sur la cloison de la cabine près du corps de Selig. En l'examinant de plus près, Doyle constata qu'il ne s'agissait pas d'un tatouage mais d'une marque brûlée dans la peau, comme celles que l'on imprime sur le cuir du bétail.

Les vêtements étaient coupés dans un coton de qualité ordinaire. L'homme dissimulait six armes sur sa personne : quatre couteaux dans des fourreaux appliqués sur chaque membre, le pistolet avec lequel il s'était donné la mort et, autour de la taille, un fil d'acier tressé à usage de garrot. Ses mains sillonnées de cicatrices dénotaient un guerrier chevronné. Les hématomes dont Doyle et Innes restaient marqués à l'issue de leurs brefs contacts avec lui témoignaient que cet homme était passé maître dans la technique des arts martiaux et du combat rapproché. Il s'agissait donc d'une machine à tuer, froide et efficace. Rien ne permettait de prêter aux survivants des qualifications moins redoutables ou des dispositions moins hostiles.

Son examen terminé, Doyle recouvrit le cadavre d'un drap. La violence de la tempête les contraignait à s'agripper aux montants des couchettes ou à s'appuyer à la cloison.

— Vous n'avez toujours pas expliqué, monsieur Doyle, comment le Zohar s'est retrouvé dans votre cabine, demanda Lionel Stern.

— Lorsque j'ai fouillé M. Selig, j'ai trouvé cousus dans la doublure de sa veste le flacon de pilules ainsi que cette clé, dit-il en la brandissant. À l'évidence, elle ne correspond à aucune serrure de cabine et, pourtant, elle porte la marque distinctive de l'*Elbe*.

— Alors, à quoi sert-elle ? s'impatienta Pinkus.

— Je l'ai donc essayée sur tous les locaux situés à proximité de cette cabine. Il y a, derrière le gymnase, un placard de rangement rarement utilisé, dont on ne découvre l'existence qu'en cherchant avec soin car il est caché, la plupart du temps, par des piles de chaises longues et de coussins. Or, cette clé est celle de ce placard qui comporte, à l'intérieur, une ancienne boîte à fusibles hors service recouverte d'une plaque amovible. C'est là que M. Selig avait placé le Zohar après l'avoir enlevé de sa cachette initiale — une simple incision dans son matelas, ce qui explique sa répugnance à s'éloigner de sa couchette — après que le capitaine vous eut refusé de le mettre en lieu sûr dans le coffre-fort de bord.

— Je n'en avais pas la moindre idée, dit Stern.

91

— Je sais. Il a sans doute procédé au transfert pendant que vous vous efforciez d'entrer en contact avec moi avant la séance, c'est à dire une heure avant d'être assassiné.

— Comment ses meurtriers ont-ils réussi à le tuer sans porter la main sur lui ? s'étonna Innes.

Doyle sortit de sa poche deux sachets de papier dont il montra le contenu aux autres.

— Lorsque nous avons découvert le corps de M. Selig hier soir, j'ai remarqué près de la porte ce petit morceau de boue. J'ai prélevé tout à l'heure un échantillon identique dans l'un des cercueils stockés dans la cale. Il en contenait une assez bonne quantité, plus d'une livre en tout cas.

— D'accord, Doc, intervint Pinkus. Mais qu'est-ce cette boue a à voir avec le reste ?

Doyle ignora l'interruption.

— M. Selig pratiquait sa religion, je pense, avec plus de ferveur que vous, monsieur Stern ?

— Certes. Il était très pieux.

— Je ne me tromperais donc pas en supposant qu'il était familier des divers aspects de l'histoire religieuse et de la mythologie du judaïsme ?

— En effet. Rupert avait poursuivi des études approfondies dans ce domaine. Mais où voulez-vous en venir ?

— Connaissez-vous, monsieur Stern, la légende du Golem ?

— Le Golem ? Oui, bien sûr. Enfin... superficiellement. Quand j'étais petit, mon père m'en racontait l'histoire.

— Permettez-moi donc de vous rafraîchir la mémoire. L'histoire du Golem prend sa source dans le ghetto de Prague vers la fin du XVIᵉ siècle. La communauté juive y était victime de pogroms particulièrement sanguinaires. L'un des anciens, le rabbin Judah Low Ben Bezalel, homme réputé pour son érudition et sa sainteté, cherchait désespérément un moyen de protéger son peuple des persécutions. Il passa des années à étudier les textes sacrés en quête d'une solution jusqu'au jour, selon la légende, où il découvrit, enterré dans la crypte de la vieille synagogue, un livre fort ancien traitant du pouvoir mystique...

— Ce ne serait pas le Livre de Zohar, par hasard ? s'enquit Innes.

— Le nom de l'ouvrage n'est pas spécifié, mais il est vraisemblable que la synagogue de Prague en possédait une copie. En tout cas, le rabbin Low serait tombé, dans le livre en question, sur un passage contenant une formule secrète que son érudition lui permit de décrypter.

— Le Zohar entier est écrit ainsi, intervint Stern. Chaque phrase est censée dissimuler un secret métaphysique.

— Ce passage, reprit Doyle, révélait au rabbin Low rien de moins que la manière de donner vie à la matière inerte, de même que Jéhovah avait créé Adam, le premier homme.

— Vous rigolez ! s'exclama Pinkus.

Doyle ne daigna pas relever l'interruption.

— Comment s'y est pris le rabbin ? voulut savoir Innes.

— À l'aide d'eau pure et de glaise puisées dans une excavation creusée en terrain consacré, il modela les membres, la tête et le corps d'une statue géante à forme humaine. Puis, selon les indications de la formule, il les assembla et écrivit en hébreu un mot sacré, sur un morceau de papier qu'il glissa dans la bouche de la statue.

— Quel était ce mot ? intervint Innes.

— Je l'ignore, admit Doyle. Pose la question au père de Lionel, il le connaît peut-être.

— Et alors ? Ça a marché ? voulut savoir Pinkus.

— À peine le rabbin eut-il inséré le papier dans la bouche du Golem que celui-ci se mit à bouger. Le rabbin Low lui adressa la parole et le Golem lui obéit docilement. Le rabbin se rendit alors compte qu'il disposait d'un serviteur peut-être repoussant — huit pieds de haut, des cailloux à la place des yeux et une bouche informe — mais capable d'exécuter ses ordres à la lettre. Il s'en servit d'abord pour des tâches domestiques puis, peu à peu convaincu de sa docilité, l'envoya la nuit parcourir la ville afin d'effrayer quiconque s'introduirait dans le ghetto avec de mauvaises intentions. Tous les soirs, il donnait vie au Golem en glissant le morceau de papier dans la bouche. À l'aube, sa mission accomplie, le Golem rentrait à la maison, le rabbin retirait le papier et couchait le monstre dans sa cave. Les gens en avaient tellement peur que les persécutions contre les Juifs ne tardèrent pas à cesser.

— Belle histoire, approuva Pinkus.

— On prétend, reprit Doyle, que Mary Shelley s'est largement inspirée de la légende du Golem pour créer son célèbre personnage de Frankenstein. Mais ce n'est pas tout. Un jour de Sabbat, le rabbin Low oublia d'enlever le papier de la bouche du Golem, négligence qui lui fit perdre tout contrôle sur sa créature. Alors, le monstre devint fou furieux, ravagea la moitié de la ville et tua des milliers d'innocents, Juifs pour la plupart. Rien ne put l'arrêter jusqu'à ce que le rabbin Low parvienne enfin à le réduire à l'impuissance en reprenant le papier. J'ai toujours considéré le mythe du Golem, ajouta Doyle, comme une parfaite métaphore du pouvoir apocalyptique de la fureur humaine, ainsi qu'une merveilleuse parabole sur la suprématie de la vie et de la charité que transmet la tradition judaïque.

Pinkus lui lança un regard exprimant l'incompréhension la plus totale.

— Qu'est devenu le Golem ? s'enquit Innes.

— Avec l'aide de ses amis, le rabbin enterra le corps du monstre sous la grande synagogue de Prague, où il est censé se trouver encore en attendant qu'on lui redonne la vie.

Déséquilibré par un coup de roulis particulièrement vicieux, Doyle se rattrapa de justesse et sortit de sa poche une feuille de papier.

— Voici, messieurs, reprit-il, une copie du connaissement du transitaire pour les cinq cercueils dans la cale. L'un de vous se hasardera-t-il à en deviner le lieu d'expédition ?

— Quand même pas Prague ? s'exclama Innes.

— Si.

— Vous ne suggérez pas sérieusement, monsieur Doyle, que le Golem de Prague se trouvait dans une de ces boîtes ? demanda Stern d'un air effaré.

— Ni qu'un monstre de boue de huit pieds de haut se promène en liberté dans ce navire ? ajouta Innes.

— Je suggère simplement ceci, répondit Doyle. Si vous vouliez extorquer quelque chose à un homme, sans attirer l'attention sur vous-même à bord d'un navire en pleine mer ; si vous saviez que cet homme souffre d'une maladie cardiaque chronique et qu'il connaît la légende d'un monstre d'argile en rapport avec le livre que vous souhaitez lui dérober ; si vous deviez tuer cet homme pour parvenir à vos fins, mais de sorte que sa mort semble due à des causes naturelles...

— Vous le faites mourir de peur, conclut Innes.

— Exact, approuva Doyle. Vous introduisez donc cinq cercueils à bord, dont un rempli de terre glaise grossièrement modelée sur une armature quelconque, et vous prétendez que les cercueils proviennent de Prague afin de renforcer la crainte superstitieuse de votre victime. Rappelez-vous : la passagère qui a entendu les gémissements du prétendu fantôme avait également aperçu une silhouette grisâtre errant dans les coursives de deuxième classe, proches de la cale. Quand M. Selig a entendu frapper hier soir à la porte de la cabine, il a entrebâillé le vantail retenu par la chaîne. Je suis persuadé que la vision du pseudo Golem, manœuvré par deux complices, a suffi à provoquer sa fatale crise cardiaque.

— Si c'est vrai, dit Stern, qu'est-ce qui les a empêchés d'entrer ensuite voler le livre ? La chaîne était intacte.

— C'est notre arrivée imprévue qui les a dérangés. Mais peu leur importait, ils n'avaient qu'à attendre la prochaine occasion. Qui aurait soupçonné une mort criminelle ? Sauf que M. Selig a réagi héroïquement avant de rendre l'âme : il s'est emparé d'une poignée de boue — il en restait sous ses ongles — et s'en est servi pour tracer sur la cloison le tatouage aperçu sur le bras d'un de ses agresseurs.

— Tout cela paraît logique, dit Stern. Quand même, comment savaient-ils que Rupert était cardiaque ? Je n'en savais rien moi-même.

— M. Selig habitait Londres. Vous m'avez dit que vous étiez suivis, lui et vous, pendant votre séjour dans cette ville. Rien de plus facile pour ces gens que de découvrir l'adresse de son médecin et de se procurer l'information.

— C'est vraiment se donner beaucoup de mal pour faire main basse sur un vieux grimoire, observa Innes, vexé que son frère ne lui ait pas réservé la primeur de ses déductions.

— Ainsi que M. Stern nous l'a dit, répliqua Doyle, la valeur du Zohar est inestimable. Celui qui a engagé les services de ces malfaiteurs est à l'évidence prêt à tout pour s'en emparer.

— Pour ma part, intervint Stern, j'ai toujours considéré le Zohar comme un ramassis de superstitions absurdes. Mais s'il contient réellement des formules secrètes sur la création de la vie — ou sa signification...

— Alors, compléta Doyle, le terme d'inestimable serait encore trop faible.

— Ouais, bien sûr, dit alors Pinkus. Mais enfin, il y quelque chose qui me turlupine : s'ils n'ont même pas réussi à voler ce bouquin, comment s'y sont-ils pris pour faire marcher tout seul cette espèce de monstre ?

Les autres eurent beau se creuser la cervelle, aucun ne trouva de réponse à une stupidité aussi monumentale.

Doyle laissa à Innes et Pinkus le soin de porter le corps de l'assassin à la morgue, confia Stern à la garde des officiers de quart sur la passerelle et regagna sa cabine à la lueur d'une lampe à pétrole. Se tenant fermement aux mains courantes, il se rendait compte que s'il avait subi bien pire à bord des vaisseaux de guerre sur lesquels il servait jadis, une tempête de cette force en plein Atlantique aurait constitué par elle-même, pour la plupart des passagers, une épreuve assez pénible si elle n'était aggravée par la panne des machines. Pourtant, les doutes persistants qu'il s'était abstenu de partager avec les autres, ainsi que certains détails inexpliqués qu'aucun de ses compagnons n'avait relevés, le troublaient bien davantage.

Si l'un des cinq cercueils avait contenu une statue de glaise, quatre hommes s'étaient donc introduits à bord dans les autres. L'un s'était donné la mort, un deuxième s'était jeté par-dessus bord. Le troisième membre de l'équipe avait bousculé Pinkus et pris la fuite dans les coursives de la deuxième classe. Le quatrième avait probablement tué le premier lieutenant pour prendre sa place sur la passerelle. Il restait donc deux criminels en liberté sur l'*Elbe* — plus leur chef, celui qui se faisait passer pour le père Devine.

Cinq hommes, donc, mais seulement quatre cercueils.

Question : comment le pseudo-prêtre avait-il embarqué ? Il ne figurait pas sur la liste des passagers et l'équipage ne trouvait nulle part trace de lui. Doyle l'avait vu de près le premier jour, puis le lendemain au cours de la séance de spiritisme. Son âge et sa corpulence excluaient qu'il appartienne à l'équipe des hommes en noir. Quant à l'infortuné lieutenant, il n'avait que vingt-trois ans : Devine n'aurait donc pu se substituer à lui sur la passerelle de manière convaincante. Par ailleurs, Doyle l'avait rencontré pour la première fois moins d'une heure après l'appareillage, délai insuffisant pour lui permettre de s'extraire d'un cercueil à fond de cale. De toute façon, les grincements des couvercles décloués et les coups de marteau n'avaient été observés que plus tard dans la soirée.

Réfléchis, Doyle ! Un prêtre mêlé à la foule des passagers en cours d'embarquement n'éveille pas la curiosité. Suppose qu'il ait franchi la passerelle avec un groupe de gens, comme s'il les accompagnait pour leur souhaiter bon voyage, puis se soit dissimulé dans quelque recoin jusqu'à ce que le navire ait levé l'ancre. Facile, n'est-ce pas ?

Autre problème : le dessin imprimé sur le bras du mort. Doyle était certain qu'il s'agissait d'un symbole, mais il avait beau chercher, sa signification cachée lui échappait.

Laisse travailler ton inconscient, se conseilla-t-il. Dans un tel cas, l'effort est inutile. La réponse te viendra sans doute d'elle-même quand tu t'y attendras le moins...

Malgré le plancher qui se dérobait sans cesse et le ballottait dans tous les sens, Doyle avait encore le pied assez marin pour introduire sa clé dans la serrure. Il ouvrit la porte de sa cabine, plongée dans l'obscurité. Le tangage et le roulis se combinaient pour faire battre le vantail. Doyle fit un pas et stoppa sur le seuil.

Il y avait quelqu'un à l'intérieur.

Doyle prit le revolver passé à sa ceinture, tendit le bras qui tenait la lampe. Près de la couchette, un couteau planté dans le plancher transperçait une feuille de papier sur laquelle était tracé en capitales à l'encre rouge :

LA PROCHAINE FOIS NOUS VOUS TUERONS !

— Fermez la porte, fit une voix.

Le père Devine se tenait immobile dans un coin sombre, les bras croisés. Un coup de roulis à bâbord fit gémir les cloisons. Doyle ferma la porte, arma le chien du revolver, le braqua sur le prêtre, leva sa lampe.

Un corps inerte gisait au pied de la couchette : un homme en noir, le visage encore dissimulé par une cagoule. Un des assassins, étranglé par son propre garrot. Trois étaient morts. Il ne restait donc qu'un survivant.

— Que voulez-vous ? demanda Doyle.

Le père Devine s'avança calmement, sans chercher à se protéger les yeux de la lumière. Pour la première fois, Doyle put l'observer clairement, face à face. Alors, il vit la longue cicatrice couleur d'ivoire qui lui zébrait la mâchoire. Il vit l'éclat du regard, qui lui avait échappé jusqu'alors et qui, littéralement, lui coupa la respiration.

Un léger sourire aux lèvres, le prêtre baissa les yeux vers le cadavre sur le plancher.

— Celui-ci vous attendait, dit-il sans plus de trace d'accent irlandais. Malheureusement, il est mort avant que j'aie réussi à lui tirer quelque chose d'utile.

Non ! Impossible ! Invraisemblable !...

Et pourtant si, grand Dieu ! Oui, c'était lui. C'était bien lui !

Jack Sparks.

LIVRE DEUX
NEW YORK

CHAPITRE 5

23 septembre 1894

« La plus grande discrétion est désormais de rigueur pour relater les événements de ces dernières heures : on a requis mon assistance. Ayant eu plus d'une fois par le passé l'honneur de servir les intérêts de la Couronne, je me suis toujours tenu à la disposition de Sa Majesté, quelles que soient les circonstances dans lesquelles il lui plaisait de faire appel à moi. Cette fois, la reine serait venue en personne me solliciter dans ma cabine que je n'aurais pas répondu avec plus d'enthousiasme.

« Voici les faits : un livre a été dérobé. Un ouvrage d'une importance primordiale pour l'Église d'Angleterre et, par conséquent, pour le Trône : la Vulgate en latin, le plus vénérable manuscrit biblique que possède l'Église anglicane. Ce livre sacré a disparu il y a six semaines de la bibliothèque d'Oxford qui en avait la garde. Le vol n'a pas été publiquement révélé, car la Vulgate était conservée dans un coffre et uniquement accessible à un nombre limité de chercheurs, de sorte que l'on espère pouvoir la recouvrer avant que quiconque s'aperçoive de sa disparition et qu'il devienne nécessaire de répandre la nouvelle. Aucune demande de rançon n'ayant encore été présentée, plus le temps passe, plus il paraît improbable que l'argent soit l'objectif des voleurs. Dès la découverte du forfait, un de mes amis a entrepris en secret une enquête pour le compte de la Couronne, enquête dont le déroulement l'a amené à bord de ce même paquebot transatlantique à destination de l'Amérique.

« Qu'il y ait un lien étroit entre ce vol et les graves événements survenus à bord de l'*Elbe*, on ne peut plus le mettre en doute. J'ai consigné par ailleurs les péripéties de ces derniers jours concernant Lionel Stern, la tentative de vol du Livre de Zohar et l'assassinat de M. Rupert Selig. Trois des hommes impliqués dans ces actes criminels ont eux-mêmes péri ; quant au quatrième, ou bien il s'est donné la mort comme deux de ses complices, ou bien il reste caché à bord, où des fouilles exhaustives se poursuivent. L'on a pu déterminer la nature du sabotage perpétré par les malfaiteurs sur les machines du navire : il s'agissait d'explosifs déposés dans les générateurs électriques. Grâce à la diligence des équipes de mécaniciens, les avaries sont déjà réparées. Nous arriverons donc demain à New York avec seulement quelques heures de retard sur notre horaire, retard autant imputable d'ailleurs aux coups de tabac que nous avons essuyés qu'aux sinistres méfaits de ces malandrins.

« J'avais pris à tort pour leur chef celui qui se faisait passer pour un prêtre catholique — je m'étais d'emblée douté de l'imposture à certains détails troublants : les épaisses bottines mal assorties au costume, le chapelet dépassant de la poche, la chevalière frappée d'un insigne maçonnique. Cet homme n'avait toutefois rien d'un criminel. De fait, je le connaissais fort bien et je savais que ses références au service de la Couronne étaient naguère, comme elles le sont sans doute restées aujourd'hui, au-dessus de tout soupçon.

« Son intervention, imprévue par les criminels, a déjoué une tentative d'assassinat sur ma personne. Les circonstances ne nous ont permis sur le moment d'échanger que les quelques paroles indispensables ; l'occasion d'évoquer à loisir les événements survenus depuis notre dernière rencontre, dix ans auparavant, ne s'est pas représentée ensuite. Pendant les quelques instants que nous avons passés ensemble, il me paraissait de toute façon peu enclin à révéler quoi que ce soit sur lui-même. Aussi sommes-nous convenus de remettre cette conversation à un moment plus propice, une fois que nous serons à terre. D'ici là, je ne dévoilerai sa véritable identité à personne, pas même à Innes.

« Les passagers de l'*Elbe* sont restés dans l'ignorance des problèmes que nous avons rencontrés, en partie grâce à la tempête qui permettait de les consigner dans leurs cabines, en partie aussi au fait que nous sommes parvenus à museler le journaliste américain Pinkus en le soumettant à ce que je qualifierais des " arrêts de rigueur ". Au moment où j'écris ces lignes, mon ami s'emploie à lui faire jurer le silence absolu sur l'ensemble de cette affaire lorsque nous aurons accosté à New York — tâche herculéenne, compte tenu de la propension de cet individu à bavarder à tort et à travers ! Mais s'il y a au monde un homme capable de persuader un Pinkus de garder bouche cousue, c'est bien JS...

« J'ai noté avec tristesse que mon ami a terriblement changé depuis la dernière fois que je l'ai vu. De fait, en dehors même de l'efficacité de son déguisement, il m'a paru quasi méconnaissable. Quelle qu'ait été la gravité des meurtrissures infligées à son corps par sa terrible chute, quelque obscurs qu'aient été les gouffres spirituels dans lesquels son âme a pu errer, il en garde des traces dont je crains que certaines ne soient indélébiles. Je forme toutefois le vœu ardent que, dans le cas présent, mes facultés d'observation — qu'il a tant contribué à perfectionner — soient radicalement prises en défaut. »

Le contour des gratte-ciel de New York émergeait de la brume du matin. Vus du large, ils donnaient aux frères Doyle, comme aux passagers de l'*Elbe* massés sur le pont supérieur, l'impression d'écraser l'île exiguë sur laquelle se dressait leur masse gigantesque. Quel prodigieux déploiement d'ambition ! pensa Doyle. Quelle incroyable concentration d'énergie ! Quel glorieux témoignage de la vitalité créatrice de l'humanité ! Touché jusqu'au tréfonds de lui-même par la magnificence de cette ville, fruit d'une imagination sans limites, il écrasa une larme d'émotion.

Inconscient des sentiments de son frère et avant tout soucieux de ne pas passer pour un niais, Innes affectait de toiser la statue de la Liberté avec l'indifférence blasée du voyageur chevronné. En réalité, ses majestueuses proportions lui faisaient battre le cœur — et lui inspiraient l'image incongrue d'un pays peuplé de femmes sculpturales, dont seuls des voiles diaphanes masquaient les formes voluptueuses.

Lorsque Pinkus apparut enfin sur le pont en compagnie du père Devine, le journaliste n'était que l'ombre de lui-même. Une attitude d'humble repentir avait pris la place de son agitation brouillonne de jeune chien.

— Qu'est-il donc arrivé à Pinkus ? s'étonna Innes.

— Ma foi, je l'ignore, répondit son frère. La confession ne lui réussit peut-être pas.

Tandis que l'*Elbe* virait de bord dans l'Hudson, guidé vers son quai d'amarrage par une flottille de remorqueurs, le capitaine Hoffner invita Doyle à assister aux manœuvres d'accostage depuis la passerelle, où il l'attira à l'écart afin de lui présenter ses remerciements. Il l'informa que la fouille du navire n'avait pas permis de débusquer le quatrième assassin. Les cinq cercueils, mis sous scellés, seraient livrés à la police ; des mesures exceptionnelles de sécurité au contrôle de la douane et des passeports garantiraient que l'homme, s'il était encore à bord, ne pourrait se glisser entre les mailles du filet en se faisant passer pour un passager ou un membre d'équipage. Doyle parvint à éluder les interrogations réitérées du capitaine concernant le père Devine. Il se borna à dire que son premier jugement défavorable, porté dans le feu de l'action, s'était ensuite avéré sans fondement. Sur quoi, les deux hommes échangèrent une cordiale poignée de main et prirent congé l'un de l'autre.

À peine les frères Doyle eurent-ils franchi les portes de la douane qu'une fanfare éclatante les assaillit. Sous des guirlandes de rubans multicolores, une foule délirante brandissait des pancartes souhaitant la bienvenue à l'illustre auteur et l'apostrophant en termes si dithyrambiques qu'on pouvait à bon droit se demander si l'objet de ces bruyantes ovations n'était pas plutôt Sherlock Holmes en personne.

Grand dieu ! se dit Doyle, ils m'accueillent comme si j'étais à moi seul une équipe de football ! La familiarité excessive qui caractérise souvent les Américains ne l'avait jamais gêné à titre individuel ; pratiquée à l'échelle d'une foule hystérique, elle lui donnait l'inquiétante impression de constituer le prélude à un sacrifice humain.

Devant les barrières de police, qui contenaient à grand peine la masse des admirateurs anonymes, se tenait une constellation de personnalités représentant l'édition et le journalisme, le théâtre, l'administration municipale, le commerce et l'industrie, où se remarquait un escadron de chorus-girls faisant assaut d'élégance et de charme. Sur ce chapitre du moins, Pinkus n'avait pas menti, se disait Innes, un sourire extasié aux lèvres.

Une sorte de géant en bottes et jodhpur, coiffé d'une toque de castor et arborant une redingote jaune canari, se détacha du lot pour venir étreindre Doyle dans une accolade à étouffer un ours. Suis-je censé le connaître ? se demanda avec angoisse la victime de cette affectueuse agression. Compte tenu de la manière dont il me traite, il doit à tout le moins se croire mon cousin germain...

Le géant lâcha Doyle et recula d'un pas.

— Quel grand bonheur, monsieur ! lui brailla-t-il en plein visage, d'une voix de stentor que l'accent langoureux de la Virginie adoucissait à peine. Quel bonheur et quel honneur de vous voir enfin ici en chair et on os !

Doyle chercha désespérément qui pouvait bien être cet individu — un pareil olibrius aurait dû laisser une trace dans sa mémoire. À l'arrière-plan, il aperçut Innes — qui, pour la circonstance, avait revêtu sa grande tenue des Royal Fusiliers — littéralement aspiré par un tourbillon féminin de fanfreluches parfumées et de chapeaux fleuris.

— Ne vous avais-je pas promis une réception royale dans notre bonne ville de New York ? reprit l'homme avec un sourire qui dévoila un clavier de piano d'une blancheur surnaturelle.

— Euh... Je crains, monsieur, de ne pas encore avoir eu le plaisir...

Avec une angoisse grandissante, Doyle voyait le bataillon des personnalités s'ébranler et se ruer à l'assaut.

— Pepperman, à votre service, monsieur Conan Doyle ! brama l'homme en saluant d'un geste large. Major Rolando Pepperman, l'imprésario de votre tournée littéraire.

— Major Pepperman, bien sûr ! Veuillez me pardonner...

— De rien, cher monsieur, de rien. C'est moi le fautif de ne pas vous avoir communiqué dans mes câbles une description plus précise de mon humble personne.

Sur quoi Pepperman prit Doyle aux épaules et le tourna face à la foule qui trépignait de joie.

— Mesdames et messieurs, j'ai l'honneur et la joie de vous présenter M. Arthur Conan Doyle, créateur du grand Sherlock Holmes ! Bienvenue à New York !

En signe de liesse, Pepperman jeta son couvre-chef en l'air. La foule redoubla de hurlements frénétiques, que la fanfare s'efforça de noyer sous des déchaînements sonores dépassant largement la limite du supportable. Une batterie de photographes fit exploser du magnésium devant les yeux de Doyle, qui ne vit plus danser que des points noirs à la place de l'élite de New York qui se pressait autour de lui.

Dans les minutes qui suivirent, Doyle serra une bonne cinquantaine de mains et reçut autant de cartes de visite. Les messages verbaux qui les accompagnaient étaient engloutis par la cacophonie ambiante, mais Doyle parvint à en retenir l'impression générale que chacune de ces personnalités l'engageait de façon pressante à savourer la cuisine de son restaurant, accorder une interview à son magazine, applaudir son dernier triomphe sur scène ou résider dans son luxueux hôtel — en échange, bien entendu, d'un commentaire flatteur ou d'une recommandation chaleureuse. La seule chose que Doyle s'expliquait mal concernait la présence de la spectaculaire délégation de chorus-girls. Que voulaient-elles de lui, au juste ? Innes, toujours au cœur de leur tourbillon froufroutant, éluciderait sans doute le mystère.

Une troupe d'édiles vint en grande pompe lui remettre sur parchemin une proclamation officielle de bienvenue ainsi qu'un pesant objet de bronze enrubanné, censé représenter la clé de la ville, dont l'utilité la plus immédiate lui parut être celle d'une matraque. Avant qu'il se soit vu contraint de repousser les hordes à coups de clé, Pepperman ouvrit une trouée dans la masse humaine et entraîna son grand auteur vers les voitures qui attendaient dans la rue.

Les Américains, lui avait-on dit, n'aimant rien tant qu'adresser ou écouter des discours, Doyle avait préparé quelques phrases bien senties dans l'éventualité d'un speech de remerciements « improvisé ». Mais alors qu'il grimpait avec Pepperman sur le marchepied de leur voiture, il constata que la foule semblait n'avoir d'autre désir que de continuer à s'égosiller en son honneur. Il se borna donc à saluer de la main puis, suivant l'exemple donné auparavant par Pepperman, jeta son chapeau en l'air — geste qui semblait donner aux Américains, pris collectivement, le signal qu'ils pouvaient adopter un comportement d'aliénés mentaux.

Tandis que l'hystérie se déchaînait de plus belle, Doyle vit à l'arrière-plan Lionel Stern, la mine grave, franchir les portes de la douane. À quelques pas de là, des hommes chargeaient dans un corbillard le cercueil contenant la dépouille mortelle de son ami Rupert Selig. En soutane de prêtre, Jack Sparks supervisait les opérations.

Fort bien, pensa Doyle pendant que la voiture s'ébranlait. Pour le moment, Stern est en sécurité. Mais si cette émeute constitue un avant-goût de ce que me réservent les foules dans ce pays, c'est de ma propre peau que j'aurais de bonnes raisons de me soucier.

Lorsque, plus tard ce jour-là, les deux douzaines de policiers new-yorkais qui avaient procédé à une fouille circonstanciée de l'*Elbe* en débarquèrent bredouilles, nul ne prêta attention dans leurs rangs au jeune agent, grand et blond, portant le badge numéro 473. Aucun des valeureux serviteurs de la Loi ne se rappela non plus lui avoir adressé la parole par la suite ; on ne se rendit même compte de la disparition de l'agent 473 que plus de trois heures après le retour du corps expéditionnaire au commissariat.

Trois jours allaient encore s'écouler avant qu'on ne découvre, dans la chambre froide des cuisines de l'*Elbe*, le cadavre nu du légitime titulaire du badge 473, l'agent de première classe O'Keefe, tassé dans un sac de jute.

Qui peut bien être ce type bizarre ? se demanda Eileen Temple. Quelle dégaine ! Un chapeau rond, un grand manteau noir jusqu'aux chevilles, une espèce de ruban en guise de ceinture. En plus, il est maigre comme un clou et si faible qu'il peut à peine traîner sa valise. Mais quel bon sourire il a pour parler aux porteurs ! Il leur demandait sans doute un renseignement puisqu'ils lui ont fait signe de venir par ici. Le pauvre vieux, ça ne doit pas être facile de voyager à son âge. Il a l'air complètement perdu, tout le monde le regarde comme une bête curieuse, mais il a l'air de s'en moquer. Il me fait penser à quelqu'un de connu, voyons... Mais oui ! Abraham Lincoln, bien que sa barbe soit plus longue et qu'il ait les cheveux gris. Malgré tout, il a la même expression dans le regard.

— Le monde nous réservera toujours des surprises, déclara Bendigo Rymer en désignant d'un mouvement de menton l'inconnu qui s'approchait. Un Hébreu dans la gare de Denver !

— Il a l'air gentil, répondit Eileen qui finit de se rouler une cigarette et craqua une allumette sur le bois rugueux du banc. Et il ressemble à Abraham Lincoln.

— C'est ma foi vrai. Imagine un peu : Lincoln dans le rôle de Shylock. Quel extraordinaire contre-emploi !

Le sosie d'Abraham Lincoln arriva à l'endroit où les Pénultièmes Baladins s'étalaient avec leurs bagages. Il posa sa valise en laissant échapper un soupir de soulagement et sortit de sa poche un vaste mouchoir blanc à l'aide duquel il épongea son front couvert de sueur. Les membres de la troupe restèrent vautrés sur leurs bancs en jetant à cette exotique créature les regards blasés de ceux pour qui le monde ne réserve plus de surprises. L'inconnu prit note de leur attention distraite et fit un sourire engageant.

Fatigué mais de bonne humeur. Des traits qui respirent la générosité et la bienveillance. Eileen lui rendit son sourire avec empressement.

— Le bruit court, dit l'homme, que ce quai serait celui d'où partirait le train à destination de Phoenix, Arizona.

— En vérité, monsieur, vous disposez d'informations précises, répondit Rymer. Nous nous dirigeons nous-mêmes vers cette cité. Et si nous ne sommes qu'une pauvre troupe de saltimbanques, nous ne nous connaissons pas de rivaux dans tout l'Ouest pour la tragédie, la comédie, la tragi-comédie, le drame historique, la pastorale, voire la poésie.

107

— N'en rajoute pas, de grâce, lui souffla Eileen à l'oreille tout en continuant à sourire au nouvel arrivant.

— Penser que l'on peut, dans ces contrées écartées, se délecter des paroles du grand Shakespeare, déclamées sans nul doute avec un art consommé, ne représente pas seulement un plaisir pour l'oreille mais un grand réconfort pour l'esprit, dit le barbu d'un air admiratif.

Rymer sourit comme un idiot et prit la couleur d'une tomate mûre. Le moindre compliment le bouleversait. On se serait presque attendu à le voir se rouler aux pieds de son flatteur pour se faire grattouiller le ventre comme un chiot.

— Venez donc vous asseoir, monsieur, lui dit Eileen.

— Volontiers, c'est très aimable à vous, répondit-il en prenant place en face d'elle.

— Permettez-moi, monsieur, de me présenter : Bendigo Rymer. Les Pénultièmes Baladins que j'ai l'avantage de diriger viennent de terminer, avec un certain succès ajouterai-je sans fausse modestie, une série de représentations dans cette métropole et portent leurs pas vers la ville de Phoenix. Nous apportons la culture dans ces déserts comme l'eau fait fleurir les jardins de Babylone.

— Mes compliments, monsieur.

Il sourit à Eileen avec, dans le regard, un éclair amusé à la limite du clin d'œil complice.

Il y a une profonde sagesse dans ses yeux comme dans ses actes, pensa Eileen. Il a immédiatement discerné en Rymer un indécrottable imbécile, mais il a assez bon cœur pour ne pas s'en offusquer. Depuis son départ de New York, elle n'avait pas eu l'occasion de voir un visage exprimant de telles qualités humaines.

— Puis-je vous demander, monsieur, ce qui vous appelle dans le pays des Peaux-Rouges ? s'enquit Rymer.

— Rien d'aussi prestigieux que vous autres, j'en ai peur. Je m'y rends simplement pour mes affaires.

— Ah, les affaires ! s'exclama Rymer comme s'il venait de décoder un mot de passe secret. Les rouages de l'économie ne doivent jamais cesser de tourner...

— Je m'appelle Eileen, intervint celle-ci. Et vous ?

— Jacob. Jacob Stern.

— Seriez-vous dans le négoce des diamants, monsieur Stern ? enchaîna Rymer en puisant dans son stock de clichés sur l'habileté commerciale des fils d'Israël. Ou peut-être celui des fourrures rares ou des métaux précieux ?

— Non, je suis rabbin.

— Un serviteur de Dieu venu rassembler son troupeau ! Ma sincère admiration et mon profond respect vous sont acquis, monsieur. Mais j'ignorais qu'il y eût à Phoenix un lieu du culte de votre confession.

— Moi aussi, dit Stern en se retenant de rire.

Rymer ne l'entendit même pas.

— Imagine, Eileen ! L'une des Douze Tribus errant dans le désert ! L'Histoire écrit sans doute un nouveau chapitre sous nos yeux, s'ils n'étaient trop infirmes pour le voir !

Eileen fit une grimace gênée. Elle inventait déjà un prétexte pour prendre place dans le train à côté de Stern.

Si j'en crois mes rêves, monsieur Bendigo Rymer, le hasard et votre sottise vous font tomber plus près de la vérité que vous ne pourriez l'imaginer, pensa Jacob en s'efforçant de trouver sur le banc de bois une position à peu près commode pour sa maigre carcasse. La douleur lui poignardait le dos, ses genoux lui faisaient mal comme s'ils avaient été martelés par un forgeron fou, ses poumons étaient en feu, ses oreilles tintaient, il avait faim, il avait soif — et il mourait d'envie de se vider la vessie.

Je suis une ruine, se dit-il. Loué soit Dieu de me rappeler que nous sommes avant tout des êtres spirituels et qu'à trop vouloir nous soucier de notre physique, nous ne gagnons que la souffrance. Malgré tout, si un bon bain chaud et un bol de soupe se matérialisaient par miracle devant moi, je ne m'en plaindrais pas...

Peut-être pourrait-il dormir dans le train ? À mesure qu'il descendait vers le sud, sa vision le visitait avec une intensité toujours accrue. Depuis son départ de Chicago, Jacob s'était forcé à dormir le plus longtemps et le plus souvent possible, moins pour se reposer — il se sentait encore plus épuisé au réveil — que dans l'espoir de découvrir toujours plus précisément la signification cachée du rêve.

Il éprouvait désormais dans son sommeil la troublante sensation d'être pleinement éveillé tout en restant conscient de rêver. S'il était impuissant à maîtriser le déroulement du songe, il avait appris à concentrer son attention sur tel ou tel aspect et à en distinguer les détails. Le contenu du rêve n'avait par lui-même rien qui puisse l'effrayer, mais il percevait à la périphérie de sa vision une aura menaçante, d'une telle puissance lumineuse qu'il s'éveillait baigné de sueur, le cœur battant et les larmes aux yeux.

La Tribu Perdue.

Il voyait une foule vêtue de blanc, rassemblée dans un vaste espace vide, en adoration devant une sorte d'idole juchée sur une estrade que baignait une lumière aveuglante. À chaque fois, cependant, l'objet de cette vénération restait hors de portée de son regard.

D'autres images revenaient avec insistance. Une haute tour noire projetant son ombre sur des dunes de sable blanc. Une crypte creusée dans le roc. Cinq formes humaines aux contours imprécis et aux visages invisibles. Un livre très ancien à la reliure de cuir dans un reliquaire d'argent. Le livre était écrit en hébreu. Une main, non, plutôt une serre d'oiseau de proie se posait sur ses pages...

Et la phrase qui tournait et retournait dans sa tête :
Nous sommes Six.

Il ne disposait de rien de plus jusqu'à présent.

Jacob n'avait pas formulé de plan précis. Son corps le trahissait, mais son esprit restait lucide et sa détermination ne cessait de se raffermir. Pourquoi Phoenix ? Son instinct le guidait vers cette destination. Le rêve se déroulait dans un désert, aussi se dirigeait-il vers le plus vaste que l'on connût alors — l'Arizona, lui avait-on dit — et il poursuivrait sa route jusqu'à ce qu'il rencontre un lieu conforme à celui de sa vision. Ensuite, il serait toujours temps d'aviser. Quelque événement surviendrait peut-être qui lui dicterait la conduite à suivre. Sinon... Eh bien, il aurait au moins passé de bonnes vacances et l'atmosphère du désert aurait fait grand bien à ses poumons.

— ... une semaine entière à Minneapolis devant des salles combles ! Ces bons Scandinaves savent apprécier le théâtre, eux au moins...

L'interminable monologue de Rymer permettait à Jacob de se détendre sans arrière-pensée. Il s'étonnait de constater que, pour un homme d'une santé aussi chancelante, il se sentait étonnamment dispos. Après s'être enfermé plus de cinquante ans le nez dans ses livres, pouvoir se lancer à l'improviste dans un tel voyage constituait pour lui une véritable révélation. Se nourrir de sandwiches à n'importe quelle heure, voir le paysage défiler derrière la vitre du wagon, quelle incroyable aventure ! Les champs et les cours d'eau, les forêts de conifères toujours vertes, les Montagnes Rocheuses se détachant sur l'horizon, teintées de rouge par le soleil couchant, jamais il n'avait admiré de spectacles plus sublimes ! Le monde qu'il découvrait lui semblait si gigantesque que ses tentatives d'en appréhender l'ensemble, afin de le soumettre à des raisonnements philosophiques, étaient si vaines qu'elles devenaient risibles.

Et si, en fin de compte, sa vision n'était que le fruit d'un dérèglement de son cerveau fatigué ? Si nulle épouvantable calamité ne l'attendait au bout de sa route ? Ce serait une excellente nouvelle. Quant à son escapade dans l'Ouest, décidée sur un coup de tête, elle passerait pour un nouvel exemple de son incorrigible excentricité, dont ses amis feraient à bon droit des gorges chaudes.

Jacob Stern n'était certain que d'une chose : dans une heure, le chef de gare sifflerait le départ du train pour Phoenix. D'ici là, les acteurs de la troupe continueraient à bavarder entre eux sans lui prêter attention. Passer le temps en compagnie de la belle jeune femme au si joli sourire assise en face de lui n'était pas, tout compte fait, un sort bien redoutable. Et s'il parvenait à s'asseoir dans le train à côté d'elle, ma foi... ce ne serait certes pas non plus son idée de l'Enfer.

New York, Hôtel Waldorf

— Les casquettes à oreillettes font fureur.

— Pas possible ?

— Et je me suis même laissé dire que les marchands de loupes et de pipes en écume de mer sont en rupture de stock.

— Incroyable !

— Il y a quelques semaines, j'étais à un bal costumé chez les Vanderbilt et je puis vous assurer qu'un homme sur trois y est venu déguisé en Sherlock Holmes.

Tout en parlant, le major Pepperman sirotait le champagne offert par la direction et tripotait le clavier du piano à queue trônant devant la baie vitrée qui dominait la Cinquième Avenue, dont les lumières commençaient à scintiller à l'heure où le crépuscule tombait sur la ville.

— Extraordinaire ! commenta Doyle.

Extraordinairement effroyable, oui ! pensait-il.

Dans un moelleux fauteuil du salon de sa suite à l'hôtel Waldorf — la pièce à elle seule dépassait la surface du plus spacieux des appartements qu'il ait jamais habités —, Doyle picorait des grains de raisin dans une coupe monumentale tout en feuilletant une pile de quotidiens. Tous, sauf un, annonçaient son arrivée à la une. En revanche, aucun article dans le *Herald* sous la signature d'Ira Pinkus ni dans aucun autre journal sous l'un de ses pseudonymes. Rien non plus ne se rapportait de près ou de loin aux événements survenus à bord de l'*Elbe*, constata Doyle avec soulagement. Quelles qu'aient été les pressions exercées par Jack Sparks sur Pinkus, elles avaient réussi à le réduire au silence.

— Comme je m'efforçais de vous le faire comprendre par

mes câbles, monsieur Doyle, vos romans ont fait une très forte impression sur les lecteurs de ce pays. Sincèrement, je n'avais jamais observé un phénomène de cette ampleur. Je connais pourtant de première main ce qui plaît au public, croyez-moi : avant de me tourner vers la littérature, j'étais chargé de la promotion d'un cirque. Vous ne vous rendez pas encore bien compte de ce que votre Sherlock représente pour tous ces gens.

Doyle fit un sourire distrait. Ce serait impoli de le lui demander en toutes lettres, mais si Pepperman se décidait de lui-même à partir, il pourrait peut-être enfin commencer à défaire ses bagages et prendre un repos bien mérité.

La vision de la montagne de cadeaux empilés dans un coin du salon n'avait rien pour le rasséréner : il allait devoir défaire tous ces paquets, collationner les adresses des donateurs, rédiger à chacun une réponse personnelle. Quel ennui, grand Dieu ! Cela prendrait des semaines ! Et ce voyage était censé représenter une détente, loin de l'assommante routine quotidienne ! Si seulement Larry était là, à eux deux ils s'en sortiraient. Innes ne ferait que semer une inextricable pagaille. Surtout maintenant qu'il reniflait le parfum de ces danseuses, ce garçon serait inapte à remplir ses fonctions. Et d'ailleurs, où était-il fourré ? Doyle ne l'avait pas revu depuis...

— Je ne me souviens pas de vous l'avoir signalé, mais Grover Cleveland a plus d'une fois séjourné dans cette suite, déclara Pepperman.

Doyle sursauta.

— Grover qui ?

— Cleveland. Le président des États-Unis.

— Le président ?... Ah, oui. Parfaitement.

L'expression anxieuse de Pepperman lui donna des remords. Me voilà à ronchonner sur des problèmes sans importance, je me demande quand il se décidera à me laisser en paix, alors que ce pauvre bougre n'attend sans doute qu'une chose, c'est que je lui dise combien je suis reconnaissant de tout le mal qu'il se donne pour me faire plaisir.

— Vous savez, major, je suis si touché par les efforts que vous vous êtes imposés à cause de moi que je ne trouve pas de mots pour vous exprimer ma gratitude.

Le visage lunaire de Pepperman s'illumina.

— Vraiment ?

— Je ne puis vous dire combien j'apprécie tout ce que vous avez accompli. Je suis convaincu que cette tournée nous vaudra à tous deux un succès sans précédent sur le plan financier, le plan artistique et... tous les autres.

— Vos compliments me vont droit au cœur, cher monsieur ! répondit Pepperman en exhibant l'ivoire éblouissant de son sourire. Droit au cœur ! Allons, il faut maintenant que je vous laisse vous installer.

— Pas du tout, voyons...

— Mais si ! Vous avez grand besoin d'une heure ou deux de paix et de tranquillité, j'en suis sûr. C'est peut-être votre dernière chance d'en profiter d'ici longtemps.

— Vous avez sans doute raison.

— Si cela vous convient, je viendrai vous chercher en voiture à huit heures et nous irons directement à la réception de votre éditeur.

Après le départ de l'imprésario, Doyle entreprit une reconnaissance des trois pièces de la suite présidentielle du Waldorf, où régnait un luxe si écrasant qu'il renonça à en supputer le prix. Ce n'étaient que sols et cheminées en marbre de Carrare, tapis persans de la taille d'un terrain de football, paysages flamands peints sur des toiles assez amples pour gréer un brick. Dans la salle de bains, la pression d'eau à la douche était d'une force alarmante, voire périlleuse.

Doyle terminait sa visite domiciliaire par la chambre à coucher quand il entendit frapper. Il lui fallut deux bonnes minutes pour retrouver, dans cette immensité, le chemin de la porte d'entrée.

Personne sur le seuil.

— Désolé, fit une voix dans le salon.

Doyle sursauta. Jack Sparks se tenait devant le piano près de la fenêtre. La tenue ecclésiastique du père Devine avait disparu en même temps que ses cheveux roux grisonnants et son embonpoint. Doyle avait presque oublié ce génie du déguisement dont il avait doté son héros fictif. Et il avait maintenant devant lui le modèle de Sherlock Holmes.

Son aspect général n'avait finalement pas trop changé. Il avait dix ans de plus, certes, mais de même que nous tous — et l'examen objectif rend plus sensible aux subtiles modifications qu'imprime le passage du temps et que nous ne remarquons pas sur notre propre visage, reflété chaque jour dans le miroir. Il était vêtu de noir comme à son habitude, avec les mêmes bottes et le même manteau de cuir souple. Ses cheveux coupés plus court grisonnaient par endroits. Les cicatrices observées sur le visage du père Devine n'étaient pas dues au maquillage. Une longue estafilade le long de la mâchoire, une autre en haut du front, juste sous les cheveux, semblaient souligner une dureté intérieure absente auparavant.

Les yeux, surtout, avaient changé. Pourtant, c'étaient eux que

Doyle avait reconnus en premier. Leur expression hagarde, comme un refus de la vie, uniquement observée lors des épisodes les plus pénibles de leurs aventures passées, était maintenant présente en permanence. Impossible de ne pas remarquer pareil regard et de ne pas en être troublé.

L'ironie du sort est parfois cruelle, pensa Doyle. Me voilà ici, invité d'honneur de ce logement princier, célébré au-delà de toute raison pour les exploits d'un personnage imaginaire. Et voici que se tient devant moi celui dont je me suis inspiré, en qui je ne vois que l'ombre de l'homme que j'ai connu et admiré.

Au fil des ans, Doyle s'était souvent demandé ce qu'il ressentirait s'il revoyait jamais son ami. La seule émotion qu'il n'avait pas prévue était celle qu'il éprouvait en cet instant : la crainte. Rien de plus normal, se força-t-il à penser. Depuis dix ans, je le croyais mort. J'ai donc l'impression de me trouver nez à nez avec son fantôme...

Jack ne fit pas un pas vers lui, ne lui tendit même pas la main. Dans son attitude, rien d'amical ni de chaleureux. De la froideur et — oui, du regret. De quoi, grand Dieu ?

— La raison pour laquelle je n'ai pas cherché à prendre contact avec vous sur le bateau...

Une voix blanche, monocorde. Doyle l'interrompit :

— Vous saviez pourtant dès l'appareillage que j'y étais, n'est-ce pas ?

— Je ne voulais pas vous impliquer dans une affaire qui ne vous concernait pas. Je ne savais pas que vous seriez à bord de ce navire. Stern et son livre non plus, d'ailleurs. Je n'y pouvais rien, je m'en suis accommodé.

— Je vous crois volontiers.

Mais pourquoi tant de froideur ?

— Je me doutais de la présence de ces quatre hommes. Je les soupçonnais d'être mêlés à l'autre affaire.

— Le vol de la Vulgate d'Oxford ?

Les mains derrière le dos, Sparks n'acquiesça même pas d'un signe. Il semblait vouloir économiser ses moindres gestes, sans se soucier du malaise que son immobilité créait chez son interlocuteur.

— J'ai déploré de vous voir à bord. J'avais déjà trop bouleversé votre existence.

— Au contraire, voyons ! Rien ne m'aurait rendu plus heureux que de vous savoir en vie...

— Je ne le suis pas ! dit-il avec véhémence. Pas de la manière que vous croyez. Pas comme on l'entend d'habitude.

— Je ne vous comprends pas.

— Cette médium sur le bateau. Vous l'avez questionnée à mon sujet.

— Et elle m'a répondu que vous n'étiez pas mort.

— Elle se trompait. J'ai péri. Je suis resté dans ce corps mais je suis mort.

— Voyons, Jack... vous êtes vivant ! Le fait est que je vous vois ici même, devant moi...

— Vivre n'a pas la même signification pour moi que pour vous. Je ne connais aucun moyen de vous la décrire. De vous la faire comprendre de manière à vous rendre... *heureux*.

Il avait craché le dernier mot comme le noyau d'un fruit vénéneux. Il n'a pas entièrement tort, pensa Doyle, il n'y a en lui presque plus rien d'humain. Mais en usant pour l'analyser des méthodes que Jack lui avait lui-même enseignées, Doyle eut la pénible impression de le trahir.

Un long silence suivit. Le dos tourné, Sparks regardait par la fenêtre. Doyle attendit qu'il reprenne la parole et s'explique. Vous vous apercevrez que j'ai changé, moi aussi, pensa-t-il. Je ne me laisse plus aussi facilement intimider.

— Je ne voulais pas me montrer à vous tel que je suis devenu, dit enfin Jack.

Y avait-il une trace de honte dans sa voix ? Pour la première fois, Doyle remarqua ses mains, qu'il tenait obstinément croisées derrière son dos : un réseau de vilaines cicatrices, les doigts déformés, l'annulaire et l'auriculaire de la main gauche absents. Que lui était-il arrivé ? Quelles souffrances avait-il endurées ?

— Larry m'a tout raconté quand il m'a rejoint à Londres, il y a maintenant dix ans, dit Doyle. Comment vous aviez suivi la piste de votre frère Alexander en Autriche, comment vous l'aviez rattrapé aux chutes de Reichenbach, votre lutte à mort, votre épouvantable plongeon à tous deux...

— Je sais, j'ai lu votre nouvelle sur la mort de Holmes, l'interrompit Sparks avec un ricanement sarcastique.

Doyle sentit la moutarde lui monter au nez.

— Je n'ai pas à m'excuser de m'être inspiré d'un homme que je croyais mort depuis longtemps ! Je suis allé là-bas quelques années plus tard, poursuivit-il d'un ton radouci. Avec ma femme — je suis marié. Il me paraissait impossible que quiconque puisse survivre, mais un guide du pays m'a dit que cela s'était produit par le passé. Pourtant, vous ne m'avez jamais fait signe...

Doyle s'interrompit. Faute de réaction de Jack Sparks, il poursuivit :

— La reine m'a convoqué quelque temps après l'affaire des Sept. Oui, j'ai été reçu en audience par la reine Victoria en personne. Imaginez mes sentiments : à vingt-trois ans, en tête à tête avec elle !... Elle m'a confirmé que tout ce que vous m'aviez dit était exact, que vous la serviez loyalement depuis des années. Elle ne m'a cependant jamais laissé entendre que vous auriez survécu.

Doyle s'interrompit à nouveau. Pourquoi lui raconter ce que Jack savait mieux que lui ? Peut-être par un besoin pressant de combler par des mots le gouffre de silence qui les séparait, de découvrir un moyen de renouer connaissance.

— Depuis, reprit-il, elle m'appelle de temps en temps et sollicite mon avis sur une question ou une autre. À sa demande expresse, je n'y ai jamais fait allusion devant quiconque, mais je reste à son entière disposition. C'est la moindre des choses, après tout.

Le dos toujours tourné, Sparks ne réagit pas.

— Larry travaille pour moi, désormais. Depuis cinq ans. Je l'ai engagé dès que ma situation m'en a donné les moyens. C'est un secrétaire hors pair, il m'est devenu indispensable. Vous seriez fier de lui, Jack. C'est à vous qu'il doit tout, à vous qu'il doit d'avoir délaissé sa vie de mauvais garçon. Je sais combien il serait heureux de vous revoir.

Sparks secoua la tête pour indiquer qu'il en refusait jusqu'à l'éventualité. Doyle refréna de nouveau sa colère.

— En tout cas, je constate que vous avez repris vos activités au service de la Couronne.

Cette fois, Jack se décida enfin à parler.

— Il y a trois ans, je me suis trouvé à Washington devant l'ambassade du Royaume-Uni. J'étais en Amérique depuis... un moment. Je leur ai demandé d'envoyer un câble. Codé et rédigé d'une manière que j'étais seul à utiliser. Le message a suivi la filière jusqu'au... plus haut niveau. La réponse est venue : donnez à cet homme tout ce dont il a besoin. Ils m'ont regardé comme si j'étais un spécimen d'une espèce inconnue pêchée au fond de l'océan.

Pourquoi restait-il si glacial, si replié sur lui-même ? Doyle avait beau mettre en œuvre toutes ses facultés d'observation, il ne parvenait pas à déchirer le voile de silence dans lequel il se drapait. Peut-être une approche plus directe, plus sentimentale aussi...

— Vous n'avez jamais été absent de mes pensées, Jack. Après le récit de Larry, j'étais inconsolable de vous croire perdu pour toujours. Vous n'aviez jamais eu conscience de ce que vous représentiez pour moi, vous ignoriez combien ma vie s'est

enrichie grâce à vous. J'étais convaincu que vous vous manifeste-
riez si, par miracle, vous aviez survécu...

— Non, vous ne l'auriez pas su ! l'interrompit Jack sèchement. Pas par moi, en tout cas.

— Pourquoi ?

— Notre rencontre actuelle est le fait du hasard. Inévitable, je
le déplore. Mieux vaut ne jamais me revoir.

— Mais enfin, pourquoi, Jack ?

Sparks lui fit face, les yeux brillants de colère.

— Je ne suis plus celui que vous avez connu. Effacez cet
homme de votre mémoire. Ne me parlez plus jamais de lui.

— Je dois savoir ce qui vous est arrivé...

— Enterrez vos souvenirs une fois pour toutes et poursuivez
votre chemin. Si vous en êtes incapable, restons-en là. Je m'en
irai et vous ne me reverrez plus.

Au prix d'un effort, Doyle parvint à se dominer.

— Soit, dit-il de mauvaise grâce.

D'un signe de tête, Sparks se déclara satisfait.

— Quand je vous ai vu monter à bord, j'espérais que vous ne
seriez pas mêlé à cette affaire. Il vous reste encore une chance de
vous en dégager.

— Pourquoi maintenant et pas auparavant ?

— Vous êtes un homme important, célèbre. Vous avez une
position dans le monde. Une famille. Beaucoup à perdre.

— Dans quoi, au juste, suis-je impliqué ? Qui connaît le rôle
que je suis censé avoir tenu ? Expliquez-vous !

— Le quatrième homme a réussi à s'échapper après notre
arrivée au port.

— C'est fort improbable...

— Personne ne l'a retrouvé.

— Il aurait très bien pu se jeter par-dessus bord, comme l'un
de ses complices.

— En tant que dernier survivant, il était tenu de leur faire son
rapport.

— À qui ? Aux commanditaires, voulez-vous dire ?

— Oui. C'est donc ce quatrième homme qui leur signalera
votre intervention.

— Autrement dit, je suis en danger ?

— Plus que vous ne l'imaginez.

Doyle sentit de nouveau la colère le gagner.

— Dans ce cas, bon sang ! cessez de parler par énigmes et
répondez-moi clairement, c'est plus que je ne puis en avaler ! Il y
a dix ans, j'ai failli perdre vingt fois la vie à cause de vous, j'estime ne plus avoir besoin de faire mes preuves. Vous surgissez

du néant comme un spectre, toujours entouré de secrets et de mystères, sans m'avoir donné signe de vie depuis dix ans... Vous avez au moins raison sur un point, Jack : j'occupe maintenant une position dans le monde. Et j'ai infiniment moins de patience devant les cachotteries et les échappatoires, surtout si ma sécurité est en jeu. Ou bien vous m'informez sans détour de ce dont il s'agit, ou bien allez au diable si cela vous chante !

Le silence retomba. Les deux hommes s'affrontaient du regard, sans qu'aucun des deux ne veuille paraître céder.

— Qui sont les commanditaires auxquels vous faites allusion ? demanda enfin Doyle.

Sparks prit dans sa poche une feuille de papier qu'il tendit à Doyle. C'était une reproduction d'armoiries qui représentaient un cercle noir traversé par trois lignes rouges, dentelées en forme d'éclairs.

— Je connais ce dessin, dit Doyle en montrant à Sparks son propre croquis. Il était tracé sur la cloison de la cabine près du corps de Selig. Je crois qu'il l'avait vu sur le bras d'un de ses agresseurs et a eu la présence d'esprit de le reproduire juste avant de mourir.

— Savez-vous ce qu'il signifie ?

— Pas la moindre idée. Et vous ?

— Pendant plusieurs siècles, ce même dessin était le sceau officiel de la Ligue hanséatique.

Doyle puisa dans les vestiges de ses souvenirs scolaires.

— La Ligue hanséatique ?... Ah, oui ! Une alliance formée à l'époque médiévale par des marchands allemands pour la protection de leurs villes et de leurs droits commerciaux.

— Exact. Elle avait son siège à Lübeck. Sa puissance a connu son apogée au XIVe siècle. Elle équivalait à celle d'un État souverain avant de s'éteindre peu à peu. Au début du XVIIIe siècle, la Ligue avait cessé d'exister, bien que l'on qualifie toujours Lübeck, Hambourg et Brême de villes hanséatiques.

— Que vient faire leur sceau dans cette affaire ?

— Depuis près de deux siècles, il court des rumeurs persistantes selon lesquelles la Ligue n'aurait pas disparu comme on le croyait. Elle subsisterait sous forme de société secrète, disposant de ressources considérables, qui aurait pour objectif de regagner sa puissance déchue.

— À qui en attribuer la responsabilité ?

— Aux marchands eux-mêmes. Après la dissolution de la Ligue, ils ont formé des milices afin d'assurer la protection de leurs navires et de leurs caravanes. Faute de disposer d'une armée de métier comme leurs prédécesseurs, ils ont enrôlé au hasard dans les ports des voleurs, des bagnards, des déserteurs. Peu à peu, ces individus ont pris conscience de leur force et se sont révoltés contre leurs employeurs pour s'emparer du pouvoir. C'est cet avatar criminel de la Ligue qui survivrait jusqu'à présent et aurait son quartier général dans un pays d'Europe de l'Est.

— Une guilde internationale de malfaiteurs, en quelque sorte. Piratage, contrebande, trafics en tous genres, vols pour leur propre compte ou sur commande. C'est eux que vous soupçonnez du vol de la Vulgate à Oxford ?

— Oui.

— Et vous pensez que la même organisation cherche à s'emparer du Livre de Zohar ?

— Oui.

— Quant à savoir pour quelle raison et pour le compte de qui ils agissent... Le commanditaire serait en Amérique ?

— Oui.

— Donc la Vulgate y aurait déjà été transportée sur un autre paquebot et aurait fait la traversée avant la nôtre ?

— Exact.

— Mais nous ne savons pas où.

Jack approuva d'un signe de tête.

Dans leur quête parallèle de la vérité, leurs pensées s'imbriquaient de nouveau avec souplesse, leurs esprits communiquaient d'un signe, d'un simple mot. Doyle retrouvait avec joie le Jack Sparks qu'il avait si bien connu.

— Par conséquent, reprit Doyle, nous devons suivre la piste de ces voleurs afin de démasquer leur commanditaire.

— Comment procéderiez-vous ?

— En les laissant voler le Livre de Zohar — ou du moins le leur faire croire — et voir où ils iront avec.

Sparks esquissa un imperceptible sourire.

— Bien vu.

— Il vous faudra la coopération de Lionel Stern.

— Je l'ai déjà.

— Vous aurez donc aussi la mienne.

— Non. Vous êtes ici pour vos affaires. Je ne puis...

— Jack ! Vous me connaissez mieux que cela.

Et moi, mon ami, je vous connais mieux que vous ne le croyez, pensa Doyle. J'irai jusqu'au bout de cette affaire, ne serait-ce que pour apprendre enfin ce qui vous est arrivé.

— Soit, dit Sparks en se dirigeant vers la porte. Nous commencerons ce soir.

— Je suis obligé de...

— Je sais. Après la réception.

— Où nous retrouverons-nous ?

— Je viendrai vous chercher.

Et Jack Sparks se retira, plus silencieux qu'un chat.

Entre Denver et Phoenix

— En hébreu, le mot Kabbale signifie recevoir, comme on reçoit la sagesse. Voulez-vous vraiment que je vous explique ? Je ne voudrais pas vous assommer avec ces choses-là.

— Pas du tout, protesta Eileen. C'est passionnant.

— Et puis, le voyage est long... Il est écrit dans la Kabbale que Dieu a créé le monde selon trente-deux voies de la connaissance, représentées par les nombres de un à dix et les vingt-deux lettres de l'alphabet hébreu. Chaque nombre a une signification spirituelle, qui correspond à l'un des dix centres actifs du corps humain. Chaque lettre possède une valeur numérique et constitue un symbole visuel, en plus du son qu'elle représente pour former le langage. Et chacune de ces voies de la connaissance est d'une égale importance pour décrypter le mystère de la création. Me suivez-vous ?

— Euh... oui, je crois.

Elle n'en était pas sûre du tout, mais la joie de vivre de cet homme était si contagieuse qu'elle faisait volontiers l'effort de comprendre ce qu'il disait.

La nuit tombait. Les lumières de Denver s'estompaient derrière eux, la masse imposante des montagnes Rocheuses se profilait au couchant. Eileen se demanda ce qui lui semblait le plus impénétrable, de ces montagnes ou de la réponse que Jacob Stern donnait à sa question, pourtant élémentaire : Que faites-vous au juste dans la vie ?...

— Nous autres humains ne pouvons connaître que deux formes de réalité : la matière physique et l'information, reprit Stern en prenant dans son sac une pomme verte. Les atomes qui constituent un objet forment la matière. La notion de l'objet, qui n'existe que dans notre esprit, est l'information. L'une ne signifie rien sans l'autre, mais la combinaison des deux est la vie. Prenez cette pomme, par exemple, dit-il en mordant dedans avec un large sourire. En aimeriez-vous une, au fait ?

— Avec plaisir, merci, répondit Eileen.

— Elle s'appelle Granny Smith. Quelle image merveilleuse que celle d'une grand-mère qui court dans un verger !

Eileen pouffa de rire. Il pouvait bien lui parler de tout ce qu'il voudrait tant qu'il la ferait rire.

— Eh bien, c'est à peu près la même chose avec les vieux livres que j'étudie, dit-il en sortant de sa valise un volume relié. Quelqu'un qui ne les connaît pas n'y verrait rien d'autre que des caratères bizarres tracés sur des pages entre deux couvertures. Un primitif ne saurait même pas de quoi il s'agit.

— Vous venez de décrire précisément ce que je pensais de mes livres de latin quand j'allais à l'école.

— Bien sûr, parce qu'ils ne correspondaient à rien dans votre expérience de fillette. Mais pour un érudit ayant consacré sa vie à l'étude ou, mieux encore, pour un prophète dont l'esprit n'est pas obscurci par sa nature animale...

Bendigo Rymer qui, enragé qu'Eileen lui ait préféré la compagnie de cet intrus, tendait en vain l'oreille depuis le départ pour surprendre leur conversation sombra alors dans un profond sommeil.

— ... un livre saint n'est ni un simple document sur la nature de Dieu ni un instrument servant à communiquer aux hommes la volonté divine. Il est l'incarnation de Dieu Lui-même, sous une forme qui permet à celui qui l'étudie de pénétrer jusqu'au secret du cœur de notre Créateur.

— Voulez-vous dire que ces livres sont... vivants ?

— En un sens, oui. C'est compliqué, je sais. Comment vous dire ? Savez-vous, ma chère petite, comment fonctionne cette nouvelle invention, le téléphone ?

— Pas vraiment, non.

— Moi non plus, je ne m'en suis jamais servi. Mais je crois avoir compris qu'il comporte une substance mystérieuse, transformant les paroles en signaux électriques qui courent dans des fils — ne me demandez pas comment ! — jusqu'à la personne qui écoute dans un appareil pourvu d'une substance similaire qui restitue les mots. N'est-ce pas extraordinaire ?

Sur la banquette voisine, Bendigo Rymer se mit à ronfler comme la corne de brume d'un cargo.

— Vous comparez les livres saints à la mystérieuse substance du téléphone ? s'étonna Eileen.

— Oui, car ils recueillent la parole de Dieu pour la traduire en mots, en chiffres et en sons qu'une personne instruite est capable de déchiffrer et de comprendre. Dieu parle à un bout du fil, nous l'écoutons à l'autre.

— Si c'est le cas, dit Eileen en croquant sa pomme, pourquoi ne possédons-nous pas tous la clé du mystère ?

— Parce que nous ne sommes pas tous prêts. Il faut atteindre un grand degré de pureté avant d'étudier ces textes, sinon l'on serait déchiqueté par la puissance de l'information qu'ils dispensent comme une feuille par un ouragan. La sagesse, dit le proverbe, est une liqueur trop forte pour un flacon ordinaire.

Comme pour illustrer ce propos, la flasque dans laquelle Rymer n'avait cessé de s'abreuver depuis le départ lui échappa et tomba bruyamment. Eileen la ramassa et la coinça sous le bras de l'acteur en se félicitant de n'avoir pas cédé à la tentation de boire elle aussi. Elle se laissait trop aller, ces derniers temps, à puiser dans l'alcool l'oubli de sa solitude et de son ennui.

— Dans toutes les religions, dit Jacob, le rôle traditionnel des prêtres a toujours été de préparer les gens à recevoir le message spirituel de leur divinité.

— Mon prêtre n'a jamais rien fait pour moi que d'essayer de fourrer la main sous mes jupes, déclara Eileen, qui s'en voulut aussitôt de l'avoir dit.

Jacob ne parut pas s'en offusquer.

— Voilà une parfaite illustration du défi que nous lance la vie, répondit-il. Les humains sont des êtres divisés qui se sont toujours efforcés de concilier leur double nature, l'animale et la spirituelle. Si un nombre assez important d'êtres humains y parvenait un jour, le monde entier pourrait en bénéficier, dit-on.

— Vous pensez donc, vous aussi, que nous sommes tous des pécheurs impénitents et des bons à rien ?

— Vous êtes anglaise, n'est-ce pas ?

— Seigneur, c'est tellement évident ?

— Oui, de la manière la plus charmante qui soit. Mais laissez-moi vous demander : l'Église anglicane considère-t-elle que l'homme soit un pécheur indigne de la rédemption ?

— J'ignore ce que pense l'Église. Pour ma part, mes rapports avec les hommes m'ont confirmée dans cette opinion. Et vous, monsieur Stern ?

Jacob éclata de rire.

— On ne peut pas nier que nous sommes de bien tristes créatures. Nul besoin d'être un visionnaire pour constater que les choses ne vont pas comme elles devraient. Pourquoi les différences entre les races et les religions, les pays et les familles, provoquent-elles tant de haines et de violences ? L'homme semble capable de commettre sans cesse les atrocités les plus inimaginables.

— C'est donc bien un cas désespéré, n'est-ce pas ?

— Je ne crois pas. L'histoire de l'humanité montre que nous progressons, en dépit de nos violences et de nos échecs. C'est une progression lente, insensible, mais une progression quand même vers la lumière. En hébreu, le mot lumière a la même valeur numérologique que le mot mystère. Peut-être parviendrons-nous un jour à élucider les mystères.

Eileen s'efforça d'étouffer un bâillement.

— Un des graves défauts de la vieillesse, reprit Jacob en souriant, c'est de croire qu'on sait tout et que personne n'a le courage de vous écouter.

— Mais non, ce que vous dites m'intéresse beaucoup ! protesta Eileen. C'est simplement que... je n'ai pas eu depuis très longtemps de raison ou d'occasion de réfléchir à tout cela.

— Qui aurait l'une ou l'autre, à part quelques vieux fous enfermés dans une cave avec leurs grimoires ? Il y a la vie réelle, la famille, le travail. Quel individu aurait le temps de se soucier des souffrances de l'humanité quand les siennes lui occupent le plus clair de son temps ?

Eileen se redressa, le regarda dans les yeux. Des yeux d'un bleu éclatant, exprimant une joie, une paix communicatives. Il devait être bien séduisant quand il était jeune, se dit-elle — en pensant que sa vie aurait suivi un cours autrement captivant si elle l'avait connu plus tôt.

— Vous savez, dit-elle, vous êtes l'homme le plus extraordinairement singulier que j'aie jamais rencontré.

— Dois-je le prendre comme un compliment ?

— Bien sûr. Différent. Imprévu. Sans rien d'ordinaire.

— Voilà en effet certaines de mes plus grandes qualités ! dit-il en éclatant de rire.

Un instant, il se détourna pour contempler le clair de lune reflété sur un pic neigeux dans le lointain.

— En tout cas, reprit-il, le monde est pour moi un continuel sujet d'émerveillement. Dommage que nous ne puissions pas l'apprécier davantage.

— Il faut au moins savoir profiter des bons moments lorsqu'ils se présentent.

Le visage de Jacob Stern prit une expression rêveuse qui, d'un seul coup, parut le rajeunir de vingt ans.

Eileen sentit son cœur battre d'un sentiment familier. Non, se dit-elle, c'est impossible, c'est ridicule !... Mais elle eut beau scruter ce sentiment, le disséquer, le tourner dans tous les sens, il lui fallut se rendre à l'évidence, si absurde soit-elle.

Elle tombait amoureuse de Jacob Stern.

CHAPITRE 6

Une chatoyante multitude d'amples douairières escortées de leurs conjoints se pressait sous les voûtes majestueuses du grand hall du Metropolitan Museum. Les Quatre Cents, ainsi dénommés car tel était le nombre exact de personnes que pouvait accueillir la salle de bal de Mme Vanderbilt, étaient venus en masse rendre hommage à leur distingué visiteur d'outre-Atlantique. Désorienté au premier abord, Doyle se ressaisit bientôt. Ayant eu à plusieurs reprises l'occasion d'observer la manière dont la reine s'y prenait en pareil cas, il lui suffisait de s'inspirer de son modèle, le plus qualifié qui soit au monde.

Le rituel était aussi immuable qu'une figure de ballet : répéter d'un ton pénétré le nom de la personne présentée, lui tendre la main, accepter modestement ses compliments en affectant de croire à leur sincérité, remercier, promettre de converser plus tard à loisir — au suivant ! Mais lorsque se termina l'interminable défilé de l'élite new-yorkaise, Doyle avait la main plus bleue et endolorie que si une lavandière avait tapé dessus à coups de battoir. Quelle étrange aberration, pensait-il, pousse les Américains à s'imaginer que le fait de broyer les phalanges d'un inconnu puisse être interprété comme un signe d'amitié ?

Au bout d'une heure, la foule formait à ses yeux une hydre à mille têtes, au corps fait d'un assemblage d'habits noirs et de robes multicolores couvertes de bijoux. Exposé de tous côtés, il se sentait comme une perdrix cernée de chasseurs en rase campagne quand Innes le rejoignit. Il n'eut pourtant droit à aucun répit :

— Attention, Arthur, péril imminent par tribord.

Une escadre de matrones faisait voile dans sa direction, les yeux étincelants d'une admiration plus redoutable qu'une bordée de canons. Doyle feignit de ne pas les voir et prit une fuite précipitée pendant qu'Innes retardait l'adversaire par une courageuse manœuvre d'arrière-garde.

Dans sa hâte, Doyle avait foncé droit devant lui. Il se retrouva pris au piège dans un renfoncement sous un escalier, où une douzaine de visages aux sourires carnassiers l'encerclèrent aussitôt. Où est donc passé Pepperman ? se demanda-t-il, en proie à la panique. Le major avait jusqu'alors réussi à ne pas le lâcher et à lui porter secours mais, par un funeste coup du sort, il avait été emporté par une lame de fond dans le sillage d'un ténor italien. Doyle aperçut au loin sa tête hirsute qui dépassait du moutonnement des vagues et comprit qu'il allait devoir affronter seul le prédateur aux incisives saillantes qui semblait être le chef de meute.

Qui diable était-ce, déjà ? Ah, oui : Roosevelt, Théodore Roosevelt — « Appelez-moi Teddy ». Vieille famille de la classe dirigeante, évidente anomalie dans un pays qui s'enorgueillissait d'être la patrie des hommes libres et égaux — quoique le premier imbécile venu puisse, d'un coup d'œil sur l'assemblée, constater qu'il n'en était rien. À peu près de l'âge de Doyle. Trapu comme le cigare planté entre ses dents. La tête carrée, la mâchoire impérieuse, le regard capable d'arrêter net une charge de rhinocéros malgré ses épaisses lunettes.

On l'avait présenté à Doyle comme le haut-commissaire ou le sous-secrétaire de quelque chose qu'il n'avait pas saisi. De quoi diable me parle-t-il et pourquoi se croit-il obligé de m'appeler Arthur ? se demanda Doyle pendant que l'autre soliloquait. Pourtant, l'énergie qui émanait de cet homme le lui rendait sympathique, car il admirait chez les Américains cette franchise directe si éloignée du formalisme de ses compatriotes, pour qui la litote et la dissimulation des sentiments profonds étaient des vertus cardinales.

— Comptez-vous aller dans l'Ouest, Arthur ?

— Je ne sais si toutes les étapes de ma tournée sont déjà prévues, répondit l'interpellé avec prudence.

— Un bon conseil : au diable votre tournée, allez dans l'Ouest ! C'est un pays rude, dangereux. Vous ne trouverez nulle part au monde de meilleur décor pour méditer sur l'insignifiance de l'être humain.

— Vous le faites souvent ? demanda Doyle.

Roosevelt ne releva pas.

— Mais vous découvrirez aussi que l'homme y est allé avec une ambition plus haute. L'Américain a pour destin de conqué-

125

rir des mondes, d'en repousser les frontières. Accomplir ce destin lui formera le caractère pour les siècles à venir.

— Vraiment ? Comment cela ?

Roosevelt darda sur lui un regard perçant. À l'évidence, l'homme n'était pas habitué à ce qu'on questionne ses affirmations. Pourtant, Doyle ne cilla pas.

— L'Américain prendra bientôt conscience que Dieu lui a conféré la capacité de dominer la nature. Il se verra aussi confier la responsabilité de gouverner le monde civilisé. C'est par son intimité avec la nature, par son respect pour elle qu'il sera en mesure d'assumer cette tâche écrasante. Si vous visitez l'Ouest, Arthur, vous y découvrirez des horizons d'une telle magnificence qu'ils transformeront à jamais votre vision du monde. N'y manquez surtout pas.

— En effet, j'ai toujours eu envie de voir des Indiens.

Roosevelt plissa les yeux, comme s'il cherchait à en concentrer le magnétisme pour anéantir le blasphémateur.

— Écoutez, on a débité un tas de fadaises sentimentales et réactionnaires sur notre prétendue obligation de freiner l'expansion de notre empire pour préserver quelques tribus. Leur existence sordide et inutile se situe à peine au-dessus du niveau de celle des bêtes sauvages, avec lesquelles elles se disputaient la propriété de cette terre avant que nous y apportions la civilisation.

— J'ai pourtant maintes fois entendu dire qu'à part certaines pratiques barbares, telles que le scalp, ces gens sont réellement dignes d'intérêt — pour des sauvages.

— N'écoutez pas ce genre d'âneries ! Le Peau-Rouge est un résidu de l'Âge de pierre. La prétendue noblesse de ses mœurs primitives ne peut rien contre la marche du progrès. L'apitoiement n'a jamais empêché l'Histoire d'avancer. Ceux qui sont incapables de s'écarter de son chemin sont écrasés, c'est une loi de la nature. Tel est le sort que Dieu réserve aux Indiens, un sort qu'ils précipitent eux-mêmes par leur refus de s'adapter aux changements du monde qui les entoure.

Puis, sans transition, Roosevelt s'empara de la main de Doyle et la pétrit chaleureusement.

— Vos histoires m'ont beaucoup plu — Holmes, Watson, très bien, tout cela, très bien. Dommage que vous ayez dû le tuer. Pensez à l'argent que vous auriez gagné ! Bravo quand même, Arthur ! Bon séjour en Amérique.

Sur quoi, d'un geste impérieux, il rassembla sa troupe qui se mit en rang derrière lui et s'éloigna au pas de charge en laissant un grand vide dans son sillage. Innes parvint à s'y glisser pour rejoindre son frère.

— Qui était cet hurluberlu ? s'enquit Innes.

— Un incroyable spécimen de l'espèce *Homo Americanus*. On devrait l'empailler et l'exposer dans ce musée.

— Dans son genre, celui-ci n'est pas mal non plus.

Innes désigna d'un signe de tête un homme grand et mince en queue-de-pie, haut-de-forme, cape noire et longue écharpe de soie blanche, qui bavardait en jetant de fréquents regards dans leur direction. Son teint basané et la finesse de ses traits semblaient dénoter un natif des Indes. Âgé d'une trentaine d'années, il se comportait avec l'assurance ostentatoire d'un maestro accoutumé aux ovations.

— Il m'a dit, reprit Innes, qu'il se préparait à donner un concert où les instruments de l'orchestre seront doublés par des parfums, vaporisés dans la salle par une machine de son invention...

— Des parfums ?

— Oui : rose pour les cordes, bois de santal pour les cuivres, jasmin pour les flûtes, etc. Chaque instrument déclenchera la projection de son parfum pendant qu'il jouera. Il a déjà breveté sa machine, qu'il appelle *Odo-rama*. Et il a même composé la musique, la *Symphonie des arômes*...

— Je n'en crois pas mes oreilles !

— Nous sommmes en Amérique, Arthur.

Quand Innes s'éloigna un instant plus tard, un grand jeune homme blond de belle prestance, en smoking d'une coupe irréprochable, se détacha de la foule et s'approcha de Doyle derrière son dos, une main glissée sous sa veste. En voyant la manœuvre du grand jeune homme blond, l'élégant inventeur de l'*Odo-rama* coupa court à sa conversation. Il se dirigea droit sur Doyle, le prit par le bras et l'entraîna fermement au plus dense de la foule.

— Tout l'honneur est pour moi, monsieur Conan Doyle, clama l'Indien avec un impeccable accent d'Oxford. Ayant eu le plaisir de faire la connaissance de votre frère, j'ai pensé pouvoir me permettre de me présenter à vous.

Derrière eux, le grand blond s'arrêta net avant de se déplacer insensiblement vers le côté de la pièce.

— Preston Peregrine Raipur, reprit-il, mais mes amis m'appellent Presto. Nous sommes compatriotes, je crois. Oxford, Trinity College, promotion 84. Veuillez, je vous prie, continuer à regarder la foule et à sourire de temps en temps comme si je disais des choses distrayantes, ajouta-t-il plus bas d'un ton sérieux que démentait son expression enjouée.

— Plaît-il ?

— On nous observe. Mieux vaut que notre conversation soit brève et paraisse rouler sur des sujets insignifiants.

Dans sa voix, la frivolité du dandy avait fait place à la gravité et à une évidente sincérité.

— De quoi s'agit-il au juste, monsieur ? demanda Doyle, en souriant comme l'autre le lui demandait afin de masquer la véritable nature de leur entretien.

— Je vous l'apprendrai en détail à un autre moment et en un autre lieu, répondit Presto avec un large sourire. Vous êtes en danger. Vous devez partir d'ici au plus vite.

Doyle hésita. Un rapide coup d'œil autour de lui ne lui révéla aucun péril imminent.

— Puis-je vous rencontrer à votre hôtel demain matin à neuf heures ? s'enquit Presto.

— Non, à moins que vous ne me donniez auparavant une idée de ce que tout cela signifie.

Avec un sourire épanoui, Raipur salua d'un signe de tête un couple qui passait et agita la main par-dessus l'épaule de Doyle en direction d'un autre.

— Quelqu'un a entrepris de voler les livres sacrés des grandes religions du monde, monsieur Doyle, dit-il à mi-voix sans changer d'expression. Vous en êtes déjà informé, je crois. Un tel sujet mérite une heure de votre temps, ne serait-ce qu'afin de satisfaire votre curiosité.

Doyle le jaugea d'un coup d'œil exercé.

— Soit, répondit-il, satisfait de son examen. Neuf heures demain matin au Waldorf.

L'autre s'inclina, en homme courtois qui s'apprête à prendre congé.

— Je vais maintenant opérer une diversion, dit-il en tendant à Doyle sa carte de visite. Rejoignez votre frère et partez sans tarder. À demain matin.

Doyle baissa les yeux sur la carte. Sous le nom de Preston Peregrine Raipur figurait un titre : Maharajah de Berar. Lui, maharadjah ?...

Doyle n'eut pas le temps d'exprimer son étonnement :

— Vous êtes trop aimable, cher monsieur ! s'exclama Presto en reprenant ses intonations mondaines. Je brûle d'impatience de lire vos dernières œuvres. Encore bravo !

Sur quoi Preston Peregrine Raipur, maharadjah de Berar, s'éloigna d'un pas allègre.

À l'instant même où Innes rejoignait son frère, Presto brandit sa canne d'ébène, d'où jaillirent un nuage de fumée blanche et un long jet de flammes. Autour de lui, la foule s'égailla en poussant des cris de frayeur.

— Que diable signifie ?..., commença Innes.

Doyle l'empoigna par le bras.

— Suis-moi. Vite !

Les deux frères se mêlèrent à un groupe qui se précipitait vers la sortie. Derrière eux, le nuage de fumée se dissipait peu à peu. Presto avait disparu.

Le grand blond aperçut les frères Doyle au moment où ils atteignaient la porte du musée et s'élança à leur suite. En arrivant près de leur voiture, qui attendait le long du trottoir de la Cinquième Avenue, Doyle se retourna à temps pour voir le grand blond sortir en courant du musée.

— Mais enfin, que se passe-t-il ? voulut savoir Innes.

— Je t'expliquerai plus tard.

Ils bondirent sur le marchepied.

— Où faut-il conduire ces messieurs ? demanda le cocher.

Le cocher était Jack Sparks.

Chicago, Illinois

La femme descendit du train sur le quai d'où Jacob Stern était parti quelques jours plus tôt. Avec son ample robe de vichy bleu qui voilait sa silhouette athlétique et la large capeline qui couvrait sa chevelure noire et dissimulait ses traits, elle ressemblait plus à une fermière ou à une institutrice de campagne qu'à une Indienne en rupture de réserve. Les yeux modestement baissés, l'allure effacée, elle évitait d'attirer l'attention.

Comme le hibou le lui avait annoncé, le rêve était revenu la visiter la nuit précédente. Elle s'était vue errer dans une ville aux rues désertes bordées de hauts bâtiments et attendre quelqu'un devant une sorte de château en forme de tour. Elle avait déjà vu ce lieu dans des rêves précédents, sauf qu'il lui apparaissait noir, menaçant, au milieu d'un désert plutôt qu'au cœur d'une ville. Ce dernier rêve ne lui avait rien révélé de plus avant que l'Homme-Corbeau noir — elle n'en avait jamais vu le visage, seulement un corps difforme et de longs cheveux raides — ne surgisse pour anéantir sa vision dans les flammes.

Elle avait reconnu Chicago, la seule grande ville où elle se soit d'ailleurs jamais rendue. Elle ne se rappelait cependant pas y avoir vu le château ou la tour au cours de sa précédente visite, qui avait eu lieu douze ans auparavant avec un groupe d'écoliers, paradant devant des politiciens blancs pour leur faire croire que les Indiens étaient heureux dans les réserves. La ville lui avait laissé une impression de désordre, de violence, d'énergie incontrôlée qu'elle espérait ne plus devoir affronter. Mais puisque le rêve le lui ordonnait, elle y resterait et en explorerait les rues jusqu'à ce qu'elle trouve la tour devant laquelle attendre la personne qu'elle devait rencontrer.

En sortant de la gare, Marche Seule attira le regard d'un homme près de la station de fiacres. Dante Scruggs suçota son cure-dents et plissa les yeux ou, plutôt, son bon œil. L'allure de la grande brune éveillait les mauvaises pensées qui lui traversaient la tête avec plus de régularité que les mouvements des trains en gare. Un mois s'était écoulé depuis son dernier travail, les Voix le harcelaient.

Dante observa la femme avec une attention soutenue. Il avait beau être à moitié aveugle, il était encore capable de repérer une Indienne à cent pas. La manière dont elle ondulait des hanches et dont sa main basanée serrait la poignée de sa valise l'excitait au plus haut point.

Quand est-ce que les femmes apprendront qu'elles ne devraient pas voyager seules ? pensa Dante. Chicago est une ville dangereuse où elles risquent n'importe quoi. Celle-ci tente le diable à marcher seule la nuit tombée dans le quartier de la gare. Et en plus, elle essaie de se faire passer pour une Blanche. C'est immoral ! Cette squaw a besoin d'une bonne leçon — et Dante Scruggs est l'homme qui la lui donnera. La perspective de leur future intimité lui tira un frisson de plaisir. Il connaîtrait le moindre recoin de ce corps vigoureux avant d'en avoir fini. Après, il l'emmènerait à la Rivière Verte. Mais il fallait d'abord un signe. Voyons... Le cheval, là, le deuxième après le poteau. S'il bouge la queue deux fois de suite vers la gauche...

Oui. Les Voix voulaient cette femme-là.

Quand la femme tourna le coin de la rue, Dante Scruggs lui emboîta le pas.

Dans le nouveau Chicago de ciment, de brique et de fonte qui poussait depuis le grand incendie de 1871, Dante Scruggs passait totalement inaperçu. Ni beau ni laid, moyen en tout, blondasse, aussi ordinaire que ses petits boutiquiers de parents à Madison, Wisconsin, il portait dix ans de moins que ses trente-neuf ans. Il offrait au monde la physionomie anodine du premier venu que rien ne permettait de distinguer dans une foule. Il ne donnait pas l'impression d'être fort, car sa puissance était presque entièrement concentrée dans ses épais battoirs de paysan, capables de casser des noix sans effort. Nul non plus ne remarquait son œil de verre à moins de le regarder de très près : il n'y avait pas de pupille peinte sur l'iris bleu ciel.

Dante Scruggs appartenait à une espèce d'hommes que le monde mécanisé commençait à produire en masse. Lisse comme un œuf à l'extérieur, il n'était en lui-même qu'aspérités, tourments, obscurité. Ayant depuis longtemps cessé de résister aux Voix qui parlaient dans sa tête, il était persuadé, avec l'humilité d'un domestique, que son seul devoir consistait à leur obéir quand il en recevait un signe. Il considérait la ville comme une jungle, lui-même comme un prédateur au sommet de la chaîne alimentaire, ce qui conférait de la dignité à ses activités. L'armée avait jugé avec assez de faveur sa propension à respecter la discipline et à l'infliger aux autres pour faire de lui un sergent. Il s'y était consacré quinze ans, avant que le massacre de Wounded Knee ne révèle à ses supérieurs la véritable nature de Dante Scruggs et avec quel abandon il pouvait lui donner libre cours.

Les soldats de son unité, qui l'avaient observé de près au cours de l'engagement, témoignèrent qu'il avait perdu toute notion d'humanité après qu'une flèche lui eut crevé un œil. Néanmoins, raisonnèrent certains, comment attendre d'un homme à la vue aussi gravement handicapée qu'il reconnaisse les femmes et les enfants ? L'armée admit bon gré mal gré la validité de l'argument, étouffa l'affaire de son mieux et démobilisa Dante peu après, sans blâme officiel à son dossier et avec une pension d'invalidité.

Dante interpréta autrement sa disgrâce. Sa blessure lui ouvrait des horizons nouveaux : son œil n'était pas perdu, mais tourné en dedans afin d'observer avec plus d'acuité les intentions de ses Voix. Depuis, à titre de compensation, les Voix l'autorisaient à exercer le genre de représailles dont il n'aurait pas osé rêver auparavant : neuf assassinats en trois ans, dont nul au monde ne serait jamais capable de remonter la piste jusqu'à lui.

Grâce à sa pension, Dante n'avait pas besoin d'argent et pouvait donc s'adonner tout entier au plaisir de la chasse. Il avait été rabatteur de bisons avant de s'engager dans l'armée et n'éprouvait que du mépris envers les riches oisifs venus de la Côte est pour abattre à coups de fusil une bête immobile à cent pas. La chasse, la vraie, c'était autre chose. Ce qui procurait des sensations, c'était la traque, l'approche, la capture du gibier. Ce qu'il aimait, c'était montrer aux femmes la Rivière Verte et les y conduire sans hâte, en se délectant de leur terreur.

Et celle-ci était indienne. La cerise sur le gâteau !

La squaw ne savait pas où elle allait ni ne connaissait Chicago, c'était évident. Elle cherchait les noms des rues et marchait au hasard. Peu importait pourquoi elle était seule en ville, ce genre de réflexions gâtait la magie de la poursuite. Rien ne pressait, d'ailleurs. Dante aimait faire durer le plaisir. Une fois, il avait suivi une femme jusqu'à Springfield en attendant le moment propice.

Dante la vit gravir le perron d'une pension de famille de Division Street qu'il connaissait : femmes seules uniquement, location à la semaine, ce qui voulait dire qu'elle comptait y séjourner quelque temps. Il vit sa silhouette se profiler à une fenêtre du premier étage. Ses Voix lui dirent alors qu'il pouvait se retirer sans risque. Désormais, il savait où la retrouver.

Obnubilé par l'Indienne, Dante Scruggs ne s'était pas aperçu qu'il était suivi et observé, depuis le début de sa traque, par un homme au teint basané marqué au creux du bras gauche par un tatouage représentant un cercle brisé que traversaient trois lignes dentelées en forme d'éclairs.

L'homme attendit dans l'ombre que Dante l'ait dépassé ; puis il se fondit dans la foule et reprit sa filature.

Yuma, territoire de l'Arizona

De mémoire de clochard, on n'avait encore jamais vu un Chinois à la cloche, signe indiscutable que les temps devenaient vraiment durs. Si le travail et l'argent, ces drogues du capitalisme, inspiraient une profonde aversion aux rois de la vadrouille, ils n'en demeuraient pas moins curieux de la marche du monde, d'autant que l'inaction leur accordait le loisir d'observer la condition humaine. L'oreille collée aux rails de la société, ils percevaient avant bien des experts les grondements annonciateurs de ses bouleversements. Au hasard des étapes, des collègues versés dans l'interprétation des vieux journaux étaient toujours prêts à porter sur les errements de l'humanité des jugements sévères mais objectifs. Mieux informés qu'une majorité de bons citoyens, ils savaient que six cents banques avaient fait faillite et deux cents compagnies ferroviaires déposé leur bilan l'année passée et que l'Amérique comptait plus de deux millions et demi de chômeurs — ce qui, par parenthèse, jetait sur les routes un tas de pauvres bougres déboussolés, qui encombraient leurs campements et leur cassaient les oreilles avec leurs jérémiades. L'afflux de ces amateurs, que l'esclavage du travail organisé et de la vie conjugale rendait naguère respectables, avait le fâcheux résultat de compliquer leur paisible existence d'oisifs professionnels.

Les clochards savaient aussi que les Chinois étaient gens à se tenir les coudes et à s'entraider dans les moments difficiles. Aussi, l'apparition d'un Chinetoque débarqué d'un train de marchandises au campement de la gare de triage de Yuma fit l'effet d'une bombe. Slocum Harry déclara que lorsqu'il était monté dans le wagon à Sacramento, le Chinois s'y trouvait déjà. Il n'avait pas dit un mot de tout le trajet, même quand on lui parlait. Slocum ne l'avait vu ni dormir ni manger ; il restait assis dans son coin, comme un chat aux aguets. Ce type avait de quoi donner la chair de poule, même maintenant qu'il se tenait accroupi dans l'ombre, à l'écart des vieux amis réunis autour du feu de camp.

— Va donc lui parler, Denver, dit Slocum. T'as déjà eu l'occasion de fréquenter des Chinetoques.

« Denver » Bob Hobbes jouissait du respect unanime de ses pairs, tant pour son franc-parler que pour son ancienneté dans la corporation. Jadis, dans les années soixante, il avait travaillé comme poseur de rails sur la voie transcontinentale jusqu'au jour où il avait vu la lumière en se retrouvant ramasseur de patates dans l'Idaho. Ce jour-là, il s'était juré de ne plus jamais lever le petit doigt pour favoriser l'exploitation de l'homme par l'homme et, depuis, n'avait pas failli à sa parole. Dans une société aussi égalitaire que celle des migrants, ces titres lui valaient une éminente position conjuguant les fonctions de médiateur et d'ambassadeur officieux. Si la présence de ce Chinois troublait l'harmonie du campement, il lui incombait donc de la rétablir.

Denver Bob s'approcha de l'énigmatique Fils du Ciel et posa son ample postérieur sur une vieille bobine de fil de cuivre vide.

— En octobre dans le désert, on a souvent des coups de froid comme maintenant, dit-il en guise d'entrée en matière. C'est le moment de l'année où les hommes vont chercher le soleil en Californie, mais il paraît que c'est pourtant de là que tu viens ?

Respectueux des lois de l'hospitalité, il lui tendit la cruche de tord-boyaux distillé par ses soins. L'autre se borna à refuser d'un signe de tête tout en continuant à regarder droit devant lui. Denver Bob n'avait pas l'habitude qu'on dédaigne ses avances — avec sa bedaine, sa barbe blanche et ses joues rouges, il ressemblait au Père Noël — mais il en fallait davantage pour le désarçonner.

— Ce campement est là depuis dix ans, quand on a ouvert la ligne de Los Angeles, dit-il d'un ton engageant. Il y passe des centaines d'hommes à chaque saison.

133

Le camp s'était développé sur une rive du Colorado près de la gare de triage de Yuma, principal nœud ferroviaire entre Los Angeles et le territoire de l'Arizona.

— Tu parles anglais, l'ami ? insista Denver Bob.

Pour la première fois, l'autre le regarda dans les yeux et Denver Bob en eut la chair de poule. Non qu'il ait perçu une menace dans ces yeux noirs, au contraire : il n'y avait rien. Aucune expression. Le néant. Pas un Chinetoque de sa connaissance n'avait jamais eu une allure pareille.

— Je cherche du travail, répondit le Chinois.

— Du travail ? répéta Denver Bob en s'esclaffant. C'est une idée qui passe de temps en temps par la tête des gens ou qui les prend comme un accès de fièvre. Le mieux, vois-tu, c'est encore de se coucher, de boire un bon coup et d'attendre que ça passe.

Cet acte de foi dans les bienfaits de l'oisiveté laissa l'Asiatique de glace.

— Je suis spécialiste des explosifs.

— Je vois. Donc, tu serais un vrai travailleur ?

Le fait est, pensa Denver Bob, que ce type n'a pas une allure de clochard. Je ne le vois pas non plus en cheminot de métier. Trop sûr de lui, trop indépendant. Peut-être un mineur qui a perdu sa concession ? En tout cas, plus vite il sera parti d'ici, mieux ça vaudra pour tout le monde.

— Où peut-on trouver du travail ?

— Tu tombes bien, l'ami, je peux te le dire exactement. Ils sont en train de poser la transversale entre Phoenix et Prescott. Sur ce tracé-là, il y a des tunnels à creuser et des canyons à élargir en veux-tu, en voilà. Au moins un an de travail pour deux équipes à trois postes.

— SF P & P ? Santa Fe, Prescott & Phoenix ?

— Tout juste. Saute dans le train de Phoenix qui part à minuit, tu y seras au matin. Ils ont leurs bureaux à côté de la gare. Le travail est rare en ce moment, mais avec une spécialité comme la tienne tu n'auras pas de mal à te caser. Bonne chance à toi, l'ami, et mes respects à tes ancêtres !

Sur quoi, Denver Bob remplit son quart et avala une lampée de tord-boyaux. Tu as reçu ta feuille de route, mon gaillard, s'abstint-il de lui dire. Maintenant, emporte ta gueule d'épouvantail au diable et le plus vite possible.

Impassible, sans même adresser à Denver Bob un signe ou un mot de remerciement, l'autre affectait de regarder le feu de camp lorsque quelque chose attira tout à coup son attention et il se redressa, figé dans la posture d'un chien d'arrêt. Avant que Denver Bob ait eu le temps de réagir, une rafale de coups de sifflet déchira le silence de la nuit, ce qui ne pouvait signifier qu'une chose :

— Les cognes !

Depuis la grande grève Pullmann à Chicago au mois de mai précédent, la police des chemins de fer assistée des vigiles Pinkerton s'en prenait à tous les campements de vagabonds installés le long des lignes. Avec une violence délibérée, ils mettaient le feu aux cabanes, matraquaient à tour de bras et jetaient en prison ceux qui ne prenaient pas la fuite assez vite. Plus de voyages gratuits dans les wagons de marchandises, avaient décrété les compagnies. Elles voulaient surtout nettoyer les abords de leurs gares de ces rassemblements de propres-à-rien, choquants pour la vue et l'odorat de la clientèle bourgeoise sur laquelle elles comptaient pour asseoir leur rentabilité.

Surgissant de derrière une rame de wagons, vingt hommes armés de matraques et de battes de base-ball se ruèrent sur la cinquantaine de vagabonds plongés dans une douce béatitude alcoolique. Pendant que deux vigiles munis de torches mettaient le feu aux cabanes en planches, les autres cernaient les clochards qu'ils rabattaient vers le centre du terrain. Certains avaient assez d'expérience pour faire le mort, se protéger la tête et recevoir les coups sur le dos. Ceux qui essayaient de se lever étaient fauchés aux genoux et matraqués à tout va. Partout, le sang giclait. On entendait craquer les clavicules brisées et les crânes fêlés.

Au premier coup de sifflet, Denver Bob s'était lové autour du noyau de la bobine qui lui avait servi de siège. Il voulut crier au Chinois de se jeter à plat ventre, mais celui-ci avait déjà disparu.

Voyant une silhouette s'éloigner, un ballot oblong sur le dos, un vigile leva sa matraque, l'homme fit un geste... et le cogne baissa les yeux avec stupeur sur sa matraque dont il ne restait que la poignée, tranchée au ras de ses phalanges. Quand il releva les yeux, l'homme — un Chinetoque, par-dessus le marché ! — fit un moulinet du bras. Cette fois, le vigile éprouva une sensation bizarre à la jambe. Il baissa de nouveau les yeux, vit sa jambe, du pied jusqu'à mi-cuisse, allongée devant lui et, sans comprendre, s'abattit comme un arbre. Lorsque la semelle du Chinois lui écrasa le visage, il se disait encore que c'était absurde.

Kanazuchi n'eut pas le temps de dire une prière pour le mort car un autre vigile se ruait déjà sur lui. En deux gestes, il l'envoya rejoindre son collègue, puis il regarda autour de lui et fit le point de la situation.

135

Bien qu'ils soient largement plus nombreux, les hommes du campement n'offraient aucune résistance. Les agresseurs semblaient n'avoir pas encore remarqué les pertes qu'ils venaient de subir. Sur sa droite, un groupe débouchait de derrière une rame de wagons. Devant lui, les cabanes en flammes formaient barrage. Derrière lui, un cours d'eau glacial. Il était coincé. Les autres avaient l'avantage du nombre et finiraient par le capturer...

Kanazuchi respira calmement, chassa la peur de son esprit et déploya ses sens. Là, une ouverture : une mince brèche dans la ligne des assaillants, près du pont de la voie ferrée. Une cinquantaine de mètres à parcourir à la faveur de l'obscurité et du chaos qui régnait alentour...

Un vigile l'aperçut et courut vers lui. Kanazuchi se jeta à terre, se releva au moment où l'homme l'enjambait et se servit de son élan pour le projeter sur le toit d'une cabane en feu, d'où il émergea un instant plus tard en hurlant, enflammé de la tête aux pieds. L'incompréhensible accident de leur collègue détourna l'attention des vigiles dans le secteur. Kanazuchi tenait sa chance. Le sabre au fourreau le long de sa jambe, il s'éloigna d'un pas mesuré.

Blotti à l'abri de la grosse bobine de bois, Denver Bob fut le seul à pouvoir observer de bout en bout la retraite du Chinois mais, malgré son prestige, il eut du mal à faire avaler l'histoire à ses compagnons. D'une allure paisible, presque gracieuse, le Chinois s'enfonçait dans la nuit en se jouant de ses ennemis avec une facilité qui tenait du prodige. Sans les sept cadavres, dont deux décapités d'un seul coup de sabre, que chacun put voir en pleine lumière le lendemain matin, Denver Bob se serait fait traiter de menteur.

Leur ardeur sérieusement refroidie par le massacre, les sbires de la compagnie se contentèrent de ramasser leurs morts sans plus s'occuper des clochards, qui s'égaillèrent comme une volée de moineaux en récupérant tout ce qui avait échappé à la fureur des agresseurs. Au fil du temps, Denver Bob allait faire entrer dans la légende l'histoire de cette nuit, mémorable entre toutes, où l'homme au sabre avait à lui seul sauvé de l'anéantissement le campement de Yuma.

Dès l'aube du lendemain, cependant, ce mythique fait d'armes eut une conséquence plus prosaïque : la chasse au Chinois sanguinaire était ouverte.

— Te rends-tu compte, Arthur ? s'exclama Innes. As-tu jamais vu pareille animation dans les rues à dix heures du soir ? Et on y voit comme en plein jour. Incroyable !

Illuminé par les lampadaires électriques et les enseignes des théâtres, Broadway grouillait en effet d'une vie trépidante. Des camelots vantaient leurs marchandises, des promeneurs déambulaient, des tramways électriques se frayaient un passage à coups de trompe, des chevaux hennissaient, effrayés par cette nouveauté. Devant l'innocente exubérance de son jeune frère, Doyle éprouva pour lui un élan d'affection protectrice. Avait-il le droit de l'entraîner sur le chemin périlleux où il s'engageait ? Depuis la réapparition de Jack Sparks, il n'avait soufflé mot à Innes ni du personnage ni de ce qu'ils avaient vécu ensemble. Pouvait-il exposer Innes aux dangers indissociables de la compagnie de Jack ? D'ailleurs, compte tenu de ses responsabilités familiales et de ses obligations professionnelles, il se demandait si le simple bon sens ne lui enjoignait pas de s'en tenir lui-même à l'écart.

Perché sur son siège, Jack restait froid, impersonnel. Dix ans plus tôt, Doyle s'interrogeait déjà sur son état mental — ses sautes d'humeur, ses obsessions, sa toxicomanie secrète. Les horreurs subies depuis par son ami restaient dans le domaine de la conjecture. En était-il resté incurablement affecté ? Pouvait-on se fier à lui ? Il n'était pas encore trop tard pour ouvrir la portière et soustraire Innes à tout ce que représentait Jack Sparks...

Doyle eut la vision fugitive du visage de sa femme à laquelle, de manière tout à fait irrationnelle, se substitua l'image d'une autre : Eileen Temple, l'actrice. Les lumières de ces théâtres l'avaient sûrement attirée jusqu'ici, quand elle l'avait quitté à la fin de leur trop brève idylle. Sa beauté, les instants d'intimité qu'ils avaient partagés ne cessaient de hanter sa mémoire. Était-elle ici ce soir, sur la scène d'un de ces théâtres que la voiture longeait ? Ou même dans cette rue, mêlée à la foule qui les entourait ? Au bout de tant d'années de vie conjugale, l'idée de revoir Eileen lui procurait une trouble exaltation. Il se souvenait à peine de ce qu'il était quand il l'avait connue. S'il la revoyait, la reconnaîtrait-il ? Oui, sans l'ombre d'un doute. Comment l'aurait-il oubliée ?

Un troisième visage féminin se matérialisa alors devant lui : Victoria, sa reine. À la fois altière et émouvante, majestueuse et familière. Rien ne lui ferait rompre son serment d'être à son service quand il lui plairait de faire appel à lui, privilège dont elle n'avait jamais abusé. Il n'oubliait pas non plus la confiance inébranlable qu'elle plaçait en Jack Sparks, son plus loyal agent secret. L'homme qui avait aussi été pour lui l'ami le plus sûr...

Voilà, justement, la source de sa colère : Doyle se sentait floué. Comme il l'avait espéré contre toute raison, Jack était revenu. Mais le revenant n'était qu'une coquille vide, un simulacre qui le frustrait de la joie de véritables retrouvailles. Certes, il était encore trop tôt pour dire à coup sûr s'il subsistait des vestiges de l'ancien Jack dans l'ombre qui menait leur voiture, mais les signes jusqu'à présent n'étaient guère encourageants.

Pourtant, Jack est parvenu à sortir de la tombe où nous le pensions enseveli à jamais. Peut-être puis-je l'aider à revenir pleinement à la vie — je lui dois au moins cela. Ne lui suis-je pas redevable de toutes les bonnes fortunes survenues dans ma vie ? Grand Dieu, oui ! S'il existe pour lui une chance de guérison, je n'ai pas le droit de l'abandonner.

Du haut de son siège, Jack se détourna alors pour lui lancer un bref regard. Doyle y avait-il aperçu un éclair de sentiment, un reflet de leurs anciennes affinités ? Jack avait-il capté ses pensées et voulait-il ainsi le rassurer ? *Oui, je suis toujours là. Gardez la foi. Il faudra du temps plutôt que des mots pour panser de telles blessures.* Doyle prenait-il plutôt ses désirs pour des réalités ?

La voix d'Innes l'arracha à ses réflexions.

— Il me semble, Arthur que nous ne prenons pas le chemin le plus direct pour rentrer à l'hôtel. Non que je m'en plaigne, le spectacle est fascinant.

Doyle étudia la physionomie de son jeune frère. Innes s'était engagé dans les Royal Fusiliers dès qu'il en avait eu l'âge. Depuis, il restait soldat dans l'âme, toujours prêt à se battre pour la Couronne. D'ailleurs, n'avait-il pas brillamment fait ses preuves à bord de l'*Elbe* ? Si Doyle devait se confier à quelqu'un, qui d'autre que son propre frère serait mieux qualifié ?

— Nous avons d'abord une affaire à régler, répondit-il.

— Une affaire ? Quel genre d'affaire ?

Doyle hésita un instant avant de se jeter à l'eau.

— Il s'agit d'un homme que j'ai connu il y a dix ans, Jack Sparks. Il était agent secret de la reine.

— Jamais entendu parler...

— Bien entendu, c'était un secret. Jure-moi de ne répéter à personne ce que je vais te dire.

— Tu as ma parole, affirma Innes, impressionné.

Doyle lui résuma alors les horreurs perpétrées par Alexander, le frère aîné de Jack, la manière dont ce dernier s'était attaché à châtier les crimes de son frère et, de ce fait, était devenu au service de la Couronne le plus redoutable ennemi des criminels du royaume.

— Il y a dix ans, conclut-il, Alexander et six autres conspirateurs — ils s'appelaient eux-mêmes les Sept — ont fomenté un complot contre le Trône. Avec mon assistance, fort mince au demeurant, Jack a déjoué leur conjuration et poursuivi son frère jusque sur le continent. Il l'a rejoint en Suisse, aux chutes de Reichenbach, où leur lutte s'est terminée par un plongeon mortel.

— Bon sang, Arthur, mais... c'est l'histoire de Holmes !

— Non, répondit Doyle en montrant le cocher. C'est la sienne. Et il a besoin de notre aide.

— Personne n'a revu mon père depuis neuf jours, dit Lionel Stern. Son assistant, un élève de l'école rabbinique, vient une fois par semaine ranger la bibliothèque. Comme vous le constatez, mon père oublie souvent de remettre sur les rayonnages les livres qu'il a fini de consulter...

D'un geste large, il désigna les livres entassés sur les tables, les chaises et jusque sur le plancher. La pièce en sous-sol, basse de plafond, était littéralement envahie par les livres. Bibliophile averti, Doyle n'avait jamais vu une telle quantité ni une telle variété d'ouvrages rares et anciens rassemblés en un même lieu.

— Son système de classement est plutôt... anarchique, reprit le jeune Stern. Une fois, absorbé par ses recherches, il avait empilé les livres si haut qu'ils cachaient la porte et a dû appeler par la fenêtre pour demander à des passants de venir lui ouvrir, dit-il en montrant l'imposte au ras de la rue. Quand le jeune étudiant est venu la semaine dernière, il ne s'est pas inquiété de l'absence de mon père, qui s'absentait parfois sans lui donner d'explication. Mais en revenant hier et en trouvant la pièce exactement dans le même état, il s'est dit que c'était anormal.

En dépit de leurs désaccords, ce garçon aime sincèrement son père, pensa Doyle. Et il essaie de dissimuler le chagrin que lui cause son absence inexpliquée.

— A-t-il déjà disparu de la sorte par le passé ? lui demanda-t-il.

— Pour un jour ou deux, jamais davantage. Quand il est absorbé dans une recherche, il aime réfléchir en marchant. Il est tellement distrait qu'il lui est arrivé de se laisser enfermer une nuit entière dans le jardin botanique du Bronx.

— Pas d'amis ou de parents auxquels il serait allé rendre visite ?

— Je suis toute sa famille, ma mère est morte il y a cinq ans.

Quant à ses amis, rabbins ou chercheurs, je leur ai déjà parlé, aucun n'a de nouvelles de lui. De plus, à une seule exception près, il n'est jamais sorti de New York.

Sparks allait et venait le long des rayonnages, observait méthodiquement les moindres détails. Tout en parlant, Doyle le regardait opérer. De ce point de vue du moins, pensa-t-il, Jack n'avait pas changé.

— Quand avez-vous eu pour la dernière fois des nouvelles de votre père ?

— Il m'a câblé à Londres il y a une dizaine de jours. Rien de particulier : il voulait savoir la date de notre arrivée et si nous avions pris livraison du Zohar.

— Vous avez répondu ?

— Bien sûr.

— Rien, dans votre réponse, ne l'aurait incité à partir ?

— Je ne vois pas quoi. Je lui avais déjà donné mot à mot les mêmes renseignements moins d'une semaine plus tôt. Il me les a sans doute redemandés parce qu'il avait égaré mon télégramme. L'esprit pratique et lui, vous savez...

Lionel Stern montrait à nouveau le désordre qui régnait dans la pièce quand Sparks sortit de sa poche une longue pince à épiler et extirpa une enveloppe jaune de sous une pile de livres sur la table.

— Voici votre premier télégramme. Pas même décacheté.

— Cela ne m'étonne pas, soupira Stern. S'il gagnait le sweepstake, on retrouverait le chèque vingt ans plus tard...

— En tout cas, déclara Doyle, j'ai rarement vu une collection aussi remarquable d'ouvrages théologiques, plus rares et plus anciens les uns que les autres.

— Elle doit valoir une fortune, hasarda Innes.

— Tout l'argent qui lui passait par les mains au fil des ans se transformait en livres, répondit Stern. Pour la plupart, cependant, il s'agit de dons ou de legs d'amis et de diverses institutions.

— Voilà un bel hommage à l'érudition de votre père.

— Il n'a pas son pareil, dit Lionel Stern en s'asseyant sur un tabouret. Depuis la mort de ma mère, il passe le plus clair de son temps ici. Il y couche même presque toutes les nuits, ajouta-t-il en montrant un vieux canapé dans un coin. Franchement, je n'ai jamais compris la moitié de ce dont il me parlait. Peut-être que si j'avais fait un effort...

Sa voix s'étrangla et il dut s'interrompre pour ravaler les larmes qui lui montaient aux yeux.

— Allons, allons, ne vous inquiétez pas, lui dit Innes en lui

140

donnant une affectueuse bourrade sur l'épaule. Nous le retrouverons, soyez-en sûr. Nous ne lâchons jamais prise.

Stern hocha la tête avec reconnaissance. Insensible à son émotion, Sparks se planta devant lui.

— Parlez-moi des méthodes de travail de votre père. Prenait-il des notes en lisant ?

— Oui, des volumes entiers.

— Il est gaucher, n'est-ce pas ? dit Sparks en s'approchant du fauteuil derrière la table de travail.

— Oui. Comment le savez-vous ?

— L'accoudoir gauche a des marques d'éraflures. Il porte un long manteau avec des boutons sur la manche.

— C'est exact. Mon père se plaint toujours du froid parce qu'il souffre d'une mauvaise circulation du sang. En réalité, il est plutôt hypocondriaque.

Sparks s'assit dans le fauteuil du rabbin et observa les livres empilés devant lui. Un instant plus tard, il dégagea de sous un livre un bloc de papier réglé qu'il étudia avec attention.

— Venez voir ceci, dit-il.

Doyle et Stern s'approchèrent. La feuille était couverte de gribouillages, de phrases décousues mais aussi de dessins, d'une qualité et d'une précision étonnantes.

— Mon père le faisait souvent en travaillant, dit Stern. Quand j'étais petit, j'aimais le regarder dessiner des scènes de la rue, des portraits, parfois même un passant aperçu par la fenêtre. Cela l'aidait à réfléchir, disait-il.

Deux images se remarquaient au milieu de la page. L'une représentait un arbre aux branches dénudées, sur lesquelles figuraient dix globes blancs disposés en figures géométriques et reliés entre eux par des lignes droites.

— C'est un Arbre de Vie, dit Stern. J'en ai souvent vu dans des ouvrages de Kabbale, mais je suis incapable de vous en donner la signification.

L'autre représentait une sorte de château noir, d'aspect rébarbatif. Une seule fenêtre était éclairée en haut de la plus haute tour. Sparks se pencha, visiblement fasciné.

— Qui signifie ce signe ? demanda-t-il en montrant un caractère cunéiforme tracé sous le château.

— *Schischah*. Six en hébreu.

— Le chiffre six ?

— Oui. Je sais que la Kabbale lui attribue d'autres significations, mais...

Sparks se leva brusquement, soudain hagard comme s'il voyait un spectre.

141

— Jack ! Qu'avez-vous ? s'inquiéta Doyle.

Il ne répondit pas. Dans le silence absolu, le bruit d'un tuyau d'eau qui gouttait quelque part dans l'immeuble résonna comme une salve de coups de fusil.

— Où est le Zohar de Gérone ? demanda Sparks.

— Dans le coffre-fort de mon bureau, répondit Stern. Ce n'est pas loin d'ici.

— Il faut que je le voie. Tout de suite.

— Je vous y emmène.

Sparks et Stern se dirigèrent aussitôt vers la porte. Doyle prit le bloc de papier et les suivit avec Innes.

À minuit, les rues étaient désertes. L'air humide formait des halos autour des réverbères. Sparks marchait en avant, comme un chien impatient qui tire sur sa laisse.

En face du bâtiment de St. Mark Place qui abritait les bureaux de Lionel Stern, deux jeunes voyous, la cigarette au coin des lèvres, étaient tapis dans un coin d'ombre. Après l'arrivée des quatre hommes, ils virent une fenêtre s'éclairer au quatrième étage. L'un d'eux partit en courant pendant que l'autre restait faire le guet.

Dans son bureau, Lionel Stern fit la combinaison du coffre, en retira une caisse de bois qu'il posa sur une table et enleva le couvercle. Le Zohar était un épais volume relié en cuir sombre, craquelé par l'âge. Stern enfila une paire de gants blancs et souleva la couverture, qui s'ouvrit en crissant.

Penché sur le livre, Sparks en scruta la première page, couverte de mots manuscrits dont l'encre avait pâli.

— Montrez-moi le bloc, dit-il.

Doyle le lui tendit, intrigué.

— Ceci est un dessin du Zohar, n'est-ce pas ?

Doyle se pencha : un livre ouvert était dessiné vers la marge de la feuille, exactement semblable à celui qu'ils avaient sous les yeux. La première page était elle aussi couverte de signes manuscrits.

— Possible, admit Doyle.

Sparks prit une loupe dans sa poche, examina le dessin du rabbin Stern et le compara au Zohar.

— Votre père n'avait jamais vu ce livre, n'est-ce pas ?

— Non, répondit Lionel.

— Alors, comment a-t-il pu en reproduire la première page avec une telle précision ?

Sparks tendit sa loupe à Doyle : les minuscules caractères tracés par le rabbin Stern étaient identiques à ceux du livre. Lionel Stern procéda à son tour au même examen.

— Je suis incapable de vous répondre, dit-il enfin.

— Et ceci, qu'en dites-vous ? demanda Sparks en montrant une forme sombre dessinée sur le coin du livre.

— On dirait l'ombre d'une main tendue, dit Doyle. Une main qui s'apprêterait à s'emparer du livre.

— Votre père vous a-t-il jamais parlé de ses rêves ? demanda Sparks au jeune Stern.

— Non. Aucun dont je me souvienne, en tout cas.

— Où voulez-vous en venir, Jack ? intervint Doyle.

Sparks montra sur le bloc le dessin du château :

— J'ai déjà vu cette tour noire.

— Vraiment ? Où donc ?

Sparks hésita.

— Dans un rêve.

— La même tour ?

— Oui. J'aurais pu en faire un dessin identique.

— Ne s'agit-il pas plutôt d'un lieu oublié qui remonte de votre subconscient ? demanda Stern.

— Comment expliquez-vous, alors, le dessin de votre père ? intervint Doyle. Vous avez dit vous-même qu'il n'était jamais sorti de New York.

— Il est arrivé très jeune de Russie. Peut-être avait-il vu ce château là-bas ou pendant son voyage...

— Ne nous égarons pas, dit Doyle. Parlez-nous de votre rêve, Jack.

Sparks contemplait le dessin, la mine sombre.

— J'ai fait ce rêve pour la première fois il y a trois mois, répondit-il d'une voix étouffée, comme s'il se confessait. Depuis, il me revient régulièrement avec une intensité accrue à chaque fois. J'y vois toujours la même chose : cette tour noire, un désert de sable blanc, quelque chose sous terre. Et j'entends une phrase qui tourne dans ma tête jusqu'à l'obsession : *Nous sommes Six*.

— Six ? Comme le chifre tracé par Stern sur le bloc ?

— Oui.

— Qui est Brachman ? dit tout à coup Innes.

— Brachman ? s'étonna Lionel. Où avez-vous vu ce nom ?

— Il est écrit là, en très petites lettres au bord du dessin, répondit Innes en lui tendant la loupe.

— Isaac Brachman est un ami de mon père. Il est rabbin d'une synagogue de Chicago.

— Et il est lui aussi kabbaliste ? demanda Doyle.

— Un des plus renommés. J'y avais fait allusion à bord de l'*Elbe*, sans toutefois citer son nom. Nous étions chargés de lui fournir le Tikkunei Zohar qu'il devait étudier. Le rabbin Brachman était l'un des principaux organisateurs du Congrès des religions qui s'est tenu l'an dernier à Chicago.

— Votre père y a-t-il participé ?

— Oui. Toutes les grandes religions du monde y avaient envoyé d'éminents représentants.

— Quand vous êtes-vous entretenu pour la dernière fois avec le rabbin Brachman ?

— Je ne m'en souviens pas... Il y a des semaines, en tout cas. Avant mon départ pour Londres.

— Il faut immédiatement lui télégraphier.

— Pourquoi ?

Jack Sparks parut émerger du brouillard où la vision de la tour le plongeait depuis quelques minutes.

— Doyle pense que votre père s'est rendu à Chicago pour rendre visite au rabbin Brachman, dit-il.

— Oui, bien sûr, c'est tout à fait possible ! admit Lionel Stern avec un évident soulagement.

— Avez-vous l'autre livre que je vous ai demandé ? voulut savoir Sparks.

— Bien sûr, le voici.

Lionel Stern prit dans un placard un épais volume qu'il posa sur la table à côté du Zohar.

— C'est une copie assez récente, expliqua-t-il, mais fidèle au point que seul un spécialiste pourrait la distinguer de l'original.

Entre temps, Innes s'était approché de la fenêtre.

— Vous devriez venir voir cela, dit-il aux autres.

— Quoi donc ? s'étonna Doyle.

— Je ne sais trop, mais ils sont bien une vingtaine.

Ils rejoignirent tous trois Innes à la fenêtre et regardèrent dans la rue. Les deux voyous aperçus dans l'ombre au moment de leur arrivée s'étaient multipliés par dix. Une douzaine d'autres accouraient dans la rue pour les rejoindre. L'un d'eux leva les yeux, vit les quatre silhouettes à la fenêtre et poussa un coup de sifflet strident.

Au signal, le gang au complet traversa la rue et se rua vers l'entrée de l'immeuble.

CHAPITRE 7

Mal engagée, la chasse au Chinois dégénéra très vite.

Seules troupes régulières appelées à la rescousse, les territoriaux de garde à la prison de Yuma clamèrent à qui voulait l'entendre qu'ils préféraient les criminels derrière les barreaux à ceux en fuite, dont on pouvait redouter les pires excès. Il est vrai qu'en recevant à cinq heures du matin l'ordre de se rendre à la gare de triage, ils n'étaient pas au mieux de leur forme, vu qu'une écrasante majorité d'entre eux s'était consciencieusement employée une bonne partie de la nuit à expérimenter les effets du coma éthylique.

Les policiers ferroviaires et les vigiles Pinkerton ayant survécu au « Massacre de Yuma », comme les journaux du matin s'empressèrent de baptiser l'événement, étaient de leur côté dans un tel état d'hébétude ou de fureur aveugle qu'il aurait fallu, pour en faire une milice cohérente, le génie et l'ascendant d'un général Lee — vertus guerrières résolument étrangères au shérif Tommy Butterfield.

Plus haut gradé des défenseurs de la Loi présents ce matin-là, le shérif Butterfield passa ses dix premières minutes sur le théâtre des opérations à vomir dans un coin après avoir vu le carnage et les quinze suivantes à tourner en rond dans une inconscience quasi totale. La confusion était telle que les vigiles mirent à profit sa passivité pour se scinder en factions hostiles dont chacune prétendait savoir mieux que les autres comment rattraper le criminel. Élu shérif sur un programme de paix civile, car le Territoire avait l'ambition d'accéder au statut d'État et cherchait à rénover son image anarchique afin d'attirer les investisseurs, ce gros homme débonnaire, qui n'avait jamais tiré un coup de feu de sa vie, était plus doué pour attirer la sympathie des électeurs que pour donner des ordres à des gens d'armes dépourvus de chef.

Aucun survivant n'était d'accord avec les autres sur le signalement du meurtrier, à part le fait qu'il était chinois et s'était servi d'une arme blanche — étrange anachronisme à une époque où la technique moderne permettait de trouer la peau d'un quidam à cent pas. Nul non plus ne pouvait témoigner de la direction prise par le fugitif, ce qui n'arrangeait rien. Les clochards, Denver Bob en particulier, auraient pu fournir à ce sujet d'intéressants indices, mais ils s'étaient sagement figuré que l'affaire ne les concernait pas et que le bon sens le plus élémentaire leur dictait de s'éclipser au plus vite, de peur de se trouver accusés de tous les maux.

Le shérif Tommy Butterfield ne sut dire, par la suite, qui avait eu en premier l'idée de faire appel à Buckskin Frank. En bon politicien, il ne manqua cependant pas de s'en attribuer le mérite : si l'intervention de Frank était couronnée de succès, comme il l'escomptait, il tiendrait là un argument décisif pour sa prochaine campagne électorale. Un consensus s'était d'ailleurs aussitôt établi entre les assoiffés de justice et les enragés de vengeance réunis au campement ce matin-là : s'il existait dans tout l'Arizona un homme capable d'attraper le sauvage mort ou vif, c'était bien Buckskin Frank McQuethy.

Contrairement au shérif Tommy, Buckskin Frank avait éliminé par le fer et le feu, voire à mains nues, un nombre assez considérable d'individus pour le compte de la loi ou en dépit de ses injonctions. Il avait fait ses débuts sous la houlette de l'illustre Wyatt Earp, monarque incontesté de Tombstone au début des années quatre-vingt. Pour un homme qui gagnait sa vie le Colt à la main, Frank était toutefois affligé d'un déplorable sens du bien et du mal, ce qui l'avait amené à se brouiller avec les frères Earp en refusant de prêter la main à la tuerie du clan Clanton, vulgaires voleurs de chevaux bornés et sans envergure qui avaient commis l'insigne erreur de vouloir piétiner les fructueuses plates-bandes du grand Wyatt. Aussi, tandis que ce dernier employait son génie de la publicité à transformer en combat héroïque la sournoise embuscade d'OK Corral, Frank renforçait sa réputation de dur à cuire en devenant éclaireur pour l'armée dans les campagnes contre les Apaches. Il devait son sobriquet à la veste de peau de daim fauve dont il ne se séparait jamais, signe distinctif grâce auquel la presse, toujours avide de symboles simplistes, entonna les louanges de Buckskin Frank, capable de suivre un homme à la trace sur trente lieues de caillasse et de tuer un serpent à sonnettes d'une unique balle dans l'œil à cent pas. Avec Wyatt Earp, à vrai dire, Frank avait été à bonne école pour apprendre l'art de se faire mousser.

Sauf quand il buvait, Frank McQuethy se conduisait en parfait gentleman. Malheureusement, il avait beaucoup bu ce certain soir de 1889 quand il poussa Molly Fanshaw du balcon d'un saloon de Tombstone. Frank était tellement soûl qu'il ne se souvenait même plus de l'objet de leur dispute — mais Molly avait l'alcool vicieux et avait sans nul doute provoqué Frank au-delà de ce qu'un homme peut endurer. En tout cas, il avait tué la seule femme qu'il eût jamais aimée sous les yeux d'une foule considérable. Il eut donc le bon goût de plaider coupable, d'accepter en homme sa sentence à perpétuité et de se transformer, ces cinq dernières années, en idéal des prisonniers modèles de la prison de Yuma. Il n'avait pas non plus touché une goutte de whisky depuis que Molly était passée par-dessus la balustrade.

Ses codétenus, le directeur, les gardes eux-mêmes idolâtraient Buckskin Frank. Sa courtoisie, son instruction, sa simplicité de bon aloi, sa dignité dans l'épreuve, son dévouement à l'infirmerie en imposaient à tous. Sa célèbre veste en peau de daim, exposée dans une vitrine, constituait même le clou de la visite de la prison. Chaque jour ou presque, les gardes à l'entrée devaient refouler quelque tourterelle énamourée venue dérober un regard de Frank à l'heure de la promenade. Frank répondait scrupuleusement aux missives de ses admiratrices, auxquelles il ne manquait pas de suggérer avec délicatesse qu'une supplique au gouverneur pour implorer sa clémence pourrait peut-être infléchir le cours du destin cruel qui leur interdisait de se rencontrer. La veille même des événements, le gouverneur avait d'ailleurs sous les yeux une énième pétition en faveur de Buckskin Frank. Avec une persévérance digne d'éloge, celui-ci avait planté le germe de sa libération. Il allait falloir le sang d'un massacre pour fertiliser ces semailles.

Le shérif Tommy battit le rappel de ceux — ils étaient nombreux — qui lui devaient une faveur. Le directeur de la prison ne se fit pas prier pour télégraphier au gouverneur. Peu après, le marché était conclu : Buckskin Frank McQuethy bénéficiait d'une libération conditionnelle mais ne serait laissé seul à aucun moment ni sous aucun prétexte. Il était cependant convenu que s'il réussissait à mettre la main sur le responsable du Massacre de Yuma, une grâce en bonne et due forme s'ensuivrait sans délai inutile.

À huit heures ce matin-là, les gardes déverrouillèrent la cellule de Frank, lui signifièrent son élargissement et lui remirent sa veste en peau de daim, que l'un d'eux portait comme le saint sacrement. À neuf heures, prêt à remplir son rôle de sauveur, Frank arriva au campement pour y découvrir le théâtre de crime le plus déplorablement ravagé qu'il lui eût été donné d'observer au cours de sa longue carrière et, par conséquent, quasi inexploitable.

Les têtes et les membres coupés étaient entassés en désordre entre les cadavres comme les morceaux d'un puzzle, les témoins incohérents, les traces éventuelles effacées du sol boueux piétiné par la foule. Le moral de Frank, au plus haut quand le directeur de la prison lui avait exposé leur arrangement, retomba à ras de terre. Ses cinq ans à l'ombre lui faisaient d'un seul coup prendre conscience de son âge : à quarante ans, dans ce pays, on était au seuil de la vieillesse. Ses anciens compagnons de beuveries et ses émules du tir sur cibles mobiles étaient morts ou à la retraite. Pour lui comme pour eux, fini les beaux jours...

Refrénant de son mieux ses réflexions déprimantes, Frank fit un tour complet du terrain, suivi à quelques pas par la meute des bons à rien, et parvint à discerner les traces à demi effacées d'un homme qui courait vers le pont de la voie ferrée franchissant le Colorado. Tandis que la troupe attendait sur la rive dans un silence respectueux, Frank se roula posément une cigarette, s'avança sur le pont et se demanda d'abord quelle direction il prendrait s'il avait commis un forfait aussi monumental.

Réponse évidente : le Mexique, dont la frontière était à cinq milles en aval de l'endroit où il se tenait.

Il se posa ensuite une question plus ardue : si un homme armé d'un simple sabre avait été capable de s'ouvrir une brèche dans un mur de brutes épaisses avec autant de facilité que s'il traçait une piste à la machette dans l'herbe de la prairie, comment lui, avec le ramassis d'amateurs dont on l'affublait, pouvait-il espérer le neutraliser ?

C'est alors que deux pensées réconfortantes lui vinrent à l'esprit. La première : ces imbéciles bornés n'avaient pas la moindre idée du signalement du tueur, sauf qu'il était chinois. Aucun Blanc n'ayant jamais été fichu de distinguer un Asiatique d'un autre, il lui suffirait de faire un carton à cent pas sur le premier Chinetoque plus ou moins suspect, les autres n'y verraient que du feu, sabre ou pas sabre.

La deuxième, plus réjouissante encore : si l'affaire tournait en eau de boudin, il serait lui-même au Mexique depuis belle lurette avant que cette bande de ploucs ait commencé à s'en rendre compte.

Sur quoi Buckskin Frank alluma sa cigarette et en tira une longue bouffée gourmande.

Buckskin Frank fumait sur le pont lorsque Kanazuchi descendit du train de marchandises qui venait de s'arrêter en gare de Phoenix. Conscient des dangers auxquels l'exposait sa fuite, il s'éloigna avec précaution entre les rames. Ce combat à Yuma était regrettable mais sa capture aurait été inacceptable. Les circonstances ne lui avaient pas laissé le choix. Il devait maintenant chasser cette affaire de son esprit et ne plus se laisser distraire de son objectif. Si ses frères l'avaient désigné pour accomplir la mission, c'était précisément à cause de sa maîtrise du *budo*.

Fatigué, affamé, à un monde de chez lui, il se rappela que ces sensations étaient fausses, dues à une identification abusive du moi supérieur au moi inférieur. La notion même d'échec le mènerait à l'échec. La Voie était autre. L'avenir reposait sur lui : faute de retrouver le Livre, le monastère dépérirait comme une plante coupée de ses racines.

L'air du matin annonçait une journée torride. À une centaine de pas de la gare, Kanazuchi entendit des voix qui s'approchaient. Il se glissa sous un wagon, s'accrocha au bâti et s'aplatit contre le plancher. Une dizaine d'hommes passa à quelques pas de sa cachette. Ils parlaient fort, ouvraient les wagons du train par lequel il était arrivé et en examinaient l'intérieur. Kanazuchi se projeta dans leurs esprits et y sentit la peur transformée en violence.

C'est moi qu'ils cherchent, comprit-il en entendant un des hommes prononcer le mot « Chinois ». Dès qu'ils furent passés, Kanazuchi redescendit sur le sol, prit son couteau, trancha sa tresse et l'enfouit sous une traverse. Il était temps de faire disparaître le Chinois.

Il rampa de sous le wagon et reprit sa progression vers la gare. À l'abri d'une rangée de balles de coton, il examina les lieux. Au-delà de la foule des voyageurs sur le quai, il vit les bureaux de la compagnie Santa Fe, Prescott & Phoenix, mais il allait devoir ajourner ses projets, au moins jusqu'à ce que la chasse à l'homme soit calmée et qu'il ait pu se constituer une nouvelle identité.

À cinquante pas sur sa droite, des hommes déchargeaient d'un fourgon des colis et des malles qu'ils transportaient sur des chariots vers un train sur une autre voie. Un homme grand et gros, coiffé d'un chapeau orné d'une plume, allait et venait comme un coq de basse-cour, donnait des ordres d'une voix criarde que les autres n'écoutaient même pas.

Une grosse malle tomba d'un chariot et s'ouvrit en répandant son contenu dans la poussière — des dizaines de costumes d'hommes et de femmes, des capes de brocart, des chaussures de toutes les formes. L'homme au chapeau se fâcha et agonit d'injures les ouvriers, qui entassaient tout en désordre dans la malle sans faire attention à ce qu'il disait. De plus en plus en colère, le gros homme vida la malle en exigeant qu'ils replient proprement les vêtements avant de les remettre en place.

— Hé, là-bas !

Kanazuchi se retourna. Un homme en uniforme bleu se tenait à trois pas derrière lui. Ils se dévisagèrent un long moment et Kanazuchi vit la peur lui contracter les traits. Avant qu'il ait pu réagir, l'homme porta un sifflet à ses lèvres et lâcha une note brève, stridente, en posant la main sur l'étui du revolver à sa ceinture. D'une seule manchette, Kanazuchi lui brisa les vertèbres cervicales et traîna le corps derrière les balles de coton.

Personne ne s'en était peut-être aperçu...

Si : deux hommes en uniforme avaient entendu le coup de sifflet et sortaient de la gare. Sur le quai, des voyageurs montraient les balles de coton. Les deux hommes sifflèrent, dégainèrent leur arme et partirent en courant vers l'endroit où Kanazuchi était encore penché sur le cadavre du policier. Une balle s'enfonça dans le coton à un pouce de sa tête. À sa gauche, le long de la voie, un troisième homme en uniforme fonçait sur lui, le revolver à la main.

Pendant toute la nuit, entre de brefs assoupissements, Eileen avait observé Jacob Stern dormir d'un sommeil agité. Ses yeux roulaient sous ses paupières, son front se plissait, ses lèvres se tordaient, des gémissements lui échappaient par moments. Elle s'abstenait de le réveiller mais l'incongruité de son comportement la troublait : il paraissait plus mal à l'aise endormi qu'éveillé.

Un rayon de soleil lui caressa le visage. Eileen se rendit compte que le train ne roulait plus et ouvrit les yeux. Le sourire chaleureux et le regard pétillant de Jacob lui souhaitèrent la bienvenue.

— Sommes-nous arrivés ? demanda-t-elle.

— Je ne sais pas où, mais nous y sommes.

Coiffé d'un ridicule chapeau à plume, Bendigo Rymer incitait les Baladins à s'activer. Eileen descendit sur le quai, la main en visière pour s'abriter du soleil éblouissant.

— Comptez-vous rester longtemps à Phoenix, Jacob ?

Elle avait les jambes engourdies d'avoir passé la nuit assise ; un seul regard dans son miroir de poche lui avait révélé l'étendue des dommages : cheveux plus emmêlés qu'un roncier, teint brouillé, maquillage en déroute. Pourquoi fallait-il qu'il la voie ainsi ?

— Franchement, ma chère, je n'en ai pas la moindre idée, répondit-il en respirant à pleins poumons. L'air est merveilleux ! Sec et rafraîchissant à la fois, embaumé du parfum des fleurs. Sentez-vous comme il est doux ?

— Et c'est vous, qui n'êtes pas sorti de votre bibliothèque depuis quinze ans, qui me le dites ?

— Parce que je me rends compte de mes erreurs passées. Quelle sera votre prochaine étape ?

— Notre baladin en chef nous a obtenu un engagement pour une semaine dans un trou perdu quelque part vers l'ouest, une sorte de communauté religieuse. Comment s'appelle ce bled, Bendigo ? lui demanda-t-elle au moment où il passait près d'eux.

— La Cité Nouvelle, avec un L majuscule. Ravi de vous revoir, rabbin. Que Dieu vous protège des tempêtes, déclara-t-il en se hâtant vers le fourgon à bagages.

Arrivée devant la gare, Eileen posa sa mallette de maquillage à ses pieds sur les planches du quai.

— Notre train part dans une heure, dit-elle avec un sourire de regret affectueux.Il va falloir nous quitter.

Jacob déglutit et baissa les yeux en rougissant. Deviens-tu fou, Jacob ? se morigéna-t-il. Cette femme est belle, elle a la moitié de ton âge, tu la connais depuis à peine douze heures, tu ne la reverras jamais et tu te conduis comme un écolier amoureux... Il se creusa désespérément la tête pour trouver comment relancer la conversation, mais ne trouva rien d'original :

— Quel sorte de communauté religieuse y a-t-il là où vous allez ?

— Dans le genre des mormons, je crois. Bendigo est toujours avare de détails — comme du reste d'ailleurs.

On entendit des éclats de voix : Rymer tempêtait contre des porteurs qui transféraient les bagages de la troupe. Il adorait terroriser les inférieurs.

— Je sais seulement, reprit-elle, qu'ils sont installés en plein désert, qu'ils y ont bâti un opéra et sont friands de spectacles de qualité. Si c'est vrai, on se demande pourquoi ils nous ont engagés.

— J'espère que l'endroit n'est pas dangereux.

— Sûrement pas pire que certains trous où nous atterrissons parfois. Je suis très curieuse d'y aller, en tout cas. Il paraît qu'ils construisent aussi un château, une grande bâtisse en pierre noire extraordinaire à voir.

Un jet d'eau glacée n'aurait pas plus vite rendu à Jacob sa lucidité.

— Un château noir, dites-vous ?

Elle allait répondre quand un coup de sifflet strident déchira le brouhaha de la gare. Entre eux et l'endroit où Rymer houspillait les porteurs, on voyait une soudaine agitation près d'une pile de balles de coton. Derrière eux, deux gardes en uniforme sortirent de la gare en courant. Des voyageurs leur montrèrent du doigt les balles de coton. Les gardes sifflèrent et dégainèrent leurs armes. Un coup de feu claqua.

— Que se passe-t-il ? s'étonna Eileen. Une bagarre ?

— Je n'en sais pas plus que vous, répondit Jacob.

New York

— Comment monte-t-on sur le toit ? demanda Jack.

— Je vous montrerai, répondit Lionel Stern. Que fait-on des livres ?

— Prenons-les tous les deux, dit Doyle.

— Ne devions-nous pas leur laisser voler la copie ?

— Oui, mais sans leur donner l'impression que c'est trop facile, précisa Jack.

— Nous ignorons d'ailleurs si ces individus font équipe avec les autres ou sont à leur service, dit Doyle.

Des pas lourds ébranlaient l'escalier. Stern glissa l'original du Zohar dans une vieille sacoche de cuir.

— Et nous n'avons pas envie de les attendre pour le leur demander, enchaîna Jack en prenant la copie. Par où ?

— Suivez-moi.

Le Zohar sous le bras, Lionel Stern les guida dans un labyrinthe de couloirs jusqu'à un escalier rarement utilisé.

Les « individus » en question n'étaient autres que les Houston Dusters, un des gangs les plus redoutés de l'East Side, qui faisaient régner la terreur de Houston Street à Broadway. Ils se distinguaient de leurs rivaux par leur accoutrement — casquettes de cuir, bottes à bout ferré — et la férocité qu'ils déployaient en toutes circonstances sous l'impitoyable férule de Ding-Dong Dunham, leur chef, qui devait son sobriquet à l'onomatopée qu'il poussait en assommant ses victimes d'un coup de gourdin ferré sur le crâne. Il se signalait aussi par son mépris total de la vie humaine et sa déplorable propension à composer de longs poèmes épiques dont il infligeait la lecture à ses équipiers, marque d'une cruauté plus inhumaine que les crimes dont il se faisait le chantre.

Dans le courant de la journée, Ding-Dong avait accepté un contrat proposé par un grand blond qui s'exprimait avec un fort accent allemand. Celui-ci se disait débarqué depuis peu à New York, où il ne disposait pas d'associés sûrs et avait donc besoin de quelqu'un de confiance pour surveiller des bureaux au quatrième étage d'un immeuble de St. Mark's Place, à la limite du territoire des Dusters dont il avait entendu dire grand bien. Ding-Dong et ses hommes devaient s'emparer de quiconque se montrerait dans lesdits bureaux et escorter le ou les prisonniers à leur quartier général, où l'Allemand les interrogerait personnellement.

Le grand blond n'avait fait aucune allusion à un vieux livre ni mentionné le nom du locataire des bureaux, mais il payait les services de Ding-Dong avec assez de générosité pour décourager toute curiosité intempestive. Néanmoins, la subtilité d'une opération consistant à capturer une ou plusieurs personnes en vue d'un interrogatoire échappait aux trente Dusters chargés de la mission. Bourrés de cocaïne ou de tord-boyaux, voire des deux, pour se donner du cœur à l'ouvrage, ils n'avaient nullement l'intention de déroger à leur procédure habituelle, à savoir : cogner sur tout ce qui bouge et le déposer, mort ou vif, aux pieds de Ding-Dong qui se débrouillerait pour trier les morceaux.

Sous la conduite de Lionel Stern, les quatre compagnons atteignirent le toit pendant que, deux étages plus bas, un vacarme épouvantable indiquait que les Dusters faisaient irruption dans les bureaux et y saccageaient tout. Stern ferma à clé la porte de l'escalier, ce qui leur accorderait peut-être une ou deux secondes de répit, et les entraîna sur le toit en direction du nord.

Jack tendit le faux Zohar à Doyle. Puis, faisant signe de ne pas l'attendre, il prit dans une poche intérieure de son manteau une sorte de fiole, la déposa contre la porte close et rattrapa les autres qui descendaient une courte échelle de fer donnant accès au toit suivant. Au même moment, les Dusters forçaient la porte. L'explosion déclenchée par l'ouverture produisit un jet de flammes et un nuage de fumée chargée de poivre et de salpêtre. Les deux premiers Dusters s'abattirent d'un bloc. Le troisième s'affola et sauta du toit. Les trois suivants prirent de plein fouet le nuage de gaz et tombèrent à genoux, aveuglés, suffoqués, en hurlant des imprécations. Les dix qui arrivaient derrière eurent le temps de comprendre ce qui se passait. Le nez protégé par un mouchoir, ils franchirent l'obstacle en courant, après avoir crié à leurs camarades dans l'escalier de redescendre et de les suivre au niveau de la rue.

Les Doyle, Stern et Jack étaient à l'autre bout du toit lorsque leurs poursuivants y bondirent à leur tour. Pour accéder au toit de l'immeuble mitoyen, il fallait gravir une douzaine d'échelons. Resté à l'arrière-garde, Jack s'arrêta au sommet. Prenant dans sa poche une autre fiole, il tassa une substance ayant la consistance de la glaise autour des montants supérieurs de l'échelle, y planta une mèche, craqua une allumette et courut rattraper les autres. Les premiers Dusters étaient au milieu de l'échelle quand l'explosif de Jack l'arracha du mur et la fit retomber en arrière.

Sans ralentir, Doyle s'approcha du bord et regarda dans la rue. La troupe des Dusters courait en poussant des cris sauvages et des menaces qui montaient jusqu'à lui.

— Un homme précieux, ton ami Jack, dit Innes en rejoignant son frère.

— En effet.

— Dommage que je n'aie pas mon fusil.

Le regard brillant de fureur, Innes fit mine d'épauler et de tirer sur les Dusters. Ce garçon est dans son élément, se dit Doyle avec fierté. Je devrais peut-être l'encourager à reprendre sa carrière militaire.

— Plus vite ! leur cria Stern.

Le toit suivant était le dernier du pâté de maisons. À leur gauche, l'immeuble voisin n'était pas mitoyen mais distant d'environ dix pieds. À deux toits derrière eux, les Dusters se faisaient la courte échelle et se hissaient les uns les autres pour remplacer l'échelle descellée.

— Il va falloir sauter, dit Jack.

— Est-ce bien nécessaire ? demanda Doyle.

— Oui, à moins que vous n'ayez une meilleure idée.

Jack ramassa une planche qui gisait là et en posa une extrémité sur le garde-fou pour former un plan incliné.

— Et les livres ? s'enquit Stern.

— Je m'en charge, dit Jack.

Il prit les deux livres, recula de quelques pas, courut pour prendre de l'élan sur le plan incliné, franchit le vide avec aisance et atterrit sur le toit voisin.

— À ton tour, dit Doyle à Innes.

— Toujours aussi sujet au vertige, Arthur ? Ne t'inquiète pas, tout se passera bien.

Il imita la manœuvre de Jack et retomba près de lui. Stern le suivit, faillit manquer le garde-fou mais les deux autres le rattrapèrent sans mal. Doyle recula le plus loin possible, courut de toutes ses forces, s'envola en fermant les yeux... et atterrit si lourdement qu'il s'étala de tout son long, à demi assommé par sa chute.

Innes le releva avec sollicitude :

— Tu vois, Arthur ? Un oiseau n'aurait pas fait mieux.

Doyle ne daigna pas répondre.

Déjà à l'autre bout du toit, Stern contemplait le toit voisin avec appréhension.

— Quelque chose qui ne va pas ? s'enquit Innes.

— Les Portes de l'Enfer.

— Que voulez-vous dire ? demanda Jack.

— C'est le surnom de ce bâtiment, le plus infâme taudis de New York. Plus d'un millier de malheureux s'y entassent dans des conditions inimaginables.

Même vu d'en haut, l'immeuble se distinguait en effet de ses voisins, pourtant peu reluisants : le toit plat disparaissait sous un enchevêtrement de tentes rapiécées et de cabanes en planches ou en carton. Il émanait de l'ensemble une puanteur à couper au couteau. Mais les hurlements des Dusters dans la rue répondant en écho à ceux de leurs poursuivants, qui se rapprochaient de seconde en seconde, ne leur laissaient pas le choix.

Ils se frayaient un chemin entre les abris de fortune et les corps étendus à même la brique quand, droit devant, des cris de guerre retentirent, identiques à ceux qui se rapprochaient derrière eux : les Dusters de la rue étaient entrés dans le bâtiment et les prenaient en tenaille. Stern leur fit signe de rebrousser chemin, ouvrit la porte d'une cage d'escalier et ils s'enfoncèrent dans l'immeuble.

Doyle avait lu les œuvres de Dickens et n'ignorait rien de la misère qui régnait à Londres au XIXe siècle, mais ce qu'il découvrit dépassait en horreur tout ce qu'il aurait pu imaginer de pire. Dans une pièce exiguë, il compta soixante paire d'yeux, qui les virent passer avec une peur indicible. Plus loin, sous un escalier, une famille entière était blottie autour d'une chandelle. La vermine grouillait sur les planchers vermoulus et le plâtre moisi des cloisons. Ce n'était pas la Porte de l'Enfer mais l'Enfer lui-même dans lequel croupissaient ces malheureux, accourus vers le Nouveau Monde dans l'espoir d'une vie meilleure.

Ils avaient descendu trois étages quand ils se rendirent compte qu'ils n'entendaient plus leurs poursuivants. Le lieu était-il si répugnant que les Dusters eux-mêmes refusaient d'y pénétrer ? Non : en se penchant sur la rampe d'escalier, ils virent une quinzaine de voyous qui les attendaient de pied ferme à la porte donnant sur la rue.

— Que faisons-nous ? demanda Stern calmement.

Doyle constata que plus il connaissait le jeune homme, plus la bonne impression qu'il en avait depuis leur rencontre à bord de l'*Elbe* se renforçait.

Jack regarda autour de lui pour s'orienter, les entraîna vers l'extrémité du bâtiment et les fit pénétrer dans une chambre où six personnes, couchées à même le sol, s'écartèrent en tremblant de frayeur. Il ouvrit la fenêtre, mesura d'un coup d'œil exercé la largeur du puits d'aération qui les séparait du bâtiment voisin : environ huit pieds, soit un peu moins de trois mètres. À l'aide d'une barre à mine prise dans une poche de son inépuisable manteau, il entreprit alors de déclouer une planche du parquet puis, celle-ci dégagée, la lança de manière à en poser le bout sur l'appui de la fenêtre d'en face.

Le premier, Jack franchit le puits d'aération. La planche fléchit légèrement mais résista. Il entra en brisant une vitre et assujettit la planche plus solidement. Stern passa ensuite, le Zohar serré sur sa poitrine, Innes le suivit en trois enjambées, Doyle enfin, qui fit plier la planche sous son poids. Il était exactement au milieu du parcours quand il l'entendit craquer — et sa seule réaction fut de pousser un cri et de s'arrêter.

Insensible aux appels frénétiques de ses compagnons, il resta immobile, paralysé, incapable de faire un pas, comme si un court-circuit avait soudain déconnecté son cerveau de ses muscles. Au-dessous de lui, les hurlements des Dusters alertés par son cri ne parvenaient même pas à le tirer de sa catalepsie. Lorsque des pierres et d'autres projectiles se mirent à pleuvoir, il était toujours hors d'état de commander le moindre mouvement à ses jambes. Et pendant ce temps, la fêlure du bois ne cessait de grandir sous ses pieds comme une toile d'araignée.

— Allons, Arthur !...

— Un petit effort, mon vieux...

À ses yeux écarquillés d'horreur, la planche n'était pas plus large qu'un cure-dent. Un seul pas et tu es mort ! entendait-il crier dans sa tête. Il voyait vaguement devant lui une fenêtre où trois hommes agitaient les bras, mais il ne les reconnaissait pas. Il fallut qu'un caillou l'atteigne à l'épaule et le fasse vaciller pour que son cerveau se remette à fonctionner et retrouve le contrôle de ses membres. D'un coup, il reprit conscience de sa situation.

— Bon Dieu ! s'exclama-t-il.

Il fit une longue enjambée... et la planche céda en forme de V avant de se briser. D'instinct, Doyle tendit les mains et agrippa un objet mince et dur pendant que les deux morceaux de la planche tombaient dans le vide. En levant les yeux, Doyle vit qu'il était cramponné à la barre à mine dont Jack et Innes tenaient l'autre extrémité. Une seconde plus tard, ils le hissèrent sur l'appui de la fenêtre, d'où il s'écroula sur le plancher comme une outre vide.

— J'avais oublié votre passion pour l'altitude, dit Jack avec ironie.

— C'est un don que je cultive, répondit Doyle sur le même ton.

Des briques et des bouteilles vides lancées d'en bas s'écrasaient sur les murs. D'autres projectiles pleuvaient du haut du toit du taudis en face. Les deux corps d'armée des Dusters avaient repéré leur position.

— Nous ne sommes pas encore sortis de l'auberge, dit Jack. En route, messieurs.

Doyle se releva tant bien que mal, le pantalon déchiré aux genoux, la jaquette en piteux état. Ils avaient à peine descendu un étage qu'ils entendirent les Dusters fracasser la porte d'entrée de l'immeuble, deux étages plus bas. Un bruit de cavalcade et des cris au-dessus d'eux leur apprirent que le reste des Dusters avaient eux aussi réussi à franchir l'obstacle. Ils étaient pris en tenaille.

C'est alors qu'un autre bruit se fit entendre, une sorte de grondement sourd qui enflait démesurément comme s'il provenait de partout à la fois. La terre tremblait en ébranlant les cloisons dont le plâtre s'effritait. De seconde en seconde, le vacarme devenait plus assourdissant. D'un coup d'épaule, Jack enfonça une porte. Ils entrèrent en courant dans un appartement désert... et virent avec stupeur l'intérieur illuminé d'un train qui fonçait à toute allure au ras de la fenêtre.

— Le métro aérien de la Deuxième Avenue, dit Stern. Dieu soit loué ! J'avais presque oublié où nous étions.

Le train passé, ils sautèrent sur le viaduc qui surplombait une rue bordée de boutiques, fermées à cette heure tardive. La voie s'étendait à perte de vue vers le nord et le sud. Plus un signe des Dusters.

— Deux questions, dit Jack. Où est la prochaine station et quand passera le prochain train ?

— La station la plus proche est celle de la 14ᵉ Rue, à neuf rues d'ici, répondit Stern en montrant la direction du nord. La fréquence des trains est de quelques minutes, un peu plus à cette heure-ci.

Jack partit en courant sur les traverses. Les autres le suivirent en s'efforçant de soutenir son allure, sauf Doyle qui ne pouvait faire d'aussi longues enjambées et butait constamment. Ayant bientôt pris du retard, il fut le premier à entendre les cris des Dusters qui avaient retrouvé leur piste. D'un coup d'œil par-dessus son épaule, il les vit sauter sur la voie et se lancer à leur poursuite, avec la distance d'à peine deux rues.

— Allons, Arthur ! dit Innes qui avait ralenti pour revenir à sa hauteur. Ne regarde pas derrière toi.

Les poumons en feu, Doyle se borna à hocher la tête en s'efforçant de suivre l'allure de son frère. Mais plus ils s'évertuaient, plus leur avance sur les poursuivants semblait s'amenuiser. Au-dessous d'eux, dans la rue, l'autre moitié du groupe était même en train de les dépasser. Des pierres et des bouteilles recommençaient à pleuvoir et ne tarderaient pas à les atteindre. Une plaque de rue aperçue au passage apprit à Doyle qu'il leur restait encore la longueur de trois rues avant d'arriver à la station.

Jack s'arrêta et lança une fiole derrière les Doyle. Un nuage de fumée toxique s'épanouit, mais les Dusters avaient compris la leçon et franchirent l'obstacle sans respirer ou attendirent qu'il soit dissipé. Les fuyards n'avaient gagné que quelques secondes.

La station se profilait maintenant devant eux, mais les Dusters étaient à moins de cinquante mètres et ne cessaient de se rapprocher. Les muscles tétanisés, Doyle était au bord de l'épuisement et Jack avait utilisé toutes ses munitions quand la voie se mit à vibrer. Le grondement d'un convoi retentit, le faisceau de lumière blanche de la motrice découpa dans la nuit les silhouettes des Dusters. À moins de cent mètres du quai de la station, Innes empoigna son frère sous un bras et, moitié portant, moitié tirant, le força à presser l'allure.

La trompe de la machine chassa les Dusters de la voie. Les uns se tassèrent contre la balustrade, d'autres sautèrent dans la rue. Doyle trébucha et s'étala sur le ballast, dont les graviers s'incrustèrent dans ses paumes. Puisant dans ses réserves une énergie surhumaine, Jack apparut et, avec l'aide d'Innes, le souleva pour le hisser sur le quai au moment même où le train entrait dans la station.

Les portes des wagons s'ouvrirent. Stern chargé du Zohar, Innes traînant son frère bondirent dans le dernier wagon et s'écroulèrent sur une banquette. Juste avant que les portes se referment et que le convoi s'ébranle, Jack jeta le faux Zohar sur la voie tandis que les Dusters en tête de la meute hurlaient de dépit en voyant leurs proies leur échapper d'extrême justesse.

CHAPITRE 8

Lorsqu'un coup de sonnette à la porte de sa suite le réveilla le lendemain matin, Doyle avait complètement oublié son rendez-vous avec Presto Raipur, maharadjah de Berar, et les deux hommes se confondirent en excuses mutuelles. Jack, qui avait passé la nuit dans un des salons, se matérialisa comme un ectoplasme au moment où survenaient Stern et Innes, porteur d'un pot de café fumant particulièrement bienvenu — Doyle ne mettait plus en doute l'efficacité de son jeune frère. Doyle, encore honteux de son arrivée à minuit passé dans le hall du Waldorf, noir de crasse, échevelé et le pantalon en loques, s'en servit aussitôt une tasse en s'efforçant de débloquer ses articulations ankylosées.

Tels des adversaires aux échecs, Jack et Presto se mesurèrent du regard et se reconnurent de force égale. Le noble Anglo-Indien arborait encore une tenue conforme à son personnage exotique — redingote, jodhpur, bottes vernies et gilet de velours rouge — mais rien ne rappelait le dandy évaporé de la veille. Le regard était ferme, la voix d'une plaisante gravité de baryton ; ses mains ne papillonnaient plus mais soulignaient, par des gestes assurés, ses propos sur la disparition d'un livre sacré.

Une rarissime version manuscrite des Upanishads, l'un des textes védiques essentiels sur lesquels se fonde la religion hindoue, avait été volée six mois auparavant dans un temple de l'État d'Hyderabad. Le vol avait été gardé secret sur ordre du sixième Nizam, qui avait confié l'enquête à son cousin Presto Raipur, le seul de sa génération à avoir reçu une éducation universitaire au lieu de consacrer sa vie à l'oisiveté et à la poursuite de vains plaisirs.

— Vous êtes donc un vrai prince ? demanda Innes, ébahi.

— Oui, je l'avoue non sans quelque embarras. Je suis aussi, techniquement parlant, maharadjah de Berar, fonction beaucoup moins imposante que le titre ne le laisse supposer.

Tout en parlant, Presto faisait virevolter une pièce d'argent entre ses longs doigts.

— Pourquoi, si je puis me permettre ?

— Il y a quarante ans, par quelque aberration de l'esprit de famille, mon grand-père avait fait donation de nos terres au Nizam d'Hyderabad, notre parent, qui s'était empressé de les céder aux Britanniques en règlement d'une ancienne dette. Mon père, indigné d'être ainsi dépouillé de son titre et de sa fortune, avait alors scandalisé la famille en épousant une Britannique et en allant s'établir banquier à Londres, où je suis né et où j'ai été élevé.

Presto marqua une pause, le temps de faire disparaître la pièce et parut amusé de la réaction des autres.

— J'ai commencé à m'intéresser à la prestidigitation en allant au music-hall, expliqua-t-il. Je suis devenu assez habile dans cet art pour le pratiquer parfois en public, à l'occasion d'une fête de charité. Je deviens alors Presto, l'Avocat Magicien.

La pièce réapparut sur le dos de sa main. Doyle cessa de marcher de long en large et vida sa tasse de café. Stern et Innes ouvrirent des yeux ronds. Seul, Jack continua d'observer Presto avec la même froideur analytique.

— Poursuivez, je vous prie, dit Doyle.

— Dans ma jeunesse, j'allais passer tous mes étés avec mon grand-père, qui vivait à la cour du Nizam. Son fils, l'actuel Nizam, et moi étions compagnons de jeux et sommes restés bons amis. Il est monté sur le trône il y a onze ans à l'âge de dix-huit ans, mais je ne l'ai revu que rarement depuis car je me lançais dans ma carrière d'homme de loi — le premier, je le dis sans fausse modestie, et toujours l'un des rares métis admis au barreau de Londres. Voilà qu'il y a six mois j'ai reçu une convocation urgente de mon cousin le Nizam. Pensant que la santé de mon grand-père était défaillante, je me suis précipité pour constater qu'il se portait comme un charme. De fait, il vivait avec la plus séduisante des nymphettes, âgée d'une quinzaine d'années...

— Vraiment ? s'exclama Innes. Quel âge a-t-il ?

— Quatre-vingt-cinq ans, et il n'a rien perdu de sa propension au libertinage. Il faut savoir que les hindous ne partagent pas nos convictions chrétiennes sur les effets moralement pernicieux des plaisirs charnels.

Doyle se racla bruyamment la gorge, Innes sursauta et referma sa bouche, plus béante qu'un four à pain.

— Si la joie de vivre de mon cher grand-père me comblait de bonheur, reprit-il, le véritable objet de mon voyage ne me fut révélé que trois jours plus tard, lorsque le Nizam revint d'une chasse au tigre. C'est en dînant en tête à tête ce soir-là dans ses appartements privés qu'il me révéla la disparition du manuscrit des Upanishads. Le forfait avait été commis en pleine nuit, sans témoins ni indices qui auraient permis de démasquer les coupables. Le Nizam n'avait reçu aucune demande de rançon, qu'il aurait pourtant payée sans discuter.

« Selon un raisonnement tout à fait illogique, le Nizam estima que ma formation juridique me désignait mieux que personne pour élucider le mystère. Lorsque je tentai de décliner cet honneur, en lui faisant observer qu'il y avait une différence assez sensible entre un homme de loi et un policier, le Nizam voulut bien admettre la validité de mon argument. Puis, au fil de la conversation, il me laissa entendre à mots couverts qu'il serait infiniment regrettable que, pour une raison ou pour une autre, il ne soit plus en mesure de continuer à assurer à mon grand-père le train de vie princier auquel il avait été accoutumé toute sa vie.

— Mais... c'est du chantage ! s'exclama Innes, indigné.

— Mon ami le Nizam a le sourire d'un ange et la personnalité d'un cobra. Vous comprendrez sans peine qu'il n'était pas question d'exiler mon grand-père à Londres, à son âge et avec ses habitudes — sans parler de ma vie sociale, sur laquelle j'aurais dû faire une croix. Je me suis donc résigné à prêter de mon mieux la main aux recherches. Pour ma peine, le Nizam me remit alors une somme d'argent — astronomique selon les critères normaux — destinée, me dit-il, à me défrayer de mes dépenses. Nous ne doutions ni l'un ni l'autre que ces recherches allaient m'amener jusqu'au plus hauts niveaux du gouvernement britannique puis jusqu'en Amérique.

Sachant ménager ses effets, Presto fit une nouvelle pause et but une longue gorgée de café.

— Quels sont vos rapports avec le gouvernement ? demanda Jack sans dissimuler son impatience.

— Lorsque, de retour à Londres, je me suis renseigné auprès de mes relations au Foreign Office sur la disparition éventuelle d'autres ouvrages sacrés, mes demandes furent accueillies avec stupeur et l'on m'adressa à des serviteurs de l'État chaque fois plus éminents — tous persuadés que j'agissais à titre officiel ou diplomatique, erreur dont je m'abstenais de les dissuader — jusqu'à ce que je finisse par aboutir dans le bureau du Premier ministre.

— Gladstone ? s'étonna Doyle.

— Lord Gladstone en personne. Après avoir brièvement bavardé d'amis communs, il m'apprit qu'un ouvrage d'une extrême importance pour l'Église anglicane avait été dérobé, que dans l'état actuel de l'enquête la piste conduisait à New York et que l'on soupçonnait le vol d'avoir été commandité par un riche collectionneur dénué de scrupules.

Doyle lança un coup d'œil à Jack pour observer sa réaction, mais ce dernier restait impassible.

— Arrivé ici il y a quinze jours, je me suis introduit dans la bonne société grâce au ridicule déguisement sous lequel vous m'avez vu hier soir, monsieur Doyle, puisque c'est l'image que les gens semblent se faire d'un maharadjah. J'y ai obtenu un franc succès, j'ai le regret de le dire.

— Et l'*Odo-rama* ? intervint Innes.

— Je ne pouvais rien imaginer de plus absurde pour attirer l'attention. Vous ne devinerez jamais à quel point je suis submergé sous les propositions d'investisseurs ! Les Américains subodorent les possibilités de profit plus sûrement que les requins reniflent le sang dans la mer. Cela m'a permis, en tout cas, de faire savoir autour de moi que je m'intéressais aux livres rares, religieux de préférence.

— Pourquoi avez-vous contacté Doyle ? demanda Jack.

— Bonne question. J'ai reçu avant-hier un télégramme du cabinet du Premier ministre me conseillant de solliciter son assistance. Le voici.

Jack prit le feuillet et le lut avec soin. Puis, apparemment satisfait de son examen, il dévisagea Presto comme s'il cherchait à percer en lui quelque secret.

— De quel danger vouliez-vous m'avertir, hier soir ? demanda Doyle.

— J'avais remarqué un grand blond qui vous surveillait d'un coin de la pièce avec une évidente malveillance. Quand je l'ai vu s'approcher de vous en glissant une main sous sa veste, vraisemblablement pour y prendre une arme, j'ai réagi d'instinct, rien de plus.

Doyle se souvint de celui qui avait usurpé la place du premier lieutenant sur la passerelle de l'*Elbe*.

— Un grand jeune homme blond ? Je l'ai aperçu, en effet, au moment où nous partions. Que savez-vous de lui ?

Avant que Presto ait pu répondre, Jack prit dans sa poche le feuillet couvert des griffonnages du rabbin Stern, le déplia et le lui tendit.

— Ceci évoque-t-il quelque chose pour vous, demanda-t-il en montrant le dessin de la haute tour noire.

Presto écarquilla les yeux.

— Grand Dieu ! Vous allez me croire complètement fou.

— Pourquoi ?

— Parce que je l'ai déjà vu... en rêve.

Plus tard ce jour-là, deux policiers découvrirent, en faisant leur ronde, le cadavre de Ding-Dong Dunham dans une venelle infestée de rats près du quartier général des Houston Dusters. Si nul au commissariat ne versa de pleurs, les plus endurcis ne purent toutefois cacher leur effarement devant l'incroyable sauvagerie avec laquelle le crime avait été commis. Ce qu'avait perpétré Ding-Dong pour subir de telles mutilations devait dépasser de loin l'échelle selon laquelle ils estimaient jusqu'alors la noirceur de ses forfaits.

Un unique témoin se présenta, un Duster du nom de Mousy Malloy qu'un coup de pied de cheval sur le crâne avait rendu définitivement idiot. Désormais inapte au service actif, ses rôles dans la troupe se bornaient à ceux de souffre-douleur et de garçon de courses. Tremblant de terreur, il rapporta avoir vu, du réduit où il s'était caché, un grand Allemand blond arriver au quartier-général muni d'une valise pleine de billets de banque. Ding-Dong ayant refusé de lui remettre en échange un vieux grimoire, dont il exigeait au préalable de savoir pourquoi l'autre le voulait, l'Allemand avait pris un couteau et entrepris de dépecer Ding-Dong avec la minutie d'un père de famille nombreuse découpant une dinde de Noël.

Mousy Malloy ayant la réputation bien établie de ne plus avoir toute sa tête et de raconter n'importe quoi, les policiers n'en crurent pas un mot. Pour eux, Ding-Dong avait connu la fin sordide et inéluctable qui attend les voyous de son acabit. Bon débarras. Affaire classée.

Aucun des valeureux policiers ne se doutait que, pour une fois, Mousy Malloy n'avait dit que la stricte vérité.

Phoenix, Arizona

En dépit ou, peut-être, à cause du cabotinage de Bendigo Rymer, les autorités suspendirent le départ du train postal que devait emprunter la troupe jusqu'à ce que les wagons en aient été minutieusement fouillés et les témoignages des Baladins recueillis. Selon les instructions formelles de Rymer, ceux-ci déclarèrent avec ensemble n'avoir vu aucun Chinois courir à travers la gare en brandissant un sabre. Les problèmes soulevés par la convocation d'un ou plusieurs comédiens afin de témoigner devant un tribunal auraient réduit les finances de la tournée à une misère si noire que Rymer en avait eu des sueurs froides par anticipation.

De fait, il était le seul à avoir aperçu Kanazuchi, mais de trop loin et de manière trop fugitive pour distinguer son visage. L'homme avait quand même des traits asiatiques et brandissait un objet que Rymer, accoutumé aux accessoires théâtraux, avait identifié comme une latte ou un sabre.

Les policiers du chemin de fer avaient trouvé derrière les balles de coton le corps de leur collègue, dépouillé de son uniforme et le cou brisé, mais aucune trace de son agresseur. La rumeur d'abominables crimes commis à la gare de triage de Yuma était parvenue jusqu'à eux, enjolivée comme il se doit de détails propres à susciter l'horreur des honnêtes gens. Une chose était certaine, en tout cas : le coupable était un Chinois atteint de folie sanguinaire.

Comme si le retard n'était pas assez irritant, ce vieil importun de rabbin avait décidé, sans raison avouable, de voyager avec les Baladins jusqu'à Wickenburg ou peut-être au-delà. Dire qu'il s'était entiché de la vedette féminine de la troupe qui, de son côté, l'encourageait d'une manière frisant l'indécence ! Cette femme n'avait donc aucune pudeur ? Bendigo Rymer bouillait d'indignation de les voir roucouler comme des tourtereaux. Il aurait dû écouter son instinct et chasser cette maudite Anglaise à grands coups de pied dans le postérieur aussitôt après cette nuit de folie passée avec elle à Cincinnati.

Un éclat de rire d'Eileen parut le narguer. Le vieillard riait aussi. Qu'ont-ils de si drôle à se raconter, ces deux-là ? se demanda Rymer au comble de la fureur. Oseraient-ils se moquer de moi ? L'intérêt de cette garce pour ce vieux débris avait quelque chose de... oui, d'humiliant.

Bendigo Rymer porta sa flasque d'argent à ses lèvres et y puisa une longue gorgée de réconfort.

Lorsque Buckskin Frank débarqua dans l'après-midi du train spécial qui l'avait amené à Phoenix avec sa milice, il fut agréablement surpris de trouver la scène du crime isolée par des cordes et à peu près intacte. Les traces de pas qui partaient de derrière les balles de coton correspondaient à celles qu'il avait relevées à Yuma : des empreintes plates, sans talons, comme les sandales que portaient les coolies. Un garde ayant tiré un coup de feu sur le tueur avait eu le temps de le voir d'assez près pour affirmer qu'il s'agissait bien d'un Chinois. Voilà pour les bonnes nouvelles.

Il y en avait aussi de mauvaises. Frank n'allait sans doute pas pouvoir poursuivre le suspect en Sonora puis, une fois là-bas, fausser compagnie à cette bande d'incapables et s'installer de manière à partager paisiblement son temps entre la prospection minière, la dégustation des crus de tequila et la comparaison des bordels jusqu'à ce qu'il trouve le meilleur — projet qui en disait long sur ce qui lui subsistait d'ambition.

Frank alluma une cigarette, se redressa de toute sa taille et s'éloigna seul le long de la voie — s'il affectait de se plonger dans de profondes réflexions, les autres lui laissaient le champ libre. Sa veste en peau de daim brillait au soleil comme une armure en vieil or, sa longue moustache annonçait un mâle courage au service du bien public. Sur le quai, des femmes qui l'avaient reconnu gloussaient et babillaient en le dévorant des yeux : les journaux locaux avaient mentionné sa libération pour la bonne cause et signalé son arrivée imminente à Phoenix.

Qu'est-ce qui justifiait l'attrait qu'il exerçait sur les femmes ? Il se posait souvent la question sans y trouver de réponse satisfaisante. Se précipitaient-elles sur lui comme des mouches sur une charogne parce qu'il avait tué une femme sous les yeux de dizaines de témoins — pauvre Molly, il avait détruit avec elle le meilleur de lui-même ! — et eu son nom dans les journaux ? La quasi totalité des visiteuses de la prison étaient insatiables de détails sur tous les gens qu'il avait tués. La faute en incombait sans doute aux romans de quatre sous, parus depuis des années avec son portrait sur la couverture, qu'il ne s'était pas donné la peine de faire interdire. Il en avait même écrit plusieurs ! Ce n'étaient pas des chefs-d'œuvre, bien sûr, mais tous des best-sellers. Les gardiens de la prison en avaient toujours des piles qu'ils vendaient aux touristes.

Inutile de se leurrer : si sa célébrité lui gâchait la vie, il en était responsable. La prison lui avait au moins apporté cinq ans de tranquillité, à l'abri des exigences des femmes et de leurs questions idiotes. Plus que la renommée, plus même que la fortune, tout ce que voulait Frank, au fond, c'était qu'on lui fiche la paix. Molly était la seule à l'avoir compris — et voyez où cela l'avait menée...

Quelle andouille je suis ! pensa-t-il amèrement. À peine sorti du placard, voilà que je le regrette. Les gardiens s'arrangeaient de temps en temps pour le laisser seul dans sa cellule avec une pute — les volontaires ne manquaient pas, loin de là. À sa propre surprise, il s'était vite rendu compte que, depuis la mort de Molly, il n'en demandait pas davantage sur le chapitre de la compagnie féminine. Eh bien, se dit-il, qui l'empêchait de mettre au point le même genre d'arrangement, maintenant qu'il était presque libre ? Était-il condamné à lier son sort à toutes celles qui lui feraient les yeux doux ? Non. Nul au monde ne l'y avait forcé, nul ne l'y contraindrait à l'avenir.

Rasséréné, il écrasait sa cigarette sous sa botte quand le chef de gare vint lui remettre la liste des trains qui avaient quitté la gare depuis le matin : deux convois de marchandises, deux de voyageurs, un train postal. Qu'on en ait autorisé le départ dans de telles circonstances dépassait l'entendement, mais Frank avait depuis longtemps renoncé à l'espoir de déceler une trace de jugeote, sinon d'intelligence, chez une écrasante majorité de l'espèce humaine.

Le voyant distrait de ses cogitations solitaires, les volontaires et les curieux se rassemblèrent autour de lui.

— Vous avez télégraphié aux gares sur les lignes de ces trains, bien entendu ? dit-il au chef de gare.

Déjà intimidé par la personnalité de Frank dont il avait lu quelques livres, le chef de gare rougit de honte.

— Euh... vous croyez qu'on aurait dû ? bredouilla-t-il.

— Franchement, oui.

— Mais nous avons fouillé tous les convois avant de les laisser partir.

— Et alors ?

Avec le sourire douloureux de l'homme qui a une vessie pleine et ne voit aucun endroit pour la soulager, le chef de gare reprit la liste et partit en courant. Frank poussa un soupir résigné, se roula une cigarette et s'éloigna le long des voies comme s'il cherchait des indices. En fait, ses récentes réflexions avaient réveillé sa libido et il se demandait s'il aurait l'occasion de la satisfaire avant que la chasse à l'homme prenne sa vitesse de croisière.

À une trentaine de pas, il repéra une petite mare de sang dans la poussière, la tâta du doigt et constata qu'elle était sèche — au moins deux heures. Une traînée de gouttelettes s'en détachait, qui s'interrompait près d'une voie inoccupée. Le chef de gare saurait peut-être quel train y avait stationné le matin.

— Monsieur McQuethy ?

Les femmes qui l'avaient regardé passer depuis le quai se dandinaient à dix pas de lui, rouges de confusion. Frank porta poliment une main au bord de son chapeau.

— Mesdames.

Celle qui l'avait hélé s'approcha. Une grand blonde, un peu forte. La mieux du lot — la moins moche, plutôt.

— Pardonnez notre indiscrétion, mais... nous avons appris votre libération par le journal de ce matin.

— Hmm, hmm, fit Buckskin Frank sans se compromettre.

La grande blonde se troubla.

— Eh bien... nous sommes, si je puis dire, vos admiratrices les plus convaincues de Phoenix. Nous avons lu tous vos livres et suivi votre carrière avec passion...

— Hmm, hmm, commenta Frank.

Un éclair traversa le regard de la grande blonde, comme un reflet de lumière dans un diamant en toc. Frank se sentit à la fois piégé et excité — l'histoire de sa vie...

— Nous savons que vous êtes très occupé, mais... nous nous demandions si vous nous feriez l'honneur d'accepter une invitation à déjeuner pendant que vous êtes en ville.

Frank la gratifia d'un large sourire. Une fois de plus, le souvenir de tous les malheurs qui s'étaient abattus sur lui à cause des femmes se volatilisait plus vite que l'argent des contribuables dans les caisses du Trésor.

Chicago, Illinois

Elle s'appelle Mary Williams, apprirent à Dante Scruggs les deux vieilles toupies qui tenaient la pension de famille. Mary leur avait dit qu'elle venait d'un village du Minnesota, où elle était institutrice, dans l'espoir de trouver le même emploi dans une école de Chicago. Bien sûr, elles l'avaient crue sur parole. Dante les informa qu'il était chargé par l'inspection d'Académie de vérifier les références de Mlle Williams. Tant que l'enquête ne serait pas close, conclut-il avec un sourire, mieux valait donc ne pas faire état de sa visite à la postulante. Quel homme charmant ! soupirèrent les vieilles filles après son départ.

Mary sortait tous les matins à huit heures précises. À l'aide d'un plan de Chicago acheté le premier jour, elle explorait méthodiquement la ville à la recherche d'on ne savait quoi. Dante la suivait toujours à bonne distance, noyé dans la foule. Une fois, comme si elle avait oublié quelque chose, elle avait brusquement fait demi-tour et marché droit sur lui. Il n'avait eu que le temps de lui tourner le dos en feignant de regarder la vitrine d'une boutique. Il était sûr qu'elle ne l'avait pas vu ; pourtant, elle n'empruntait depuis que des rues animées et regagnait la pension de famille avant la nuit.

L'après-midi du troisième jour, elle parut avoir enfin trouvé ce qu'elle cherchait : le château d'eau de Chicago Avenue. C'était l'un des rares bâtiments qui avait échappé au grand incendie, une haute structure de pierre blanche couronnée de flèches et de gâbles lui donnant l'allure d'un château de conte de fées échoué dans une ville moderne. Pendant plus d'une heure, elle arpenta la rue, s'approcha, s'éloigna, regarda la tour sous tous les angles. Que peut bien signifier ce manège ? se demanda Dante, intrigué.

Il eut le temps de se poser cent fois la même question, car la femme resta ensuite plantée sur le trottoir sans rien dire à personne. Elle se contentait de regarder les gens passer en les dévisageant comme si elle attendait quelqu'un. Elle est vraiment bizarre, se disait Dante qui l'observait d'un bar de l'autre côté de la rue. Elle ne reprit le chemin de la pension qu'au moment où les allumeurs de réverbères commençaient leur tournée.

L'homme aux yeux noirs et au bras gauche tatoué, qui suivait Dante Scruggs depuis plusieurs semaines, reprit la filature avec sa discrétion coutumière. Après avoir vu Dante rentrer chez lui, il regagna le bureau local de son organisation afin de compléter son rapport. Son supérieur arrivait le lendemain de New York par le train, avec le livre qu'il s'était procuré. Le moment serait alors venu de régler le cas de Dante Scruggs.

New York

Doyle remplissait consciencieusement ses obligations d'Auteur Célèbre, mais le cœur n'y était pas. Le nuage de mystère entourant Jack Sparks et l'affaire du vol des livres saints le captivaient bien davantage que l'ennuyeuse routine de griffonner des signatures, serrer des mains à la chaîne et répondre cent fois de suite aux mêmes questions ineptes sur la mort de son héros. Le contact direct avec le sincère enthousiasme de ses lecteurs finissait pourtant par lui remonter le moral. De temps à autre, il avait même la divine surprise de rencontrer une bonne âme qui avait lu ses ouvrages historiques et lui en tendait un — trop rare — exemplaire sur lequel il apposait une dédicace flatteuse.

À l'issue d'une séance de lecture particulièrement triomphale à l'église baptiste de la 57ᵉ Rue, le major Pepperman rayonnait de joie au vu du montant des recettes. Après s'être frayé tant bien que mal un chemin dans la foule de ses admirateurs en délire, Doyle éluda une fois de plus l'invitation pressante de son imprésario à célébrer l'occasion par un souper fin et reprit avec Innes le chemin du Waldorf, où Jack, Presto et Lionel Stern l'attendaient pour rendre compte de leurs activités de la journée.

Stern avait assisté aux obsèques de Rupert Selig à Brooklyn et trouvé, en rentrant chez lui, un télégramme du rabbin Isaac Brachman de Chicago. Jacob Stern lui avait rendu visite quatre jours auparavant. Pensant qu'il avait regagné New York, le rabbin se disait stupéfait d'apprendre sa disparition. Jacob Stern n'ayant fait aucune allusion devant lui à d'autres projets, Brachman ignorait tout de l'endroit où aurait pu se rendre le père de Lionel.

Le télégramme du rabbin révélait un autre problème grave : le Tikkunei Zohar, ouvrage que Lionel s'était procuré à sa demande l'année précédente, avait disparu depuis cinq semaines de sa synagogue. Brachman se bornait à indiquer, sans plus de précisions, qu'il pourrait y avoir un rapport entre ce vol et le Congrès des religions qui s'était tenu à Chicago dans le cadre de l'Exposition universelle de 1893, congrès auquel Jacob Stern avait participé en tant que représentant pour l'Amérique du judaïsme orthodoxe.

Presto fit ensuite son rapport. Il avait consacré sa journée à retourner chez les libraires spécialisés dans les livres anciens, auxquels il avait déjà rendu visite depuis son arrivée à New York. L'un d'eux lui avait fait part d'une rencontre pour le moins intrigante.

— Un Allemand cultivé, élégant et de belle apparence est venu hier dans sa boutique en se présentant comme l'agent d'un riche bibliophile à la recherche de manuscrits religieux anciens. Il n'ignorait pas l'extrême difficulté de se procurer de tels ouvrages, qui se trouvent le plus souvent entre les mains de chercheurs ou d'institutions spécialisées. Toutefois, il s'intéressait en particulier au Zohar de Gérone et voulait savoir si, par hasard, le bouquiniste avait entendu parler d'un exemplaire de ce volume qui pourrait se trouver actuellement sur le marché aux États-Unis. Or, conclut Presto non sans emphase, cette boutique est située à moins de deux rues des bureaux de M. Stern.

— Encore l'Allemand ! s'exclama Innes.

— Il est désormais sans aucun doute en possession de la copie que nous avons jetée sur la voie, dit Doyle. Avez-vous idée de son identité ?

Avec un large sourire, Presto fit apparaître comme par magie une carte de visite.

— Frederick Schwarzkirk, collectionneur. Pas d'autres titres. Une adresse à Chicago.

— Schwarzkirk ? Voilà un nom inhabituel.

— Il signifie « église noire », dit Jack.

Doyle, Presto et lui échangèrent un regard : la tour noire de leurs rêves... Ce n'était pas une coïncidence.

— Votre tournée doit-elle passer par Chicago ? demanda Jack à Doyle.

— Oui.

— Nous y partons demain, précisa Innes.

— Bien. Nous vous accompagnons.

— Avec plaisir, Jack. Mais qu'y a-t-il ? s'étonna Doyle, que Sparks continuait de dévisager avec insistance.

— Je voudrais vous présenter quelqu'un. Ce soir même.

— Il est un peu tard pour rendre des visites...

— Mon ami dédaigne les horaires réguliers. Prêt ?

Doyle lança un regard à Innes, qui semblait bouillir d'impatience et de curiosité.

— Soit, dit-il avec un soupir résigné. Nous vous suivons.

Bien que la Cinquième Avenue fût quasi déserte à cette heure tardive, on y sentait palpiter l'extraordinaire dynamisme de la gigantesque métropole. Rivalisant de faste, les faux palais italiens et les copies de châteaux Renaissance se succédaient en une exhibition ostentatoire. Devant ces monuments élevés à la vanité de leurs propriétaires, Doyle restait sans voix. En Angleterre, les riches observaient une certaine discrétion. Ici, au contraire, ils semblaient clamer à tous les échos : admirez-moi ! Voyez ma réussite ! J'ai battu les dieux à leur propre jeu !

Ces titans de l'industrie et du commerce ont-ils tort, après tout ? se demanda-t-il. Dans deux mille ans, lorsque cette orgueilleuse cité sera retombée en poussière, il n'en subsistera peut-être plus d'autres vestiges que les ruines de ces temples païens. Qu'y découvriront les archéologues pour assouvir leur curiosité ? Quels objets, reliques et symboles d'une civilisation disparue seront offerts à la vénération des foules dans les vitrines des musées ? Nos corps auront disparu, notre souvenir se sera évanoui et nous survivrons pour les générations à venir sous l'humble forme d'un buste, d'un peigne ou d'une épingle de cravate. Si c'est là une forme d'immortalité, elle en vaut bien d'autres...

Leur voiture embarqua sur un bac afin de traverser le fleuve

Hudson vers la rive du New Jersey. À part Jack, assis à la place du cocher, aucun des quatre hommes à l'intérieur ne connaissait leur destination. Pour passer le temps, Presto les régala d'anecdotes sur les princes et les maharanis du Rajasthan, leurs joyaux, leurs palais d'or et d'ivoire, leurs éléphants caparaçonnés d'or et de pierres précieuses, leurs chasses aux tigres mangeurs d'hommes. Émoustillé, Innes voulut tout savoir sur les mystères du harem, ce qui ouvrit une discussion animée sur le sort comparé des femmes dans les sociétés orientale et occidentale.

De temps à autre, Doyle lançait un coup d'œil vers Jack en déplorant son refus de participer à ce genre de conversations informelles dont ils se délectaient tous deux jadis. Jack entendait ce qu'ils disaient, mais ne répondait pas. Il semblait vouloir s'isoler, comme un gardien de phare absorbé par la surveillance de l'océan pour y déceler l'annonce de quelque tempête. Jusqu'où ses épreuves avaient-elles éloigné Jack du reste de l'humanité et de ses soucis prosaïques ? Avait-il perdu à jamais tout contact avec ses semblables ? Se considérait-il encore comme un des leurs ? Fallait-il désespérer de le retrouver tel qu'en lui-même ? Son instinct lui répondait non. Et pourtant...

Il était près d'une heure du matin lorsqu'ils arrivèrent en vue de leur destination. Au-dessous d'eux, occupant presque toute la surface d'une vallée baignée d'une lumière intense, s'étendaient de longs bâtiments de brique disposés en carré, entourés de lampadaires électriques et d'une haute clôture blanche, sans enseigne ni signes distinctifs. Après avoir échangé quelques mots à voix basse avec un garde à l'entrée, Jack mena la voiture jusqu'au bâtiment le plus élevé, au centre du quadrilatère. Par de hautes baies vitrées, on voyait à l'intérieur de vastes halles bourrées de machines et des laboratoires équipés d'appareils scientifiques.

Ils franchirent derrière Jack une porte métallique et prirent un couloir débouchant dans un immense hall, haut d'une dizaine de mètres, bordé de galeries à mi-hauteur. Contre le mur du fond, des rayons de bibliothèque contenaient au moins une dizaine de milliers de livres, estima Doyle. Des vitrines abritaient des collections de minéraux, des échantillons d'alliages métalliques, des prototypes d'inventions variées. Des statues grecques meublaient les angles, des photographies et des tableaux couvraient chaque pouce carré de paroi disponible. La pièce donnait l'impression d'être à la fois spacieuse et encombrée, imposante et intime.

Au milieu, derrière un bureau à cylindre, un homme d'âge moyen aux cheveux gris en désordre, vêtu avec simplicité, était à demi étendu dans un fauteuil pivotant, les pieds posés sur un tiroir ouvert. Il tenait un bol de métal sur ses genoux, les mains croisées par-dessus, et paraissait assoupi. Jack fit signe aux autres de garder le silence et s'approcha sans bruit du dormeur.

Lionel Stern ne put retenir un léger cri de surprise :

— Savez-vous qui c'est ? murmura-t-il.

Deux billes d'acier échappèrent à la main de l'homme et tombèrent dans le bol. Réveillé par le bruit, il recouvra aussitôt sa lucidité, se tourna vers les arrivants. Ses sourcils broussailleux se froncèrent au-dessus de ses yeux brillants d'intelligence. Il reconnut Jack, lui fit signe d'approcher. Les deux hommes se serrèrent la main en échangeant des salutations pleines de cordialité.

— Thomas Edison ! chuchota Stern à ses compagnons.

Jack fit les présentations. En apprenant le nom de Doyle, le visage d'Edison s'illumina comme une de ses célèbres ampoules électriques. Il ne trouva pas de mots assez forts pour exprimer son admiration au créateur de Sherlock Holmes. Quelle joie, déclara-t-il, de découvrir autant d'intelligence chez un héros de roman, alors que la plupart des autres brillent par leur platitude ! Doyle en fut si flatté qu'il en resta pantois.

Bondissant sur ses pieds avec la souplesse d'un jeune homme, Edison grimpa à l'échelle roulante de la bibliothèque et y prit un volume relié de ses œuvres complètes qu'il pria Doyle de lui dédicacer.

— Holmes a-t-il de nouvelles aventures en préparation ? voulut-il savoir. Notre homme est sûrement assez astucieux pour avoir survécu à son petit problème dans la chute d'eau.

— Il en sera peut-être question, répondit Doyle afin de ne pas décevoir le grand homme.

Toujours avide de faits précis, Edison l'interrogea sur ses méthodes de travail. Combien d'heures écrivait-il par jour ? Six. Combien de mots produisait-il ? Entre huit cents et mille. Écrivait-il à la main ou à l'aide d'une de ces nouvelles machines ? Avec un stylographe. Combien de jets ou de brouillons par ouvrage ? Trois. La conversation roula ensuite sur les mystérieuses origines de la créativité. Ils tombèrent d'accord pour admettre que l'insatiable désir d'ordre que manifeste l'esprit résulte dans le développement spontané d'idées organisées de manière à rationaliser ou simplifier les problèmes de la vie quotidienne, qu'il s'agisse de la conception d'une histoire capable d'élucider un aspect troublant du comportement humain ou l'invention d'une machine destinée à réduire la difficulté du travail physique.

— En un sens, dit Edison, nous sommes tous des détectives,

aux prises avec l'interrogation majeure qui marque la fin de notre existence. C'est en cela, je crois, que réside pour l'essentiel l'attrait universel de votre M. Holmes.

— Il n'est en réalité qu'une simple machine à déduire, protesta Doyle modestement.

— Oh ! mais je ne suis nullement d'accord ! Que Sherlock et les doctrines médicales à la mode me pardonnent, mais notre cerveau n'est pas une machine. Lorsqu'il est amené à l'état de réceptivité approprié, le cerveau entre en contact avec le champ de l'idée pure, qui n'est ni physiquement définissable ni purement théorique, mais une dimension de la pensée abstraite, parallèle à la nôtre, qui recouvre notre univers et lui dispense des informations d'une manière que nous avons peine à imaginer. Nous ne pouvons en faire l'expérience directe qu'à l'aide d'un esprit spécialement préparé dans ce dessein. Les plus grandes inspirations de l'humanité puisent leur source dans les visions qui nous sont données lorsque nous visitons cet « ailleurs ».

Doyle ne put qu'approuver.

— Puis-je vous demander, monsieur, ce que vous faisiez avec ces billes et ce récipient en acier quand nous sommes arrivés ? enchaîna-t-il.

— Je comprends de qui Sherlock Holmes tient l'acuité de ses facultés d'observation, répondit Edison en riant. Assez tôt dans ma vie, je me suis rendu compte que les meilleures idées se formaient dans mon esprit lorsque je me trouvais à la limite du rêve, au passage de l'état de veille au sommeil ou inversement. Ce bref instant transitoire est, je crois, celui où le cerveau atteint son état de réceptivité optimal pour entrer en contact avec le domaine de la raison pure. La seule difficulté consiste à se maintenir dans cet équilibre délicat où survient le rêve. Nous avons toujours tendance à sombrer dans le sommeil où à retomber dans l'éveil...

Edison reprit ses ustensiles et se rassit afin de démontrer sa méthode.

— Donc, quand je me sens proche de l'assoupissement, je m'installe ainsi en tenant les billes au-dessus du bol. Si je m'endors, elles tombent et le bruit me réveille — je deviens un peu dur d'oreille, j'ai besoin d'un certain vacarme, précisa-t-il. Ensuite, je les ramasse et réintègre le plus vite possible cet état de semi-conscience. Plus je m'entraîne, plus j'y séjourne longtemps. Les idées viennent et il en résulte parfois de bonnes choses. N'importe qui peut acquérir cette technique. Pour ma part, je me sens plus reposé après une heure ou deux de ce que j'appelle mon état productif qu'au bout de huit heures de sommeil au lit.

— Ce que vous dites me semble très voisin des états de méditation auxquels parviennent les yogis, intervint Presto.

Edison n'avait jusqu'alors guère prêté attention aux compagnons de Doyle.

— Vraiment ? Ceci m'intéresse au plus haut point. Êtes-vous hindou, monsieur ?

— Je suis le fils anglican d'une mère catholique d'origine irlandaise et d'un père indien musulman qui a fui la culture hindouiste pour vivre en Angleterre, répondit Presto en s'inclinant avec un sourire.

— Dans ce cas, l'Amérique devrait vous convenir à merveille !

Avec un coup d'œil à sa montre, Jack déclara qu'ils ne devraient pas abuser du temps précieux de M. Edison et passer à l'objet de leur visite. Edison les guida à travers les laboratoires qu'ils avaient aperçus en arrivant, où s'affairaient pendant la journée plus de soixante chercheurs et techniciens, sans compter le personnel employé dans les autres parties du complexe. Les exigences de ses investisseurs, se plaignit-il amèrement, le contraignaient désormais à consacrer le plus clair de son temps aux tâches administratives. Dorénavant, l'argent passait avant tout. Il était loin l'heureux temps de Menlo Park, où il pouvait appliquer toute son énergie à ses recherches et où la confiance ne lui était pas mesurée !

Ils sortirent du bâtiment principal pour gagner, dans un angle du quadrilatère, une baraque en bois surmontée d'une étrange toiture articulée. L'intérieur était tapissé de papier noir, une estrade au fond était entourée de rideaux noirs. Tandis qu'Edison disparaissait dans un réduit fermé par des rideaux noirs à l'autre bout de la salle, les cinq visiteurs prirent place sur des chaises devant un écran blanc qui pendait du plafond.

Les lumières s'éteignirent. Doyle profita de l'obscurité pour se pencher vers Jack.

— Comment avez-vous fait sa connaissance ?

— Je suis venu ici sans prévenir il y a trois ans, quand j'ai repris du service.

— Pourquoi ?

— Des mystères à élucider. Des idées à développer. Des questions à poser. Il s'est montré étonnamment coopératif. J'ai vécu ici deux mois. Il m'a présenté à ses gens comme un ingénieur anglais en visite. Nous avons échangé des idées sur certaines applications de ses nouvelles techniques...

Un bourdonnement rythmé lui coupa la parole. Un étroit faisceau lumineux projeta sur l'écran une lumière blanche éblouissante. Edison reparut et resta debout près d'eux.

— Il y a quelques pieds d'amorce. Un peu de patience, Jack, nous arriverons bientôt à ce que vous vouliez voir.

L'écran s'assombrit puis, sans transition, deux boxeurs en pleine action apparurent sur un ring. L'image était en noir et blanc, les personnages se mouvaient d'une manière saccadée assez comique ; malgré tout, ce spectacle animé surgi du néant stupéfia les spectateurs.

— Gentleman Jim Corbett, champion du monde des poids lourds, expliqua Edison en montrant le plus imposant des deux pugilistes. Les prises de vues ont été réalisées ici même. L'autre est un obscur boxeur de la région...

Sur l'écran, Corbett expédia son adversaire au tapis d'un crochet imparable.

— Vite retourné à son obscurité, conclut Edison.

L'image changea tout à coup pour celle d'un tunnel à flanc de montagne. Des rails aboutissaient au centre de l'écran. Un instant plus tard, une locomotive émergea du tunnel à toute vapeur et fonça droit sur les spectateurs, qui poussèrent malgré eux un cri de frayeur.

Edison s'esclaffa :

— À chaque fois que je vois les gens réagir comme vous, je ne puis m'empêcher de rire !

L'écran représenta ensuite un boudoir oriental avec des draperies vaporeuses et des coussins moelleux. Un bras aux formes harmonieuses, cerclé de bracelets d'argent, apparut en ondoyant de derrière un rideau, puis une jambe nue. Une femme se montra enfin, vêtue de pantalons et d'une tunique diaphanes, des fleurs dans ses cheveux bruns, un collier de perles au cou et une pierre précieuse sertie dans le nombril, qui exécuta une danse lascive en lançant aux spectateurs des œillades et des sourires séducteurs.

— Bon sang ! s'exclama Innes en manquant s'étrangler. Qui est-ce donc ?

— Little Egypt, la plus douée de toutes les danseuses du ventre aux États-Unis. Elle s'appelle en réalité Mildred Hockingheimer et elle est originaire de Brooklyn, mais elle a appris son art d'une authentique danseuse syrienne.

— Elle a beaucoup de talent, approuva Stern.

— De Brooklyn ? s'étonna Presto. Cela paraît incroyable.

— On dénombre actuellement dans le pays une vingtaine de spécialistes de cette danse, dit Edison, mais la nôtre est d'ores et déjà la plus célèbre : les spectateurs font la queue pour la voir dans nos Kinétoscopes. Il faut quand même que vous sachiez qu'il ne s'agit que d'une illusion d'optique. Quand on montre des photographies en succession rapide, comme dans cet appareil, la persistance rétinienne donne l'impression d'un mouvement continu.

— Les possibilités de ce procédé sont illimitées, observa Doyle.

— Croyez-vous ? J'ai bien peur que ses applications se bornent à assouvir chez les spectateurs une curiosité plutôt malsaine ou leur procurer des sensations fortes. Il y aurait même là quelque chose d'un peu... immoral.

— En Grande-Bretagne, pendant plus de deux siècles, les attractions les plus populaires étaient les exécutions publiques et les combats de coqs, intervint Presto. Si votre merveilleuse invention encourage le voyeurisme, ma foi, le public n'aura pas grand mal à s'y adapter.

— J'espère que vous dites vrai. En général, on se méfie des nouvelles inventions. Les gens ont longtemps cru que le téléphone pouvait propager les maladies ! Je dois avouer, en revanche, que mon Kinétoscope ne semble pas soulever les mêmes réticences.

Little Egypt fit place à une perspective de pavillons dans le style grec ou romain, entre lesquels circulait une foule considérable.

— Voici l'Exposition universelle, annonça Edison. Elle a duré six mois l'an dernier. L'un d'entre vous, messieurs, a-t-il eu l'occasion de la visiter ?

Aucun n'avait eu cette chance, admirent-ils.

— Vous avez donc manqué l'un des plus fabuleux spectacles du siècle, reprit Edison. À l'origine, les édiles de Chicago voulaient simplement montrer au monde comment leur ville avait su renaître de ses cendres après l'incendie de 1871, mais les forces invisibles qui poussent l'humanité sur le chemin du progrès en ont décidé autrement. Au cœur de la plus sévère des crises économiques subies par notre pays depuis quarante ans, l'Exposition a reçu plus de vingt-sept millions de visiteurs. Entre ma compagnie et celles de mes concurrents, elle a été l'événement le plus largement photographié de l'histoire de l'humanité.

Un flot d'images animait l'écran : halls gigantesques pleins de machines et d'appareils électriques préfigurant les siècles à venir ; véhicules à vapeur et voitures sans chevaux ; luxueux wagons-lits aux rideaux de soie, pourvus de cabinets de toilette en argent massif. Dans le pavillon central, sur un générateur électrique plus haut qu'une tour, le nom d'Edison flamboyait en lettres de feu. Penser, se dit Doyle en voyant les images mouvantes se refléter sur le visage du génial inventeur, que nous sommes là, près de lui ! Dans un autre pavillon, Edison exposait les prototypes de ses « Machines de Demain », prometteuses d'une vie meilleure pour tous, hommes, femmes et enfants : aspirateurs à poussière, machines à laver, réfrigérateurs. Plus stupéfiant encore, le Télectroscope, sorte de téléscope grâce auquel un homme à New York pourrait voir le visage d'un ami à Chicago aussi clairement que s'il se tenait près de lui.

Les vues s'enchaînaient sans trêve, allant d'attractions foraines inédites, telles qu'une immense roue pourvue de nacelles hissant les passagers à deux cent cinquante pieds de hauteur, jusqu'aux pavillons abritant les délégations de dizaines d'associations. C'est fort intéressant, pensait Doyle. Mais où tout cela mène-t-il ?

Vint alors une vue panoramique d'un large groupe d'ecclésiastiques, rassemblés sous la bannière du Congrès des religions. Des évêques et des prêtres catholiques se tenaient au coude à coude avec des pasteurs protestants, des rabbins orthodoxes ou réformistes.

Lionel Stern se pencha en avant :

— Là ! Je reconnais mon père, s'écria-t-il en montrant une silhouette anguleuse au centre du groupe. Peut-on arrêter le déroulement de l'image ?

— C'est malheureusement impossible, répondit Edison.

L'appareil de prise de vues poursuivit son lent déplacement. Le rabbin Stern disparut à droite de l'écran tandis qu'apparaîssaient à gauche les représentants des religions d'Orient et d'Extrême-Orient : musulmans, hindous, bouddhistes, coptes égyptiens, lamas tibétains, shintoïstes, patriarches orthodoxes, chacun arborant ses vêtements traditionnels.

Au bord du groupe, l'appareil marqua un temps d'arrêt. Une silhouette solitaire qui se détachait au dernier rang attira le regard des cinq hommes, celle d'un homme de grande taille, émacié, vêtu d'une sorte de lévite noire et coiffé d'un haut-de-forme d'où s'échappaient de longues mèches de cheveux noirs. Il avait la hanche gauche déformée et la manière dont il tenait ses épaules laissait deviner un dos bossu. Les traits du visage restaient flous car, seul de tous les membres du groupe, il ne fixait pas l'opérateur mais bougeait constamment la tête de gauche à droite.

Comme sous l'effet d'une décharge électrique, Jack se leva d'un bond et courut vers l'écran afin de voir l'image de près. Presque aussitôt, une succession désordonnée de traits et de taches peupla l'écran. Le film était terminé. Edison alla arrêter le projecteur.

— Il faut que je revoie ces images, lui dit Jack.

— Je dois d'abord rembobiner le film...

— Non, montrez-le moi tel quel, image par image.

— Si vous voulez.

— Qu'y a-t-il, Jack ? s'étonna Doyle.

Sparks ne répondit pas.

Quelques minutes plus tard, dans le laboratoire, Edison étala l'extrémité du film sur une tablette de verre éclairée par en dessous. Jack se pencha sur les images qu'il examina à l'aide d'une loupe.

Derrière lui, les autres attendirent en silence.

Sur une image, prise à l'un des rares moments où le prêcheur bossu ne bougeait pas la tête, ses traits se distinguaient à peu près nettement. Jack devint livide. Doyle vit la loupe trembler dans sa main.

— Nous connaissons cet homme, Arthur, dit-il d'une voix sourde.

— Vraiment ?

Jack Sparks lui tendit la loupe.

— Oui. Et nous ne le connaissons que trop bien.

LIVRE TROIS
CHICAGO

CHAPITRE 9

Eileen voulait jeter un coup d'œil sur le carnet de croquis mais à chaque fois, avec une feinte sévérité, Jacob lui ordonnait de reprendre la pose. Frustrée de le voir agiter son crayon sans pouvoir juger du résultat, elle finit par se résigner à regarder le paysage en attendant que son portrait soit terminé. Des ondes de chaleur brouillaient l'horizon. Le train serpentait dans le lit d'un arroyo à sec avant d'attaquer les pentes d'un promontoire rocheux.

Pour meubler le silence, Eileen renoua le fil de leur conversation de la veille.

— Voyons si je vous ai bien compris. Vous appartenez au clergé de votre religion. Cela ne vous confère-t-il pas le pouvoir de communiquer directement avec Dieu ?

— Ah ! mais non, Dieu merci ! Seuls Moïse et quelques patriarches bibliques portaient une aussi lourde responsabilité — et encore : leurs conversations avec Dieu passaient presque toujours par des intermédiaires, des anges ou des buissons ardents par exemple.

— Il y a pourtant des centaines de ministres chrétiens qui affirment entendre directement la parole de Dieu.

— Oui, je sais, répondit Jacob avec un sourire désabusé.

— Alors, si vous n'êtes pas en contact permanent avec Lui, quel qu'Il soit, comment êtes-vous si certain d'obéir à Sa volonté ?

— Un rabbin, ma chère petite, ne prétend jamais rien de tel. C'est un sujet beaucoup trop important pour être laissé aux seuls professionnels. Si Dieu parle, c'est par la voix du cœur, organe dont chaque homme est pourvu.

— À l'exception des producteurs de théâtre...

— Et de certains habitants de New York, enchaîna Jacob en

riant. Nous autres, voyez-vous, nous croyons que la bonne marche du monde est assurée grâce à un petit nombre de justes, gens au demeurant tout à fait ordinaires qui vaquent à leurs occupations sans attirer l'attention.

— Autrement dit, des saints ?

— Des saints discrets et inconnus, qui ne cherchent ni récompenses ni félicitations pour leurs actes. Ils n'ont souvent pas idée eux-mêmes de la fonction essentielle qui leur incombe. Le poids du monde entier repose pourtant sur leurs épaules.

— Ce serait plutôt du ressort du Messie, non ?

— On fait beaucoup trop de bruit autour du Messie...

— Quoi ? Vous n'y croyez pas ?

— Dans la tradition judaïque, il y a un vieux dicton : si on vient vous annoncer la venue du Messie pendant que vous plantez un arbre, finissez de planter votre arbre avant d'aller voir si c'est vrai. Considérée dans sa perspective historique, l'idée de Messie est apparue et a pris racine parce que les Juifs aspiraient à ce qu'un être doté de pouvoirs surnaturels descende du ciel pour les sauver. Au bout de mille ans d'esclavage, c'est une réaction bien compréhensible, vous ne trouvez pas ?

— Si. À leur place, j'en aurais voulu un escadron !

— Ensuite, Jésus est apparu — que vous croyiez en lui ou non, c'est un fait historique. La culture occidentale a beau en être restée profondément marquée, il n'est jamais survenue une fin de siècle sans que la terreur du Jugement dernier ne réveille la soif des hommes pour un Sauveur providentiel capable de tout arranger. Le plus curieux, c'est la notion qu'il ne puisse y en avoir qu'un seul.

— Il pourrait y en avoir plusieurs ? Le Messie est pourtant unique par définition, non ?

— La Kabbale présente une alternative qui m'a toujours paru plus raisonnable. Chaque génération qui se succède sur Terre comporte quelques individus qui, sans avoir eux-mêmes conscience de posséder de telles qualités, pourraient assumer le rôle du Messie si les circonstances l'exigeaient.

— Le " rôle " du Messie ?

— Nous jouons tous un rôle dans la vie, de même que des acteurs sur la scène. Tout compte fait, la vie est un grand spectacle dans lequel le Messie est l'un des personnages les plus intéressants.

— Quelles circonstances, selon vous, pousseraient ce Messie à entrer en scène ?

— Les calamités habituelles, j'imagine : cataclysmes naturels, épidémies mortelles, apocalypse, que sais-je ? Précisons toutefois que, selon la théorie que je viens d'exposer, Il serait présent en permanence sans que nul d'entre nous ne s'en rende compte.

— Et que deviennent les élus, si le texte du drame ne les appelle pas à remplir leur rôle ?

— Eh bien, ces heureuses créatures vivent en paix le reste de leurs jours et meurent sans souci.

— Et sans jamais s'être douté de ce qu'ils auraient pu accomplir ?

— Je l'espère pour eux, les pauvres ! Messie, quel rôle ingrat ! Pensez donc : voir des foules se jeter à vos pieds en vous suppliant de les guérir de leurs rhumatismes. Ne pas pouvoir proférer une parole qui ne soit une perle de sagesse divine. Et pour finir, la souffrance et la mort sans même un mot de remerciement...

— À propos de crucifixion, est-ce que je pourrais enfin bouger ? Je suis au bord du torticolis incurable.

— Bien sûr, voyons ! D'ailleurs, j'ai presque fini.

Eileen changea de position et se détendit.

— Dites-moi : je n'ai jamais bien compris ce que ce Messie serait censé faire s'Il revenait sur terre ?

— Les opinions sont très divisées à ce sujet. Certains professent qu'Il descendra du ciel à la dernière minute pour arracher le monde à la nuit éternelle. D'autres affirment qu'Il apparaîtra porteur du glaive de la Justice divine afin de châtier les méchants et de récompenser les justes, qui ne doivent guère dépasser la douzaine. Un troisième courant de pensée estime que si les humains se repentent et s'engagent sur le chemin de la vertu en nombre suffisant, Il viendra nous guider tous vers les portes du Paradis. Sans parler des deux tiers de l'humanité qui ne croient à aucune de ces versions et pour lesquels l'idée même est absurde.

— Et vous, Jacob, que croyez-vous ?

— Étant parvenu à la conclusion que mon ignorance dans ce domaine est insondable, je considère cette question trop importante pour oser y répondre avec un minimum de certitude.

— Autrement dit, laissons les certitudes aux fanatiques.

— Tout juste. Attendre et voir venir, voilà la sagesse. Je découvrirai peut-être la réponse à ma mort. Sinon...

Il éclata d'un rire joyeux et tendit à Eileen son portrait. À l'évidence, il avait la main sûre et le regard pénétrant. Les traits étaient reproduits avec une remarquable précision, mais la ressemblance allait plus loin et plus profondément que les simples apparences. Il a capté ma vraie personnalité, pensa Eileen en refrénant un sursaut : la fierté, l'entêtement, la fragilité secrète. Jacob avait su discerner l'idéalisme romanesque enfoui sous les couches de cynisme blasé accumulées au fil des ans.

Une actrice passe le plus clair de son temps à étudier son visage dans le miroir ; pourtant, Eileen n'y avait jamais revu ces qualités, oubliées depuis si longtemps que les larmes lui montèrent aux yeux. En elle, la fraîche et naïve adolescente de Manchester aurait donc survécu ? Eileen eut honte de pleurer ainsi sur sa jeunesse perdue, la meilleure part d'elle-même, que Jacob avait reconnue et si clairement représentée. Mais pour une fois, sous le regard plein de bonté et de tendresse de ses yeux bleus, elle ne se soucia pas de ses cheveux emmêlés et de son maquillage en déroute.

Quand elle voulut lui rendre le portrait, il refusa avec insistance. Gênée, elle se détourna, sécha ses larmes, se moucha — que c'est séduisant, ce bruit de trompette ! — et bredouilla un remerciement.

— Si vous voulez bien m'excuser un instant, dit Jacob en se levant.

Elle acquiesça d'un signe, soulagée d'être seule le temps de se ressaisir.

Jacob avait le plus urgent besoin de respirer de l'air pur. Pour la troisième fois depuis son départ de Chicago, des palpitations dans la poitrine revenaient soudain l'assaillir. Il éprouvait une sensation de vertige, son champ de vision se rétrécissait. Avec le peu de force qui lui restait, il agrippa la poignée de la portière et sortit sur la plate-forme du wagon. Maintenant qu'Eileen ne le voyait plus, il pouvait consacrer toute son énergie à lutter contre ce malaise, qui semblait empirer à chaque fois.

Respire, vieux fou ! s'adjura-t-il. Mais l'air sec et brûlant du désert, qu'il aspirait à grandes goulées, balayait sans succès les soufflets desséchés de ses poumons. Son cœur manquait des battements, perdait son rythme. Allons, Jacob, secoue-toi ! Tu as du travail qui t'attend !

Cramponné aux chaînes du garde-fou, les yeux baissés sur le double ruban d'acier qui filait sous le wagon, il sentait une sueur froide lui couvrir le front, ruisseler sur son dos. Une seule pensée lui occupait l'esprit : ne lâcher la chaîne sous aucun prétexte. Un instant de distraction et il basculerait sur la voie. Son pouls affolé résonnait dans ses oreilles avec un rugissement de tempête qui noyait le grondement métallique des roues sur les rails. Autour de lui, légère comme une plume, la mort planait, virevoltait...

Alors, telle la crue d'un fleuve qui amorce son retrait, la crise s'apaisa. Sa vision retrouva peu à peu sa netteté, ses poumons absorbèrent une bouffée d'air, puis une autre. Son désespoir s'atténua, se dissipa. La tête lui tournait encore, ses jambes flageolaient, mais l'étau qui lui serrait la poitrine s'était relâché. L'air brûlant séchait la sueur de son front. Faible encore, il traversa la plate-forme et ouvrit la portière du wagon suivant, le fourgon à bagages.

Il y faisait sombre et frais. Jacob esquissa un sourire : allons, ce n'était pas si terrible ! Pourtant, il s'était vu plus proche du gouffre que jamais, il avait senti la main de la mort sur son épaule. Pour lui qui avait toujours craint la souffrance, cette mort était si aisée, si indolore même, qu'il aurait été tenté de céder à son appel.

Des rayons de lumière dansaient par les ouvertures à claire-voie. Jacob s'assit lourdement sur un banc fixé à la paroi, laissa ses yeux accommoder dans la pénombre et regarda autour de lui. Quelles sont ces étranges formes voilées ? se demanda-t-il. Suis-je dans une antichambre du purgatoire ? Il se souvint alors de ce qu'il avait vu charger dans le fourgon à la gare de Phoenix : un rideau de scène roulé, un faisceau de hallebardes, des caisses d'accessoires, des malles de costumes. Un monde de simulacres...

— L'endroit idéal pour mourir, murmura-t-il.

Il entendit alors un bruit de frottement — du métal sur de la pierre, sans rapport avec les grincements rythmiques du fourgon. Jacob tendit l'oreille, attendit. Emporté par la curiosité, il ramassa ses forces, se leva, se glissa sans bruit entre des décors, qui lui livrèrent au passage de brefs aperçus sur des montagnes, des murs de palais, un coucher de soleil aux couleurs criardes.

Le bruit avait cessé. Jacob s'arrêta, entendit derrière lui un léger cliquetis. Il se tourna lentement : la pointe d'une lame se posa sur sa gorge. Un homme en uniforme bleu de la police ferroviaire tenait un couteau d'une main, une pierre à aiguiser de l'autre. Jacob vit un visage aux traits asiatiques — chinois, peut-être ? — aussi pâle, aussi défait que le sien quelques instants plus tôt. Sous la vareuse déboutonnée, une large tache de sang.

Voici donc le tueur au sabre dont tout le monde parlait à la gare, pensa Jacob. Ainsi, je vais mourir ici malgré tout... Mais si c'est le cas, pourquoi suis-je aussi calme ? Pourquoi mon cœur, qui s'affolait il y a une minute encore, ne manque-t-il pas un battement ?

L'expression menaçante de l'inconnu fit place à la curiosité. Ne voyant à l'évidence aucune menace dans l'apparition inopinée de Jacob, il écarta son couteau et les deux hommes se dévisagèrent avec une égale fascination.

185

— Pardonnez mon intrusion, dit Jacob. Je cherchais un endroit où mourir tranquille.

L'autre continua à l'étudier. Jacob n'avait jamais vu de regard aussi impénétrable, aussi neutre.

— Un endroit en vaut un autre, répondit-il en glissant sa lame dans un fourreau richement orné.

Qu'a donc cet homme de si étrangement familier ? se demanda Jacob. Je le rencontre pour la première fois et, pourtant, je me sens avec lui de profondes affinités.

L'Asiatique s'assit sur un tabouret entre les décors. En voyant le plancher taché de sang à cet endroit, Jacob comprit qu'il était à bout de forces. Il avait pansé sa blessure à l'aide d'une bande de gaze sommairement enroulée autour de sa poitrine, sous l'aisselle gauche.

L'homme déposa son couteau à ses pieds près d'un autre fourreau plus long, aux ornements identiques.

— *Kusanagi*, dit-il en prenant le sabre. Coupeur d'herbe.

— Pourquoi ce nom ?

— La légende dit qu'il appartenait à Susanoo, le dieu du tonnerre, qui l'avait forgé à l'aide de la foudre. Un jour, Susanoo est allé à la chasse et l'a oublié. Le sabre plein de colère a coupé tous les arbres et toute l'herbe de l'île. C'est pourquoi il y a si peu d'arbres au Japon...

Il s'interrompit, ferma les yeux, pâlit sans pouvoir réprimer un frisson de douleur et reposa le sabre à côté du couteau en respirant avec peine.

— Votre blessure est-elle grave, mon ami ? demanda Jacob.

— Une balle dans le dos, sous l'épaule gauche.

— Voulez-vous que je la regarde ?

— Vous êtes médecin ?

— Non, mais presque. Une sorte de prêtre.

— Vous n'avez pas l'air d'un prêtre.

— Prêtre, rabbin, quelle différence ? dit Jacob en l'aidant à enlever sa vareuse. Qui vous a appris à aussi bien parler anglais ?

— Un prêtre catholique.

— Vous voyez ? Il y a toutes sortes de prêtres.

Le bandage était imprégné de sang séché. Du sang frais continuait à suinter au centre de la blessure.

— Moi aussi je suis une sorte de prêtre, dit l'homme.

— Bouddhiste ?

— Shintô.

— Vous êtes donc japonais.

— Vous connaissez Shintô ?

— J'ai lu beaucoup de choses sur votre religion et j'ai rencontré des prêtres shintoïstes l'année dernière à Chicago. De quelle île êtes-vous originaire ?

— Hokkaido.

— Ceux-là étaient de Honshu. Shintô signifie " La Voie des Dieux ", n'est-ce pas ?

Tout en parlant, Jacob décollait le bandage de la plaie. L'homme grimaça brièvement lorsqu'il arracha la dernière croûte de sang séché. La blessure d'entrée, un trou rond juste sous l'omoplate, était nette et ne montrait pas encore de trace d'infection.

— Oui. *Kami-no-michi*, répondit l'autre d'une voix ferme malgré la douleur que lui infligeait l'examen de Jacob. *Kami* veut dire " supérieur ". Les dieux au-dessus.

La balle avait pénétré dans un muscle, ricoché sur une côte et était ressortie sur le côté de la poitrine en faisant une perforation plus importante. L'homme respirait normalement, le poumon devait donc être intact. Jacob se sentit ridicule. Te prendrais-tu maintenant pour un vrai chirurgien ? En tout cas, il en oubliait ses propres souffrances.

— Vous pouvez remercier les " dieux au-dessus " de ne pas vous avoir appelé. Il faudrait de quoi désinfecter cette blessure.

— De l'alcool.

— Vous avez de la chance, le wagon suivant est plein de comédiens. Où avez-vous trouvé ce bandage ?

L'autre lui montra une malle ouverte non loin de là. Jacob alla inventorier le contenu.

— Une véritable infirmerie de campagne, dit-il en déroulant une longueur de gaze. Parlez-moi de ce prêtre, celui qui vous a appris l'anglais.

— Un missionnaire américain venu dans notre monastère.

— Dans l'intention de vous convertir, sans doute ?

— C'est nous qui l'avons converti. Il est resté.

— Une bonne action n'est jamais perdue... Je vais chercher de l'alcool.

Jacob hésita. L'homme avait-il assez confiance en lui pour le laisser partir ?

— Qu'avez-vous lu sur Shintô ? demanda le Japonais sans se retourner.

— Un livre, traduit en anglais, que je conserve dans ma bibliothèque. Je ne me souviens plus du titre.

— Kojiki ?

— Oui, c'est cela.

— Comment vous l'êtes-vous procuré ?

— Un prêtre shintoïste me l'avait donné l'an dernier à

Chicago pendant le Congrès des religions. C'était, disait-il, la première traduction qui en ait été faite.

L'homme se tourna vers lui en le dévisageant intensément :

— En avez-vous vu d'autres exemplaires ? En japonais ?

Curieusement, la question ne surprit pas Jacob. Quelque chose, qu'il ne parvenait cependant pas à définir, prenait forme dans son esprit.

— Non. Pourquoi me le demandez-vous ?

L'autre continuait à le fixer.

— L'original du Kojiki a été volé dans notre monastère.

— J'étais sûr que vous alliez me le dire.

26 septembre 1894

« Nous avons quitté la gare centrale ce matin à onze heures précises — les Américains sont ponctuels jusqu'à l'obsession — à bord de l'*Exposition Express*, mis en service l'an dernier afin d'assurer les liaisons avec l'Exposition universelle. Les huit cents milles d'ici à Chicago seront couverts en moins de vingt heures, vitesse aussi incroyable que les luxueux aménagements de ce train. Dans tous les domaines, la concurrence effrénée pour attirer les clients incite à faire toujours plus grand, plus fort, plus vite. Il n'y a pas de limite, semble-t-il, à ce fétichisme du toujours plus ; mais dans un pays pour ainsi dire dépourvu de passé, il est inévitable que les pensées se tournent vers l'avenir, si épuisant soit-il. Néanmoins, avant que les Américains puissent réellement se prétendre civilisés, il conviendrait de prendre des mesures sévères sur leur constant usage du crachoir dans les lieux publics.

« Le cours majestueux du fleuve Hudson nous accompagne dans notre course vers le nord. Les derniers faubourgs de la ville à peine dépassés, un déploiement de teintes automnales, d'un éclat et d'une variété que je n'aurais jamais pu concevoir, a captivé nos regards. En artiste consommé, le Créateur a répandu sur ces forêts des couleurs à foison : rouges, ocres, vermillons, violets, ambres, ors — et j'en passe ! — toutes les nuances de ces tons éclatent et chatoient sous la lumière d'un soleil éblouissant. On comprend que cette contrée ait inspiré les poètes : Irving, Hawthorne, Melville, sans oublier Fenimore Cooper, étaient ici chez eux. Le major Pepperman, notre hôte infatigable, applique à cette admirable saison le nom d'été indien. J'imagine sans peine les Indiens vivant à l'abri de ces superbes frondaisons.

« New York me laisse épuisé ; quelques jours de plus m'auraient achevé. Quel rythme de vie ! Je suis stupéfait que ses habitants ne s'écroulent pas le soir pour s'endormir là où ils tombent. Jamais non plus je n'avais visité de lieu où les gens soient autant imbus de leur importance. Il se peut que la ville soit promise à la grandeur, mais on ne vous permet pas une seconde de l'oublier.

« Deux observations : tous les hommes que l'on rencontre se consument d'une passion dévorante pour le base-ball, jeu local plus ou moins dérivé du cricket, dont l'attrait est si peu flagrant que ces gens semblent incapables de le traduire en langage intelligible. La saison officielle en est terminée, paraît-il, sinon je me serais fait un devoir de tenter de débrouiller par moi-même l'écheveau de règles et d'usages, aussi mystérieux que contradictoires, que ses adorateurs sont toujours prêts à infliger aux innocents. La deuxième : au cœur d'un quartier dénommé Greenwich Village, l'un des plus anciens de la ville, se trouve une place, Washington Square, dont un gracieux monument en l'honneur du père fondateur marque l'entrée. C'est un lieu plein de charme, une oasis de paix comme il en existe peu dans les villes de même importance. Si ses pérégrinations avaient amené Holmes en Amérique, c'est là, je crois, qu'il se serait établi.

« Nous formons un groupe fort disparate. Lionel Stern et Presto, maharadjah de Berar, cohabitent dans un compartiment — on n'aurait pu imaginer compagnons plus improbables ! Innes et moi-même en partageons un autre. Jack est seul dans le sien, avec la mallette qu'Edison lui a remise lorsque nous prenions congé et dont il ne nous a toujours pas révélé le contenu. Quant à ce pauvre diable de Pepperman, les mains toujours encombrées de liasses de télégrammes et de coupures de presse, il croit voyager avec les seuls frères Doyle et se drape dans sa dignité chagrinée, fort incongrue chez un personnage de sa stature, à chaque fois que j'invoque mon désir de rester un peu seul, ce qui risquera de se produire souvent au cours de ce voyage. Fasse le Ciel que le major n'ait pas vent de notre véritable mission ! Il serait saisi d'une telle angoisse que je craindrais de le voir victime d'un phénomène de combustion spontanée. »

*À bord de l'*Exposition Express

Peu avant Albany, la voie mit cap à l'ouest et faussa compagnie à l'Hudson pour épouser le cours rectiligne du canal de l'Érié. Le train dépassa Buffalo pendant le dîner au wagon-restaurant. Tout en dévorant un gigantesquee steak saignant, accompagné d'une montagne de purée de pommes de terre, Pepperman s'efforçait d'intéresser Doyle à l'esprit d'aventure censé présider à leur voyage, mais les réactions du Cher Grand Auteur étaient d'une tiédeur qui plongeait le malheureux imprésario dans un abîme de perplexité.

Doyle échangeait de temps à autre un regard avec ses compagnons, Stern et Presto installés à une table, Jack Sparks seul à une autre. Pepperman ignorait la cause de ces distractions, dont il se consolait en reprenant du *shortcake* aux fraises, dessert inconnu des frères Doyle qui, pour la première fois, manifestèrent assez d'enthousiasme pour mettre un baume sur le cœur ulcéré du major. À peine éclos, toutefois, ses espoirs d'un réchauffement dans leurs rapports furent anéantis lorsque ses commensaux déclinèrent, poliment mais fermement, son invitation à une partie de whist dans son compartiment.

Doyle entendait mettre à profit leur isolement forcé pour assiéger la forteresse de silence dans laquelle Jack se retranchait avec obstination depuis leurs retrouvailles. Avant de s'exposer davantage au danger, Doyle tenait en effet à percer le voile de mystère dont se drapait celui qui les y entraînait tous. L'échec de ses précédentes tentatives, fondées sur une approche directe et un appel à la sincérité, le décidait à user cette fois de subterfuges pour découvrir enfin ce qui s'était passé pendant leur longue séparation.

S'étant muni au bar d'une bouteille de cognac, il se rendit dans le compartiment de Jack, qu'il trouva seul en train de lire. Jack dissimula en hâte la couverture du livre. Ce n'était au demeurant qu'un traité fort inoffensif des principes de l'électricité, mais l'habitude du secret était tellement devenue pour lui une seconde nature qu'il cacha l'ouvrage sous la couchette, sur le couvercle de la mystérieuse mallette d'Edison.

Doyle s'installa sur la banquette en face, lui offrit du cognac et un cigare. Jack refusa l'un et l'autre, baissa la lumière et observa Doyle sous ses paupières à demi baissées. Feignant de ne pas remarquer l'examen auquel il était soumis, Doyle alluma posément son havane, savoura une gorgée de cognac et prit les apparences du contentement béat.

Le silence s'éternisa.

Faute de mieux, pensa Doyle, j'attendrai qu'il craque le premier. J'ai subi sans faiblir cinq ans d'études de médecine, je suis capable de résister à ce genre d'épreuve.

Sous le regard faussement distrait de Doyle, Jack commença en effet à donner des signes d'énervement — une main qui pianotait sur le genou, des changements de position de plus en plus fréquents. Plusieurs minutes s'écoulèrent ainsi. Doyle soufflait des ronds de fumée en souriant aux anges, écartait le store de temps à autre pour jeter un coup d'œil à la nuit noire.

— Hmm, hmm, fit-il d'un air intéressé.

Il se tourna vers Jack en souriant. De plus en plus nerveux, l'autre changea encore une fois de position. Doyle palpa la tapisserie du siège comme s'il en estimait la qualité, affecta d'en inspecter les coutures.

— Hmm, hmm, répéta-t-il.

Jack se croisa les bras.

Cette fois, pensa Doyle, je l'ai poussé dans les cordes.

Deux minutes... Jack poussa un profond soupir. Il est mûr pour le coup de grâce, décida Doyle.

Bouche close, il se mit à fredonner des bribes de chansons ou d'airs d'opéra. Le supplice des aiguilles sous les ongles n'aurait pas été plus insoutenable.

Trois minutes...

— Assez ! gronda Jack.

— Oui ? Que disiez-vous ?

— Le faites-vous exprès pour m'exaspérer ?

— Voyons, Jack, je n'en ai jamais eu l'intention. Que voulez-vous dire, au juste ?

— Enfin, bon Dieu, vous vous imposez chez moi sans un mot d'excuse, vous m'empestez avec votre fumée, vous faites ce bruit insupportable ! Nous ne sommes pas dans un salon du Garrick Club, que diable !

— Oh ! Je vous dérange ? J'en suis vraiment désolé, mon vieux. Si j'avais su...

Le tout accompagné d'un bon sourire, sans la moindre intention de vider les lieux. Une minute de silence — suivie de nouveaux fredonnements qu'il rythma en agitant son cigare, comme un chef conduisant un orchestre imaginaire.

— C'est trop fort ! explosa Jack, au comble de l'exaspération.

— Quoi donc, mon ami ?

— Que voulez-vous de moi, à la fin ?

— Mais... rien du tout. Je n'ai besoin de rien.

— Votre comportement est monstrueux ! Je ne m'attendais pas à cela de votre part.

Alors, comme si l'objet de sa visite lui revenait tout à coup en mémoire, Doyle le fixa du regard bienveillant d'un médecin qui soupèse l'état de son patient.

— Dites-moi, Jack, comment vous portez-vous ?

— À quoi rime cette question idiote ?

— Je mentirais en disant que votre état ne m'inspire aucune inquiétude...

— Vous tenez vraiment à me mettre en colère ?

— Laissez-moi le formuler autrement, Jack : en tant que médecin, je ne puis m'empêcher d'observer que certains de vos comportements...

— Plaît-il ?

— Certaines tendances symptomatiques...

— Cessez de tourner autour du pot et dites-moi une fois pour toutes ce que vous avez derrière la tête !

Doyle le considéra pensivement avant de répondre :

— Je me demande si, au cours des dix années de notre séparation, vous n'êtes pas devenu mentalement dérangé.

Malgré la pénombre du compartiment, Doyle vit le sang lui affluer au visage comme une colonne de mercure prête à faire éclater un thermomètre surchauffé. Jack fit un effort de volonté surhumain pour refouler un accès de violence qui ne demandait qu'à se donner libre cours. Un instant, Doyle craignit que sa stratégie se retourne contre lui et le contraigne à en venir aux mains. À la boxe, il était de force respectable, mais Jack, lui, savait tuer.

Au lieu de l'attaque redoutée, Sparks tendit un index accusateur et riposta d'une voix frémissante de rage :

— Vous ne savez rien ! Rien de rien sur rien !

Doyle parvint à conserver son calme exaspérant.

— J'ignore les faits, c'est exact. Je ne puis me fonder que sur mes observations, puisque vous ne me fournissez pas de plus amples éléments d'appréciation.

— Voulez-vous m'entendre dire qu'à certains moments, j'ai imploré ce que nous prenons pour un Créateur infiniment bon et sage de me laisser mourir ? Que je me suis jeté sur mes genoux en sang pour prier, comme un curé de campagne, ce Dieu auquel je ne crois même pas ? C'est cela ce que vous voulez entendre, Doyle ? Parce que ce serait vrai ! Et j'ai le plaisir de vous informer que le Dieu auquel on voudrait nous faire croire n'existe pas, car rien de ce qui ressemble de près ou de loin à un tel être n'aurait laissé vivre une de ses créatures dans un état comme le mien !

Bien, pensa Doyle, la pompe est amorcée.

— Il vous aurait donc laissé vivre pour mieux vous faire souffrir ? C'est bien ce que vous voulez dire ?

— Voilà la plus stupide des idées reçues ! Vous n'avez donc pas entendu un mot de ce que je viens de dire ? Rien ni personne ne décide de notre destin, aucun être, aucune chose ne préside au cours de notre existence ni ne l'influence en rien. Pouvez-vous comprendre ce que je dis ?

Doyle se garda de l'interrompre.

— Il n'y a nulle part d'esprit supérieur ou inférieur qui s'intéresse à nous. Parce que nous sommes seuls, Doyle ! Chacun d'entre nous dérive seul dans un néant glacial. La vie n'est qu'une sinistre plaisanterie, une erreur plus absurde, plus tragique qu'un accident de chemin de fer...

— La vie humaine ?

— Je parle de l'ensemble de la création...

Les yeux étincelants, la voix rauque, Jack se pencha en avant comme pour mieux convaincre.

— Je parle des pierres, des brins d'herbe, des papillons. De l'homme, plus encore que tout le reste. De l'homme dépourvu de but, de raison d'être. Notre prétendu esprit n'est qu'une farce ! La poésie nous sort de la bouche aussi consciemment que les bêlements de la gueule des moutons. C'est ce que la société, ce monde artificiel que l'homme s'est constitué, conspire à nous dissimuler. Vous ne trouvez pas cela étrange, vous qui avez reçu une formation scientifique ?

— Quoi donc ?

— Les animaux naissent dotés de l'instinct de survie et des techniques pour le sauvegarder. L'homme est la seule créature qui ait besoin de s'illusionner afin de se donner une raison de vivre. Nous noyons notre esprit dans les mensonges et les faux-semblants sur l'amour, la famille, un Dieu bon censé veiller sur nous du haut du ciel. Ce n'est qu'une forme de l'instinct de survie, qui nous est inculqué dès notre premier souffle. Car il est essentiel pour la survie de la société d'interdire aux hommes de découvrir à quel point leur existence est sordide et vaine. Sinon, il ne nous resterait qu'à poser nos outils, délaisser les labeurs qui nous détruisent. Que deviendrait alors la société ?

Le silence retomba, rendu plus pesant par le cliquetis rythmique des roues sur les rails. Jack n'avait pas cessé de regarder Doyle fixement et Doyle ne distinguait dans ses yeux qu'une vertigineuse obscurité.

— Envisageons une autre éventualité, reprit-il. Et si l'origine de notre monde était pire encore que celle que j'évoquais ? S'il existait vraiment un Créateur qui nous ait conçus selon un plan d'ensemble, dans un but précis et que ce Créateur soit dément ? Complètement fou ?

— Le croyez-vous, Jack ?

— Savez-vous ce que vous trouvez là, dit Jack en s'assenant un coup de poing sur le ventre, lorsque chacun de nos réflexes de civilisation, chacune de nos habitudes, chacun de nos plus précieux souvenirs, chaque morceau artificiel de la marionnette que nous sommes ou que croyons être, nous est arraché comme la peau d'un animal qu'on dépouille ?

Doyle déglutit avec peine.

— Que trouve-t-on ?

— Rien. Le vide. Le néant. Pas un vestige, pas même un écho. Voilà le secret au pied de l'escalier que nous n'avons pas le droit de descendre. Dès notre jeunesse, on nous met en garde : ne regardez pas là, les enfants, restez près du feu, nous vous apprendrons les mensonges que nos parents nous ont enseignés sur la gloire de l'homme. Parce qu'on sait que la découverte de ce vide anéantirait tout ce que nous nous imaginons sur nous-mêmes, comme un cafard écrasé sous une semelle de botte. Vous avez devant vous la preuve de cette glorieuse erreur, poursuivit Jack en tendant les mains. Je suis entré dans ce néant, j'y suis resté. Et si je suis encore en vie, cela ne signifie... rien.

Sparks ponctua ces derniers mots d'un sourire grimaçant. Les poings serrés, Doyle aurait préféré se colleter avec lui, souffrir, n'importe quoi de tangible plutôt que le spectacle de cette chute dans un gouffre noir.

— Je salue donc chaque aube nouvelle avec ce murmure guilleret dans l'oreille, reprit Jack. Il ne cesse jamais, ne me laisse aucun répit, de sorte que je continue à vivre ainsi. Suis-je mentalement dérangé pour autant ? Épargnez-moi vos jugements stupides, *docteur* ! Vous ne valez pas mieux que les autres : pour échapper au néant, il vous faut mettre un nom sur ce que vous êtes incapable de comprendre. C'est le refuge des lâches. Il fut un temps où je pouvais espérer mieux de votre part que de vous entendre seriner des lieux communs. Ou bien est-ce le succès qui atrophie le meilleur de vous-même en vous remplissant les poches ? C'est possible, après tout. Ils ne vous ont pas encore complètement abattu, l'adulation des masses vous grise. Préparez-vous, Doyle, l'heure des règlements de compte approche. Ils ne toléreront pas longtemps la réussite d'un des leurs. Ils n'aiment rien tant que de couper les têtes qui dépassent.

Jack se penchait de plus en plus près de Doyle, qui dissimulait avec effort sa crainte et son dégoût. La maladie n'avait pas seulement affecté l'esprit de Jack, son âme en était si profondément contaminée que, chez Doyle, le médecin en était accablé. Comment le mal l'avait-il saisi ? Quelles en étaient les racines ? Il fallait aller jusqu'au fond des choses, le faire parler davantage.

— Si vous en étiez arrivé à ce point, Jack, pourquoi n'avoir pas mis fin à vos jours ?

Jack se redressa, se carra sur la banquette et chassa d'un geste désinvolte un grain de poussière sur sa manche.

— L'enfer n'est pas dénué de tout intérêt. Vous voyez par hasard dans la rue une bagarre entre deux hommes qui cherchent à s'entre-tuer. L'issue du combat vous indiffère, mais la sauvagerie du spectacle vous retient. La découverte du néant, de la vanité de la vie humaine exerce le même genre de fascination. Ce pourrait être tragique si ce n'était du plus haut comique : la suffisance grotesque de tous ces gens qui se décernent à eux-mêmes des récompenses, leur agitation inutile, l'amour dont ils se gargarisent — et tout cela pour rien... Pourquoi ne me suis-je pas tué ? Parce que la vie est si atroce qu'elle me fait rire. Voilà une bonne raison de vivre, n'est-ce pas ?

Au prix d'un effort, Doyle parvint à ne trahir aucune des émotions qui l'agitaient. Dans un tel état d'esprit, il serait vain d'en appeler aux sentiments humains de Jack.

— Comment êtes-vous arrivé à cet... enfer ?

— Ah ! Vous voulez des faits, n'est-ce pas ? Il vous en faut toujours... Eh bien, soit. Je ne vous épargnerai pas un détail. Vous pourrez en faire des briques pour élever un mur derrière lequel vous cacher, ou alors vous en servir dans une de vos distrayantes petites nouvelles. Au fait, je ne les ai pas lues. Je crois toutefois savoir que vous m'avez pris pour modèle de votre cher détective.

Doyle ressentit une soudaine bouffée de colère.

— C'est exact — en un sens, du moins.

Jack se pencha vers lui avec un sourire presque amical.

— Permettez-moi alors de vous donner un bon conseil, mon vieux : n'incorporez pas une miette de ce que je vais vous dire dans un de vos personnages, vos lecteurs seraient choqués. Ce n'est pas assez sentimental et ne comporte pas une fin heureuse. Vous savez leur donner ce qu'ils veulent, de beaux mensonges bien vernis, bien encadrés, flatteurs comme des miroirs. Prenez garde de ne jamais leur dire la vérité, vous risqueriez de tuer la poule aux œufs d'or.

Jack ponctua sa tirade d'un ricanement. Doyle eut une bouffée de colère : des délires athées, passe encore, mais cette insulte à sa dignité, c'en était trop ! Subsistait-il chez cet homme des vertus oubliées justifiant qu'il s'expose à d'autres agressions verbales, à de nouvelles humiliations ? Nulle part il ne retrouvait la trace du Jack Sparks qu'il avait tant admiré. L'individu en face de lui était un parfait inconnu, dont la ressemblance avec son frère dément se précisait de la manière la plus troublante. S'il fallait croire les images animées d'Edison, Alexander Sparks avait lui aussi survécu à leur terrible chute. Indissolublement unis par les liens du sang, leurs esprits étaient malades, torturés, damnés sans espoir de rachat. Rien de tout cela ne le concernait. Il était encore temps de se retirer et de les laisser tous deux brûler dans leur propre enfer.

Le sens de ses responsabilités était toutefois trop profondément ancré en Doyle pour qu'il accepte cette solution de facilité. Tant qu'un seul de ces deux hommes représentait un danger, son devoir lui enjoignait de ne pas reculer sur le chemin où il s'était engagé, dût son amour-propre en souffrir. Il possédait des réserves de foi et de force morale dont aucun des autres ne se doutait et, jusqu'à preuve du contraire, capables de tenir en échec le flot d'obscurantisme qui avait envahi Jack Sparks. Doyle décida d'y puiser. S'il parvenait à extirper le mal à la racine, Jack pourrait être racheté. Mais il devait disposer, dans ce but, d'éléments précis et complets.

— À l'évidence, dit-il calmement, vous avez tous deux survécu à votre chute. Commencez donc par là.

Jack sourit, comme s'il évoquait un plaisant souvenir.

— Quelle chute, en effet ! Aussi interminable qu'un vol ou, plutôt, qu'un rêve de vol. Nous tombions agrippés l'un à l'autre, les falaises rocheuses défilaient en sifflant au ras de nos corps. Dans mon cœur débordant de haine, le désir de le tuer était plus intense qu'aucune émotion jamais éprouvée. Je ne l'ai lâché qu'en touchant la surface de l'eau, deux cents pieds plus bas. La mort semblait inéluctable mais, pendant des milliers d'années, la cascade avait creusé la roche pour former une fosse à son pied. Le choc du plongeon a été si brutal que j'ai perdu conscience. J'ai quand même eu le temps de sentir près du fond un fort courant m'entraîner vers l'aval comme une feuille morte.

— Et votre frère ?

— Je ne l'ai plus revu. Je suis revenu à moi couché sur des rochers, dans le noir absolu. Depuis combien de temps y étais-je ? Un jour, deux peut-être. Ma vision s'était assez accommodée à l'obscurité pour que je distingue de la roche autour et au-dessus de moi : le courant m'avait déposé dans une grotte — j'allais découvrir plus tard que la montagne en était truffée à cet endroit. Je suis longtemps resté dans un état de demi-conscience, incapable de bouger. Je souffrais de partout, mais sans une douleur plus vive que les autres. Je disposais d'eau pure en abondance, je n'avais qu'à me baisser pour boire. En rampant, puis en marchant, j'ai fait le tour de ma prison, un espace d'environ dix pieds sur vingt où je ne pouvais me tenir debout qu'au milieu. Ce réduit constituait tout mon univers.

« C'était réconfortant, en un sens. Il n'y a guère de différence entre une tombe et le sein de sa mère. Alors que j'aurais dû céder à la panique, je me sentais de plus en plus apaisé. Quand on vit dans le noir, on se rapproche de sa véritable nature. On est seul avec soi-même. Pas de miroir, pas d'ongles sales, rien pour vous distraire de la voix intérieure qui répète les mêmes questions : qui suis-je, que suis-je ? Les premiers jours, je m'en suis tenu à ces deux-là. Ensuite, j'ai entrepris de remettre tout le reste en question. Toutes les hypothèses, toutes les certitudes de base perdent leur valeur et se dissolvent, jusqu'à ce qu'on prenne conscience que l'intégralité de ce qu'on a et de ce qu'on est réside en réalité dans votre esprit.

« Je serais volontiers resté dans ma caverne, mais je n'avais rien à manger. Une nouvelle exploration me révéla qu'il n'existait pas d'autre issue que celle par laquelle j'étais arrivé, c'est-à-dire sous l'eau. J'ai donc attendu d'avoir repris des forces avant de plonger. Dans ces canaux souterrains, le courant était moins violent qu'à la surface et j'étais capable de nager sans respirer sur d'assez grandes distances. Plusieurs directions se présentaient à moi, mais laquelle choisir ? Dans le noir absolu, sans savoir où je pourrais refaire surface, je devais à chaque fois revenir à mon point de départ. Je n'avais aucune notion du temps, nous dépendons pour cela du cycle du jour et de la nuit, mais je savais que mes forces, regagnées malgré le manque de nourriture, ne tarderaient pas à décliner et qu'il me fallait tout miser sur une dernière tentative.

« J'ai plongé jusqu'au fond et nagé au-delà du point de non-retour. Mon long séjour dans l'obscurité ayant aiguisé mes sens au point de pouvoir discerner les plus infimes variations du courant, je me suis laissé entraîner plutôt que de gaspiller mes forces. Les minutes s'écoulaient, mes poumons se vidaient. J'allais céder — il est tentant de s'abandonner en pareil cas — quand une lueur à la surface m'a décidé à donner le dernier coup de pied que je gardais en réserve. J'étais inconscient au moment où j'émergeai pour dériver jusqu'à la berge. Je me suis réveillé au milieu de la nuit sur un lit de roseaux dans un coude de la rivière.

« En reprenant mes esprits, je me suis rendu compte d'un étonnant phénomène : il ne subsistait rien des soucis, des fardeaux qui m'écrasaient jusqu'à cet instant. Je gardais un souvenir précis des circonstances ayant précédé et causé ma chute, mais je n'y attachais plus aucune importance. Je me sentais affranchi de la pesanteur. Ma famille, mon frère, mes tourments, tout s'était évanoui. Je vous entends déjà, Doyle : *privation d'oxygène, dommages irréparables au cerveau.* Pensez ce que vous voulez : ce qui m'est arrivé dans cette caverne n'était rien de moins qu'une seconde naissance. Une chance de me créer une vie nouvelle. J'étais débarrassé du poids mort de Jack Sparks comme un serpent de sa mue. Puisque tout le monde me croyait mort — et comment ne pas y croire ? Une chute à laquelle nul ne réchappait, des témoins dignes de foi — rien de plus facile que de le rester.

« Pour la première fois, les étoiles m'apparaissaient dégagées de tout ce qui en voilait l'éclat. Je me découvrais une lucidité dont je ne m'étais jamais cru capable : les pierres, l'eau, les arbres, l'herbe, la lune, je voyais chaque chose en elle-même et non leur image altérée par mes démons intérieurs. Libéré de mes obligations, je l'étais aussi de mes cauchemars. Dans ma tête, une voix que j'entendais pour la première fois me disait : Suis-moi. Une voix claire, calme, qui me promettait une paix que je n'avais jamais connue. Et je l'ai écoutée.

« Sans me soucier d'un but, j'ai marché toute la nuit dans une vallée alpine le long de la rivière et je suis arrivé devant une cabane de berger remplie de provisions. J'y suis resté quelques jours, le temps de tout dévorer. Alors, mes forces restaurées et avec la voix pour guide, j'ai repris ma marche vers le sud, au-delà des Dolomites, jusqu'à Padoue d'abord puis vers l'Adriatique. Le printemps était dans l'air. À Ravenne, j'ai trouvé du travail comme docker et loué une chambre près du port. Tous les jours, je mangeais la même chose dans le même café — des olives, du pain bis, du fromage, du vin rouge. Beaucoup de vin rouge.

« J'avais consacré ma vie entière à traquer mon frère, je ne me doutais pas que ce mode de vie était celui de la plupart des hommes : travailler, manger, dormir, faire l'amour sans se soucier des problèmes sur lesquels on ne peut rien. Survivre au jour le jour, se fondre dans le paysage, ne pas s'éloigner de la terre dont on est issu, ces évidences représentaient pour moi des notions inouïes, au sens propre du terme. En partageant l'existence élémentaire de ces gens simples, je découvrais la grâce. Les jours, les semaines s'enchaînaient, les saisons se succédaient. Chaque jour, j'exerçais mon corps jusqu'à l'épuisement, je couchais avec autant de femmes qu'il était humainement possible et je ne m'inquiétais de rien. De strictement rien.

« Libéré de tous mes liens, je pouvais devenir qui je voulais — qui sommes-nous, d'ailleurs, en dehors de l'image que nous nous donnons de nous-mêmes ? Un matin au réveil, l'envie de bouger me reprit. J'ai fabriqué des faux papiers qui faisaient de moi un marin de l'île de Man et je me suis enrôlé sur un cargo à destination du Portugal. La fièvre de la découverte s'était maintenant insinuée dans mes veines : à Lisbonne, j'ai embarqué sur un cargo pour le Brésil, où j'ai erré le long de la côte à la recherche d'un monde où je puisse enfin me perdre.

« Je l'ai trouvé près de l'embouchure de l'Amazone, à Belém, un port international où des dizaines de cultures se côtoient et s'affrontent en des milliers d'intrigues. Sous une chaleur équatoriale, la ville est cernée par la jungle dont l'influence contamine tous les comportements humains. Qui s'attendrait à rencontrer la rectitude dans un lieu peuplé de menteurs, de prédateurs, de vampires ? Là-bas, pas une âme n'accorde le moindre crédit au bien et à la vérité ! Je m'y suis aussitôt senti chez moi.

« Transformé en Irlandais, espèce relativement rare dans cette serre de spécimens exotiques, j'ai trouvé mon premier emploi à bord d'un vapeur qui desservait les plantations d'hévéas au-delà de Manaus, près du Rio Negro. Une tribu d'Indiens y travaillait pour les planteurs portugais : les Enaguas, les " Hommes Bons ", nom tout à fait approprié. Je croyais avoir connu à Ravenne une vie simple ; les Enaguas étaient la simplicité incarnée et leurs longs contacts avec les Blancs ne les avaient pas corrompus.

« Je passais tout mon temps libre avec les Enaguas, dont les connaissances sur les propriétés médicinales des plantes étaient tellement approfondies que je souhaitai les acquérir. Le chaman de la tribu usait, dans les cérémonies rituelles, d'un élixir confectionné à partir d'une racine, l'ayahuesco. Après avoir gagné leur confiance, j'ai pris part à l'une de ces cérémonies. La substance en question ayant pour effet de séparer l'esprit de son enveloppe charnelle, le chaman aide à pénétrer dans la conscience de l'animal avec lequel on se sent des affinités, le boa, le jaguar. J'avais choisi l'aigle et je suis *devenu* un aigle, Doyle. J'ai réellement survolé la forêt amazonienne, j'ai battu des ailes, j'ai vu le sommet des arbres avec le regard de l'aigle, j'ai éprouvé sa faim pour une proie. J'ai vécu dans le corps de cet oiseau de manière aussi réelle, aussi concrète que tout ce que j'avais vécu jusqu'alors dans mon propre corps.

Maintenant que Doyle l'avait persuadé de parler, Jack Sparks semblait presque douloureusement avide de partager ses souvenirs. Depuis combien d'années les gardait-il pour lui ? Combien de temps avait-il été privé de la compagnie d'une personne à laquelle il puisse se confier ? Doyle sentit son cœur se serrer en prenant la pleine mesure de l'isolement dans lequel son ami avait été enfermé. Un homme, même aussi résistant que Jack, peut-il survivre longtemps sur ses seules ressources, coupé de ses semblables ? Pour sa part, Doyle s'en savait incapable.

— Cette expérience, reprit Jack, me confirmait ce que j'avais découvert dans l'obscurité de la caverne : la conscience qui nous anime est présente dans tous les domaines de la création, fluide, adaptable, transmissible de toute forme de vie à toute autre. Saisissez-vous l'importance de ce que cela implique ? Si l'intégralité de ce qui existe dans l'homme et dans la nature procède de la même essence, si chaque molécule obéit aux instructions d'un unique esprit, cela signifie que les individus sont libres d'agir selon leurs propres croyances. Qu'aucune morale universelle, aucune autorité surnaturelle ne régit nos comportements et que, quoi que nous fassions, nos actes ne sont soumis à aucune sanction extérieure au domaine physique. Nous sommes des naufragés sur cette planète comme Robinson dans son île.

« Celui qui a le courage de libérer son esprit conscient des pressions conformistes exercées par la société et de se dégager du conditionnement qu'elle lui impose recouvre son libre-arbitre et détient dès lors le pouvoir de définir par et pour lui-même le bien et le mal. Voilà la véritable pureté : une rigueur morale infiniment exigeante, n'ayant de comptes à rendre qu'à elle-même. Il me fallait maintenant une structure dans laquelle appliquer ma philosophie.

— Comment, au juste ?

— J'avais acquis une réputation d'homme d'action. Un individu dont j'avais entendu parler à Belém, un patron de la pègre locale, me fit demander de travailler pour lui. J'ai accepté cet emploi qui me permettait d'accéder au cœur des secrets de la ville, moyen idéal de tester ma théorie. Au bout d'un mois, je dirigeais les opérations de contrebande : marchandises volées dans les navires et les entrepôts, armes et munitions dans les arsenaux de l'armée. Je gagnais gros, mais je préférais vivre simplement dans une cabane sur la plage. La drogue, l'alcool, les femmes, j'avais tous les plaisirs matériels à ma disposition. Le crime stimule les appétits les plus bas et inhibe le sens moral dans un cycle qui perpétue les comportements les plus répréhensibles. Je me contentais cependant d'observer sans participer.

« Je vivais dans ma cabane avec une fille incroyablement belle rencontrée un jour sur la plage, une métisse de seize ans qui s'appelait Rina. Sa mère était une prostituée, elle ignorait qui était son père et n'avait pas passé une heure dans une école. Je n'avais jamais connu personne comme elle. Douce, simple, soumise, Rina possédait le don de me faire rire. Elle m'intriguait, surtout. Je trouvais à la fois fascinant et atterrant qu'un être humain puisse être aussi totalement matérialiste. Son ignorance, aussi incroyable que sa beauté, atteignait une sorte de perfection.

« Six mois durant, j'ai fait l'amour avec elle plusieurs fois par jour, au point de me sentir... bestialement fondu en elle. Jamais je n'avais été aussi proche de quelqu'un, encore moins d'une femme. Et puis, à quelque temps de là, j'ai vu en me réveillant son visage éclairé d'une certaine façon et j'ai décidé de la quitter. Notre intimité devenue trop étroite me donnait un intolérable sentiment de claustrophobie. J'ai ramassé mes quelques possessions et je suis parti en la laissant endormie dans mon lit. Ce soir-là, j'ai tué un homme qui m'attaquait dans une ruelle pour me voler. Et ces deux événements, abandonner Rina et tuer le voleur plutôt que de l'assommer, se sont associés dans mon esprit parce qu'ils découlaient tous deux de mon libre-arbitre. N'ayant tué personne depuis des années, j'ai beaucoup pensé à la facilité avec laquelle je le faisais, au nombre de mes victimes, aux raisons pour lesquelles je les avais tuées, à mon absence de remords. L'idée m'est alors venue de commettre un crime à titre d'expérience. De tuer quelqu'un que je connaissais afin d'étudier ce que je ressentirais.

Doyle prit une profonde respiration en se dominant de son mieux : ainsi, Jack avouait s'être aventuré dans le domaine qui avait précipité la démence criminelle de son frère. Y étaient-ils l'un et l'autre poussés par l'identité de leur patrimoine génétique ? Jack avait-il toujours porté en lui cet irrésistible attrait pour le mal ?

— J'ai décidé, reprit Jack, de tuer l'homme pour lequel je travaillais, Diego Montes. Montes était un animal immonde et malfaisant, corrompu jusqu'à la moelle, qui souillait tout ce qu'il touchait. Un marchand d'esclaves, qui enlevait des Indiennes dans leurs villages pour les prostituer et qui les jetait à la rue une fois usées, aviles par le métier. Tout me répugnait en lui, son physique adipeux, la drogue et l'alcool dont il se gavait. Exprimer mon libre-arbitre en débarrassant la terre de ce déchet d'humanité serait faire œuvre de salubrité publique. Un soir, je me suis introduit chez lui pendant son sommeil, je lui ai tranché la gorge d'un coup de rasoir et je l'ai regardé se vider de son sang en notant mes réactions.

Jack parlait avec détachement, comme s'il rendait compte d'un roman qu'il avait lu. Pétrifié, Doyle écoutait.

— J'étais calme, aussi indifférent que l'aigle qui tient un rat dans ses serres. Je ne percevais pas plus la présence d'une âme s'échappant du corps que celle d'anges justiciers me surveillant du haut du ciel. Je n'éprouvais aucun remords. C'était bien la confirmation que je cherchais. Mon expérience avait réussi — à part une légère complication : elle avait eu un témoin. Une femme qui faisait sa toilette dans la pièce voisine et que j'ai entendue bouger au moment où je partais. Rina.

Doyle ne put s'empêcher de sursauter.

— Oui, Rina, la ravissante idiote avec qui j'avais vécu six mois, devenue putain dans un des bordels de Montes et qui faisait ce soir-là un extra pour son patron. Terrifiée par le crime qu'elle m'avait vu commettre, elle m'a dit en pleurant qu'elle était tombée dans cette vie de débauche parce que je l'avais abandonnée. J'aurais dû la tuer sur le champ, mais sa présence était si incongrue que j'y voyais un signe, une raison cachée qui se dévoilerait en temps utile. Et puis, je l'avoue, elle m'inspirait encore une certaine tendresse. Je lui ai donc laissé la vie sauve en lui promettant de l'emmener quand je quitterais le pays, ce que je projetais de faire dans les plus brefs délais.

« J'avais raison sur un point : sa présence inattendue chez Montes ce soir-là allait avoir une suite. Deux jours plus tard, des hommes de main de Montes me capturaient au moment où j'allais prendre le bateau pour Belize. Rina devait me rejoindre sur le quai ; je l'avais laissée seule une demi-heure pour qu'elle s'achète un chapeau et elle en avait profité pour me trahir. Elle se souciait de mon sort comme d'une guigne, mais j'y voyais une preuve de plus de la justesse de ma théorie : elle avait exercé son libre-arbitre, comprenez-vous ? Ce libre-arbitre dont nous disposons tous.

« Les hommes de Montes me livrèrent à la police — leurs rôles étaient d'ailleurs interchangeables : les mêmes étaient tour à tour policiers ou voyous, ce qui, dans mon cas, leur simplifiait le travail. Ils m'ont jeté dans une fosse creusée dans la cour de la prison, recouverte d'une épaisse plaque de tôle. Ce n'était pas l'obscurité qui me gênait, comme ils l'espéraient peut-être, plutôt le manque d'eau et la chaleur qui, pendant la journée, pouvait monter à plus de quarante degrés.

« Rina m'avait dénoncé et identifié mais ils voulaient des aveux en règle. Ils m'ont laissé mijoter trois jours dans ce trou. Puis, m'estimant suffisamment préparé, ils m'en ont sorti pour m'emmener dans une pièce nue et vide, à l'exception d'un bloc de marbre blanc taché de rouge, pourvu de chaînes et de bracelets scellés à la base. Après m'avoir enchaîné à genoux devant le bloc, ils m'ont fait poser les mains à la surface. Ensuite, les gardes y sont monté à tour de rôle. Les uns me piétinaient les mains, d'autres sautaient dessus, certains dansaient ou, pour varier les plaisirs, y laissaient tomber de grosses pierres. On entendait les os craquer, les tendons claquer. Un doigt était déjà

202

réduit à l'état de bouillie. Les hommes s'appliquaient comme des artisans consciencieux. Cela dura des heures.

« Pourtant, je continuais à protester de mon innocence car je savais qu'ils ne me tueraient pas avant d'avoir obtenu mes aveux. La souffrance restait à peu près supportable, mais leur acharnement me plongeait dans une fureur qui ne demandait qu'à donner libre cours. J'avais trop pris goût à ma nouvelle vie libre et indépendante pour y renoncer si vite. J'ai donc feint de perdre connaissance. Voyant que leurs gifles et leurs coups ne pouvaient me ranimer, ils m'ont libéré de mes chaînes pour me traîner dehors.

« J'ai tué le premier d'un coup de pied à la base du nez. Le deuxième portait la main à son revolver quand je l'ai poussé à travers la fenêtre. Sans laisser aux autres le temps d'intervenir, j'ai sauté derrière lui en me laissant tomber sur son corps pour amortir ma chute et je suis parti en courant vers un coin de la cour, où des tonneaux empilés m'offraient un tremplin idéal pour franchir le mur. J'entendais sonner l'alarme, crépiter des coups de feu. La prison est située au bout d'une langue de terre, entourée par la mer sur trois côtés. J'ai réussi à gagner la forêt avant qu'ils n'aient barré la route. La nuit tombait, ils n'ont pas osé me poursuivre dans la jungle. Toute la nuit, j'ai marché en suivant le cours du fleuve. À l'aube, j'étais trop loin à l'intérieur des terres pour qu'ils me retrouvent.

« Maintenant que ma fuite était assurée et que j'avais l'esprit libre, la douleur se faisait sentir et, dans ce climat chaud et humide, l'infection menaçait déjà. A l'aide de mes dents, j'ai réussi à cueillir des herbes médicinales et à arracher des lambeaux d'écorce pour improviser des pansements. Il n'était bien entendu pas question de retourner en ville voir un médecin. Mes amis Enaguas seraient tout aussi capables de me soigner, mais leur village était à six jours de marche. Quand j'y suis enfin arrivé, j'étais à moitié mort. Je brûlais de fièvre. Je délirais.

Jack avait posé sur ses genoux ses mains mutilées qu'il regardait avec indifférence.

— Le chaman m'amputa des deux doigts les plus abîmés et réussit à sauver les autres, mais je n'en garde aucun souvenir. Deux jours s'étaient écoulés quand je me suis réveillé, les mains enduites d'onguent et couvertes de feuilles en guise de compresses. Les Enaguas ne m'ont posé aucune question, je ne leur ai rien dit. Pour eux, la violence était chose normale dans le monde extérieur. Il m'a fallu deux mois pour recouvrer mes forces. Avec trois Enaguas, j'ai descendu le fleuve en pirogue, déguisé en prêtre — c'est ainsi qu'est né le père Devine. Mais avant d'aller à Porto Santana, où je comptais prendre un vapeur pour les Antilles, nous avons fait un détour par Belém où j'avais une affaire à régler.

« Mes amis et moi avons rempli une charrette de poudre volée dans un dépôt de l'armée et je suis allé chercher Rina dans son bordel. Elle était déjà défraîchie par la drogue, l'alcool et la prostitution, qui entraînaient sa courte vie vers une fin sordide et inéluctable. Je l'ai bâillonnée et attachée sur le siège de la charrette. Nous n'avions pas échangé une parole — qu'aurions-nous pu nous dire ? Il nous avait suffi d'un regard pour nous comprendre.

« Après, nous avons attelé deux mules à la charrette et lancé l'attelage sur la route de la prison. En reconnaissant Rina, les gardes ont ouvert les grilles. Ils ne pouvaient pas voir la mèche allumée sous le plancher et les cris de Rina, quand ils lui ont enlevé le bâillon, couvraient son léger sifflement. Mais l'explosion s'est entendue à plus de vingt lieues à la ronde.

Sparks marqua une pause, prit une longue inspiration. La froideur de son récit masquait-elle un regret ? Doyle n'entendait que les battements de son propre cœur.

— Le lendemain matin, j'étais à bord de ce bateau sous l'identité d'un certain Jan de Voort, un négociant hollandais mort dans la brousse quelques semaines auparavant. Pour tout le monde, je rentrais au pays à la suite d'un accident qui avait failli me coûter les mains — un Européen de plus victime de la forêt vierge... Faut-il continuer ?

Doyle acquiesça d'un signe et se versa un verre de cognac en espérant que Jack ne remarquerait pas à quel point ses mains tremblaient. Tiens ta langue, se dit-il. Qui sait si Sparks renouerait le fil de cette confession ? Un patient qu'on laisse parler révèle parfois à son insu de précieux indices sur le mal dont il souffre.

— Je suis allé d'île en île, sans hâte, sans but. Je me gorgeais de soleil, je soignais mes mains en les plongeant dans le sable chaud. Je buvais beaucoup de rhum, aussi. Je trouvais une femme dans chaque port, je la quittais quand j'en étais las — ce qui survenait assez vite. Et puis, un jour, j'ai débarqué à New York. Le bref séjour que je prévoyais d'y faire s'est transformé en trois ans d'errances et de fausses identités successives. Ici, les gens ne posent pas beaucoup de questions. On croit volontiers un homme sur parole s'il peut justifier ses dires par son travail.

« Je ne commettais aucun crime, j'étais redevenu un homme ordinaire — géomètre sur un chantier des Alleghanys, palefrenier à Philadelphie, conducteur de diligence dans la vallée de l'Ohio, débardeur sur un vapeur du Mississippi. Jusqu'au jour où j'ai été incapable de me lever de mon lit. J'étais épuisé, vidé de ma substance. Je ne me reconnaissais plus dans le miroir. Mes mains recommençaient à me faire souffrir au point que la douleur s'irradiait dans tout mon corps. Alors, lentement, péniblement, j'ai regagné New York. J'avais assez d'argent de côté pour mener des années la vie frugale à laquelle j'étais accoutumé.

« Avec la mort de mon frère, j'avais perdu mon unique raison de vivre et je ne voyais aucun objectif exaltant se profiler devant moi. Il ne m'était jamais venu à l'idée qu'il aurait lui aussi survécu. Je ne concevais d'ailleurs pas davantage la raison pour laquelle j'étais moi-même encore en vie. L'aurais-je su que cela m'indifférait. Je touchais le fond d'un gouffre que j'avais moi-même creusé.

« Un jour que je marchais dans le Lower East Side, non loin de là où nous étions l'autre jour, j'ai remarqué sur le trottoir un Chinois grand et maigre qui semblait attendre quelqu'un. Nos regards se sont croisés. Peut-être a-t-il vu dans le mien un appel, un désir. En tout cas, il a levé la main quand je me suis approché. Entre ses doigts, il tenait un petit sachet de papier de la taille d'un dollar d'argent. Sans un mot, sans un regard, il a simplement baissé la main et s'est dirigé vers une maison toute proche. Je l'ai suivi dans un étroit passage, un escalier, il m'a fait entrer dans une pièce aux murs nus, au plancher couvert de matelas douteux. Des hommes étaient étendus, les uns immobiles, d'autres qui bougeaient avec la lenteur des algues dans la houle. Le Chinois défit le sachet qui contenait une substance visqueuse et brunâtre, dont il bourra le fourneau d'une longue pipe de bois. Il m'a demandé de l'argent, je lui en ai donné. Sans jamais m'avoir regardé en face, il me montra un matelas et alluma la pipe avant de me la tendre.

— Opium ?

Sparks hocha affirmativement la tête.

— Après ma chute, j'avais abandonné la cocaïne. Ma renaissance était passée par l'enfer du sevrage vécu dans la caverne. *Jamais* je n'y ai touché depuis, pas même à Belém où j'en avais cent fois l'occasion chaque jour. Pas une fois, comprenez-vous ? Pas *une seule* fois.

Doyle garda le silence. Après tout ce qu'il m'a dit, pensa-t-il, pourquoi semble-t-il tout à coup si anxieux de me faire comprendre qu'il dit la vérité ?

— Avec cette pipe, j'ai senti s'évanouir la douleur de mes mains. Elle comblait le vide intérieur qui me rongeait, m'apportait une chaleur, un sentiment...

— Vous n'avez pas besoin d'expliquer.

— Si. Cette pipe était devenue mon univers. Elle l'est restée trois ans. Trois ans de l'exquise sensation d'une faim que l'on peut assouvir sans effort. Trois ans pendant lesquels tout était facile. Je baignais dans une paix à laquelle le rêve lui-même ne donne pas accès. Le temps s'effaçait au profit du seul instant présent. Cette pipe m'apportait plus d'amour qu'aucun être humain ne m'en avait jamais donné. Je vivais les moments les plus heureux de ma vie...

Doyle ne put se contenir davantage :

— Mais un bonheur factice, illusoire !

— Qu'en savez-vous ? De toute façon, le bonheur dépend de la manière dont nous le percevons...

— Foutaises ! C'est un état provoqué artificiellement par une drogue. En êtes-vous au point d'avoir d'avoir perdu toute notion du sens commun ?

— Cher Doyle, toujours égal à lui-même ! Débitez-moi maintenant votre discours sur la bonté foncière de la nature humaine et n'oubliez pas les balivernes qui en découlent.

Cette fois, Doyle explosa :

— Comment osez-vous me parler de la sorte ? Quel mal vous ai-je jamais fait, moi ? Vos souffrances, vos problèmes, vous en êtes seul responsable !

Sparks se détourna. Était-ce un ricanement de mépris ou un grimace de douleur qui lui crispait brièvement les lèvres ?

— Ainsi, reprit Doyle avec sarcasme, vous avez ajouté l'opiomanie à votre curriculum vitae. Bravo, Jack ! Je craignais qu'elle vous ait échappé. Quoi d'autre au programme ? Le viol ? La pédophilie ? Ou les avez-vous pratiqués avec cette jeune Brésilienne ? L'assassinat figurant déjà sur la liste, il serait grand dommage de laisser inutilisées vos réserves de libre-arbitre. Pourquoi vous arrêter en si bon chemin puisque tout est permis, selon vos règles du jeu ?

— Qu'est-ce qui vous choque, Doyle ? Mes crimes ou leur caractère prétendument immoral ?

— Comme s'il était facile de faire la différence ! Je vais vous le dire, ce qui me choque : votre mépris hautain envers ces gens, qualifiés par vous d'*ordinaires*, qui s'efforcent de mener une existence conforme à la simple honnêteté. Votre manière de considérer les êtres humains comme si vous observiez une fourmilière. De quel droit portez-vous de tels jugements sur autrui ? Quelle vertu supérieure vous autorise à vous arroger le rôle d'un dieu ? Estimez-vous que vos épreuves suffisent à vous placer au-dessus de la justice ? Tous les hommes souffrent, sans que cela les dispense de se soumettre aux lois. Sincèrement, vous estimez-vous à l'abri des conséquences de vos actes ?

— Loin de là...

— Je vous le dis en face, Jack : en vous écoutant, je crois entendre un fou, un irresponsable qui représente un danger pour tous ceux qui l'approchent, moi-même y compris. En réalité, vous êtes tombé dans le piège qui a causé la perte de votre frère. À moins que vous n'ayez toujours nourri l'ambition de marcher sur ses traces ?

— Bien sûr que non...

— Quant à votre pseudo-philosophie, je la conteste avec la dernière énergie ! Depuis dix ans, je me suis bâti une vie à force de détermination, de travail et, que cela vous plaise ou non, de respect des conventions. Sans ce contrat social qui nous engage tous, chacun agirait selon son bon plaisir, selon son propre code moral et nous retomberions dans la sauvagerie pure et simple, dans une société régie par la seule loi du plus fort, ni meilleure ni pire que celle des bêtes sauvages. Naguère, Jack, je voyais en vous un homme digne de respect — non, un grand homme. Me sachant indigne de vous égaler, je n'aspirais qu'à vous ressembler. Aujourd'hui, je suis scandalisé et, plus encore, amèrement déçu. Si ce que vous êtes devenu résulte d'avoir vécu au mépris de la société et des lois humaines, alors je vous dis haut et fort : vive la société, vive les lois des hommes ! En les bafouant, vous vous êtes mis au ban de l'humanité.

Jack avait gardé les yeux baissés. À ces derniers mots, livide, il les releva vers Doyle.

— Je n'ai jamais prétendu renier les conséquences de mes actes, dit-il d'une voix rauque. Elles sont précisément tout ce que je vous ai décrit.

— Alors, soyons clairs : m'avez-vous fait cette confession dans le but d'exciter ma pitié ou de solliciter mon approbation ?

— Non...

— Parce que si vous souhaitez que je vous absolve, je n'en ai pas le pouvoir et encore moins l'envie.

— Mais non ! Non... Je pensais... j'espérais un peu de... compréhension, voilà tout, répondit-il d'une voix entrecoupée de sanglots mal réprimés. Vous, entre tous les hommes, je vous croyais capable de... comprendre.

Haletant, il dut s'interrompre.

— Je ne sais plus... qui je suis... Je ne sais plus comment... vivre.

Ses mains mutilées griffaient l'étoffe de la banquette. Il s'affaissa soudain, comme si sa colonne vertébrale cédait. Boule-versé, Doyle vit les larmes ruisseler sur ses joues.

— J'ai honte... tellement honte de ce que j'ai fait... de ce que je suis devenu... Comme lui, vous avez raison... Je suis comme lui, dit-il avec un tel dégoût de lui-même que Doyle en fut aba-sourdi. J'aurais dû mourir avant de laisser tout cela se produire... J'aurais dû trouver le courage de me tuer. Mais je ne pouvais pas... Combien de fois ai-je posé un rasoir sur ma gorge, mis un pistolet dans ma bouche... Et j'avais peur... trop peur d'achever mon geste. Peur de trouver dans la mort un vide, un néant encore plus terrifiant que celui dans lequel je vivais. C'est cette peur qui m'a gardé en vie... Pire qu'un lâche... qu'un animal... Oh, Dieu ! Aidez-moi, je vous en supplie... Dieu, aidez-moi...

Il sanglotait. Sa douleur était si profonde, si sincère qu'elle balaya la colère de Doyle. Le souvenir de tout ce qu'il avait connu de bon et de grand dans cet homme fit monter en lui une vague de compassion.

— Non, Jack, non... Il ne faut pas...

Ému, il lui prit la main. Jack se raidit. Sa honte, plus forte encore que sa douleur, lui interdisait d'accepter ce réconfort. Il arracha sa main à l'étreinte de celle de son ami et se détourna en luttant pour se ressaisir.

— Pardonnez-moi, murmura-t-il. Pardonnez-moi.

— Vous n'avez rien à vous faire pardonner, Jack...

Levé d'un bond, il sortit en courant du compartiment. Doyle se précipita à sa suite dans le couloir, regarda à droite, à gauche. Jack Sparks avait déjà disparu.

CHAPITRE 10

Le vieux rabbin avait dû tomber malade entre Phoenix et Wic-kenburg car, une demi-heure après qu'il fut sorti se dégourdir les jambes sur la plate-forme, un contrôleur était discrètement venu chercher Eileen. Quelques minutes plus tard, elle avait reparu dans le wagon afin d'emprunter de l'alcool — Bendigo ne se serait séparé de sa précieuse flasque sous aucun prétexte ! — et était aussitôt repartie, munie du flacon généreusement offert par un machiniste et de sa trousse de maquillage — comme si elle avait peur qu'on la lui vole en son absence ! Ah, les femmes...

À la gare de Wickenburg, Eileen voulut s'occuper elle-même du rabbin Stern. La mention d'un risque de contagion suffit à décourager chez les comédiens, êtres superstitieux par nature, toute tentation de curiosité malsaine. Bendigo ne vit donc que de loin Eileen et un grand homme maigre, en complet noir mal taillé, aider le rabbin à descendre du fourgon à bagages où il se reposait depuis son malaise.

Stern marchait avec difficulté, soutenu par les deux bons Samaritains. Entre son chapeau rond et la couverture dans lequel il était engoncé malgré la chaleur écrasante, on distin-guait sa barbe blanche mais à peu près rien d'autre de sa physio-nomie. Eileen et le volontaire — un médecin qui se trouvait par hasard à bord du train, selon elle — firent entrer le malade dans le bureau de distribution des billets, où il s'étendit sur le lit de camp de l'employé de nuit. Bendigo trouvait bien quelque chose de vaguement familier à l'allure et à l'accoutrement de ce méde-cin, mais il avait trop de détails à régler pour s'y attarder.

Les bagages et les décors furent transférés du fourgon dans les chariots, loués à une remise locale pour la dernière partie du voyage — soixante milles d'une piste si mauvaise que la troupe

209

allait devoir faire une étape de nuit dans un lieu au nom enchanteur de Skull Canyon, le Canyon de la Tête de mort ! Eileen exerça alors sur Rymer un chantage éhonté : le rabbin Stern partirait avec eux, sinon elle resterait veiller sur lui à Wickenburg, c'était à prendre ou à laisser. La mort dans l'âme, Rymer fut bien forcé de s'incliner : la doublure d'Eileen était une cruche, incapable de tenir jusqu'à la fin d'une représentation, et il était hors de question de remplacer au pied levé la vedette féminine.

Rymer ruminait de sombres idées de vengeance quand Eileen exprima une nouvelle exigence : un chariot spécial pour le rabbin ! S'il était en état de supporter le voyage, précisa-t-elle, l'isolement s'imposait. Que répondre à un tel argument ? La perspective de voir la troupe frappée d'une mystérieuse maladie avait de quoi accabler son infortuné directeur. Une fois encore, donc, Bendigo dut se soumettre. Dieu merci, la tournée touchait à sa fin et il serait bientôt débarrassé de cette harpie débauchée !

C'est ainsi que le chariot sanitaire forma, à distance respectueuse, l'arrière-garde des cinq attelages de mules qui s'éloignèrent de Wickenburg sous le soleil de midi. A l'arrière, Eileen Temple jouait avec conviction les Florence Nightingale au bénéfice du rabbin Stern. Sur le siège du cocher, le grand médecin maigre — le hasard voulait qu'il se rendît lui aussi à La Cité Nouvelle — souleva derrière lui un coin de la bâche afin de vérifier comment se portaient le patient et son infirmière.

— Ne m'en veuillez pas pour les cahots, dit-il d'un ton enjoué, je n'y suis pour rien malgré mon incompétence. L'Arizona semble ignorer l'usage du macadam.

— Vous vous en sortez très bien, Jacob, répondit Eileen.

— Croyez-vous que vos camarades aient reconnu mon costume ?

— J'en ai prélevé des éléments sur trois ensembles qui ne sont pas utilisés dans cette production. Si quelqu'un s'en était aperçu, nous le saurions déjà.

— Espérons que personne d'autre ne tombera malade ni ne fera appel à mes talents. On s'apercevrait vite que mes connaissances médicales sont plutôt limitées.

— Dans ce cas, je répondrai que je me suis trompée et que vous êtes vétérinaire.

— Bravo ! Les mules ne vous contrediront pas. En tout cas, Dieu fasse qu'aucune d'elles ne s'avise non plus de tomber malade, je ne saurais pas par quel bout l'ausculter.

Eileen regagna le fond du chariot, enleva le chapeau de Jacob de la tête du malade et épongea son front en sueur avec un linge humide.

— Merci, dit Kanazuchı.

— La barbe ne vous gratte pas trop, au moins ? J'ai peut-être mis un peu trop de colle, mais nous ne pouvions pas prendre le risque qu'elle fonde au soleil.

Une main sur son sabre, caché sous le long manteau noir du rabbin, Kanazuchi approuva d'un signe et ferma les yeux. Les cahots le portaient à la méditation, il avait besoin de dormir. La chaleur sèche le réconfortait, sa blessure ne montrait aucun signe d'infection sous le pansement refait. Il pouvait maintenant faire confiance à la sagesse du corps pour parachever le processus de sa guérison.

Eileen le regarda glisser dans le sommeil en s'efforçant d'assimiler ce que Jacob et le Japonais lui avaient appris : les vols de livres saints, leurs visions d'une tour dans le désert ressemblant, de façon inquiétante, à celle dont les rumeurs signalaient la construction dans la ville où ils se rendaient. Le voyant profondément endormi, elle regagna l'avant du chariot et s'assit derrière Jacob.

— Tout va bien ? lui demanda-t-elle.

— À merveille ! Mener un attelage est très simple, au fond, il suffit de tirer sur les rênes du côté où on veut faire aller ces braves bêtes. J'ai toujours rêvé d'être un cow-boy, ajouta-t-il en se penchant vers elle. Vous êtes la première personne à laquelle j'avoue mon secret.

Eileen pouffa de rire :

— Avec moi, il sera bien gardé !

Jacob passa une main sur ses joues rasées de frais. Débarrassé de ses pilosités bibliques dont Eileen, à grand renfort de colle, avait dûment orné le visage imberbe de Kanazuchi, il paraissait rajeuni de quinze ans.

— Je portais la barbe depuis mon adolescence, dit-il pensivement. Elle fait partie des rites de notre religion, vous savez. Poser une lame tranchante sur sa peau évoque trop les sacrifices païens.

— Cela vous va à ravir, Jacob. Fait comme vous êtes, les femmes vont vous pourchasser dans tout le désert.

— Croyez-vous ? s'étonna-t-il. Quelle étrange expérience ce serait... Mais quelle extraordinaire sensation de sentir l'air sur sa peau nue ! poursuivit-il en riant. Si je me regardais dans une glace, je ne saurais sans doute même pas à quel inconnu appartient ce visage.

À vous, cher Jacob, pensa-t-elle. Un visage si plein d'intelligence et de bonté ne peut appartenir qu'à vous.

Le train spécial transportant Buckskin Frank et sa horde de justiciers amateurs n'atteignit Wickenburg qu'au coucher du soleil. Après sa découverte des gouttes de sang à la gare de Phoenix, Frank avait dû perdre quatre heures en tracasseries administratives avant d'obtenir un moyen de transport pour ses hommes et lui. L'annonce d'une récompense de cinq mille dollars avait en outre attiré une quarantaine de volontaires de plus, sans compter les journalistes toujours à l'affût de copie à sensation. Résultat : l'opération élémentaire consistant à interroger le personnel de la gare de Wickenburg dégénéra instantanément en un complet capharnaüm. Chaque milicien, chaque journaliste entendait mener sa propre enquête à son idée, tant et si bien que Frank se vit obligé de tirer en l'air une volée de coups de carabine pour rétablir un semblant d'ordre.

Aucun employé du chemin de fer n'avait vu de Chinois débarquer du train postal de midi avec les Pénultièmes Baladins, mais les wagons étaient encore sur une voie de garage. Malgré des efforts évidents pour nettoyer le plancher du fourgon à bagages, Frank n'eut pas de peine à y déceler des traces de sang, preuve que la piste était bonne. Preuve plus que suffisante, aussi, pour surexciter la meute des limiers, qui voulut se lancer séance tenante sur la route de Skull Canyon où les comédiens devaient passer la nuit.

À grand-peine, Frank parvint à les en dissuader. Une chevauchée nocturne avec cette bande d'incapables ne pourrait que tourner à la catastrophe. Traverser le désert de jour sous un soleil torride ne lui souriait pas davantage, à vrai dire, mais il garda ses réflexions pour lui tandis que la troupe au complet envahissait l'unique saloon de Wickenburg. Le whisky ne tarda pas à couler à flots et le ton à monter jusqu'à devenir assourdissant. Ne se sentant pas plus d'humeur à boire avec ces matamores bornés qu'à subir leurs discussions oiseuses, Frank sortit dans le silence de la nuit, alluma une cigarette et regarda autour de lui.

Pour la première fois depuis qu'on avait déverrouillé la porte de sa cellule, il était seul. Seul et libre. La rue était déserte. La ville entière ou, du moins, ses plus valeureux citoyens mâles gaspillaient leur salive au saloon et faisaient assaut de platitudes sur les périls auxquels les comédiens ambulants exposaient les honnêtes gens. La milice avait amené ses chevaux depuis Phoenix par le train, ils attendaient leurs cavaliers dans une écurie à cent pas de l'endroit où il se tenait. Le sien était frais du matin, sellé, prêt à partir... Frank fut parcouru d'un frémissement d'impatience. Et s'il profitait de cette occasion en or pour prendre sans plus tarder le chemin du Mexique ?

Il entendit alors la voix de Molly comme si elle lui parlait à l'oreille : quand donc regarderas-tu plus loin que le bout de ton nez, Frankie ? C'est exactement le genre de raisonnements stupides qui t'ont gâché la vie. Mille choses peuvent aller de travers entre ici et la frontière. Les autres te courront après. Ce sont peut-être des minables, mais leur puissance de feu est supérieure à la tienne et tu te retrouveras plus percé de trous qu'un harmonica. Réfléchis, mon gros loup : quelle carte vaut-il mieux jouer, hein ?

Frank écouta la voix de Molly, qui était celle de la sagesse. Son seul atout, pour ne plus revoir de l'intérieur les murs d'une prison, était un Chinois mort ou vif. Si le Chinois en question était à Skull Canyon, déjà blessé donc encore plus dangereux, ses chances de le neutraliser seraient cent pour cent meilleures s'il s'en chargeait seul plutôt que de s'encombrer de ces clowns de cirque. Une seule balle bien placée, il n'en fallait pas davantage. Et si, tout compte fait, ce Chinetoque-là n'était pas le bon, il y aurait moins de questions gênantes s'il revenait avec un cadavre muet plutôt qu'un suspect vivant, même amoché.

Une fois sa décision prise, Buckskin Frank n'était pas homme à tergiverser. Le parcours, il savait le faire les yeux fermés. La lune brillait dans un ciel clair. En partant tout de suite, il arriverait à Skull Canyon à l'aube. Les comédiens n'auraient pas même levé le camp.

Avant de sauter en selle, il prit la précaution de clouer un message sur la porte de l'écurie :

PARTI EN RECONNAISSANCE. REJOIGNEZ-MOI DEMAIN
À SKULL CANYON. TÉLÉGRAPHIERAI SI CHANGEMENTS.
BIEN À VOUS, BUCKSKIN FRANK MCQUETHY

Chicago, Illinois

À peine débarqués du train, le major Pepperman voulut faire visiter Chicago aux frères Doyle tant il était fier de sa ville natale. Et si, par tous les diables, les merveilles de cette métropole ne parvenaient pas à secouer l'apathie des buveurs de thé, c'est que l'un des plus éminents imprésarios des États-Unis avait perdu la main !

Plus que jamais porté sur les superlatifs, il ne leur épargna aucun des monuments de la ville — les plus grands, les plus hauts, les plus neufs, les plus coûteux d'Amérique ! —, de sorte qu'en arrivant à leur hôtel, le Palmer House (le plus vaste, le plus confortable et le plus luxueux entre New York et San Francisco !), l'enthousiasme bien intentionné du major avait mis ses hôtes dans un état d'hébétude avancée.

Ainsi qu'ils en étaient convenus dans le train, Sparks, Stern et Presto prirent des chambres dans un hôtel plus modeste à proximité du Palmer House et placèrent le Zohar dans le coffre de l'établissement. Au moment de se séparer, Doyle et Sparks avaient évité toute allusion à leur conversation de la veille au soir. Doyle éprouvait un malaise persistant, dû autant à l'ahurissante confession de Jack qu'à la froideur maladroite de sa propre réaction. Encore écrasé de honte, Sparks fuyait son regard. Pourraient-ils sortir de cette impasse ?

Dans le courant de la journée, pendant que les frères Doyle accomplissaient les corvées de la « tournée littéraire », les trois autres allèrent voir le rabbin Isaac Brachman. Ils en rendirent compte ce soir-là à Doyle dans sa suite du Palmer House. Lionel Stern et Presto Raipur firent tous les frais de la conversation. À l'écart dans un coin de la pièce, Jack Sparks resta muet et indifférent.

Le rabbin Brachman n'avait plus de nouvelles de Jacob Stern depuis son départ de Chicago et rien, dans ses propos et son comportement, ne lui avait permis de deviner ses intentions. Il lui avait paru tout à fait normal, peut-être un peu distrait et plus soucieux du spirituel que du matériel mais, de sa part, cela n'avait rien de surprenant. Comme tous ses collègues, Jacob s'était dit bouleversé du vol du Tikkunei Zohar, sur lequel Brachman n'avait toujours rien appris d'encourageant. L'affaire était entre les mains de la police qui la traitait au mieux avec indifférence, au pire avec négligence. S'il s'était agi d'une pendule rare ou d'un cheval de course, les policiers auraient sans doute manifesté un zèle plus ardent que pour un obscur ouvrage religieux, pas même chrétien par-dessus le marché.

On ne disposait d'aucun indice : le manuscrit s'était purement et simplement volatilisé. Un soir, après l'avoir étudié, le rabbin Brachman l'avait enfermé comme à l'accoutumée dans la bibliothèque de la synagogue ; le lendemain matin, il n'y était plus. Pas de traces d'effraction ni dans le local ni sur la serrure de la bibliothèque. Du travail de professionnel. Ses visiteurs ne voulurent pas inquiéter le rabbin, septuagénaire de santé délicate, en lui parlant de la disparition d'autres livres sacrés et de leurs soupçons sur la Ligue hanséatique. Brachman fut toutefois grandement soulagé d'apprendre que le Zohar de Gérone était en sûreté.

Le rabbin ne se souvenait pas d'un prêcheur infirme ayant participé au Congrès des religions. Plus de quatre cents ecclésiastiques du monde entier avaient afflué à Chicago pour l'occasion, une année s'était écoulée depuis ; il était presque impossible à un homme de son âge, affligé qui plus est d'une mémoire et d'une vue défaillantes, de remarquer dans une telle foule une personne en particulier.

Ce ne fut que lorsque Presto lui demanda s'il avait reçu une visite inhabituelle liée au vol du Zohar que le rabbin leur communiqua un étonnant renseignement. Personne n'était venu le voir avant le cambriolage mais, puisqu'on lui posait la question, un collectionneur de manuscrits religieux s'était présenté à lui ce matin même. L'homme, un grand Allemand blond de belle apparence, lui avait d'abord exprimé ses regrets sincères pour le vol du Tikkunei Zohar. Puis, au le fil de la conversation, il avait indiqué avoir fait à New York la récente acquisition d'un ouvrage ancien. S'il le soumettait à son examen, le rabbin aurait-il l'obligeance de l'authentifier ? Malgré la cordialité du visiteur, son instinct commanda au rabbin Brachman de tenir sa langue. Comment cet homme était-il au courant de la disparition du Tikkunei Zohar ? En dehors de la synagogue, seuls quelques rares chercheurs en avaient été informés et l'affaire n'avait reçu aucune publicité dans la presse.

Non, avait répondu Brachman, sa vue était trop mauvaise pour mener à bien une tâche aussi délicate. Un de ses amis serait mieux qualifié pour s'en charger, mais il était actuellement en voyage. L'homme avait pris congé peu après en lui laissant sa carte. Quand son ami reviendrait, le rabbin aurait-il l'amabilité de lui transmettre sa demande ?

Presto exhiba alors une carte identique à celle qu'il s'était déjà procurée à New York : Frederick Schwarzkirk, collectionneur à Chicago. Notre ruse a fonctionné, commenta Doyle. L'homme détient le faux Zohar et veut s'assurer de son authenticité. Si l'adresse figurant sur sa carte est toujours valable, son bureau est à quelques rues de l'hôtel.

D'un commun accord, ils décidèrent de s'y rendre aussitôt. L'itinéraire le plus direct les ferait passer au pied du château d'eau de Chicago Avenue, monument ne présentant pour eux aucun intérêt particulier.

Toute la journée, ses Voix avaient dit à Dante Scruggs que sa chance tournerait ce soir-là. Depuis près d'une semaine, la garce d'Indienne était restée en faction devant la tour du château d'eau et avait toujours réintégré sa pension avant le crépuscule, sans chercher d'emploi, sans même entrer dans un magasin, comportement anormal chez une femme. Elle restait plantée là à regarder les passants en se mêlant à la foule. Dante n'avait jamais eu la moindre occasion de passer à l'action, au point qu'il se demandait si elle ne s'était pas rendu compte qu'il l'épiait — les Indiens sont aussi rusés que les animaux.

Aurait-il mal choisi sa proie, pour une fois ? Si cette garce était folle, le jeu ne valait pas la chandelle. Elle n'était même plus de première jeunesse. Devait-il laisser tomber ? Les Voix l'encourageaient pourtant depuis le matin et les Voix ne l'avaient jamais trompé...

Ah, mais oui ! La nuit tombait et la garce ne partait pas ! Bien entendu, Dante Scruggs ne pouvait pas se douter que l'Indienne entendait elle aussi des voix, celles de ses ancêtres, qui lui conseillaient ce soir-là de rester plus tard que d'habitude. Alors, tandis que les rues se vidaient peu à peu, elle se posta sous un réverbère face à l'entrée de la tour. On entendit sonner la demie de sept heures, puis huit heures. Bientôt le temps de la Rivière Verte, pensa Dante Scruggs avec une excitation croissante.

Une fois encore, trop occupé à observer sa proie, Dante n'avait pas conscience d'être lui-même surveillé. Non plus par un petit homme basané mais, cette fois, par un grand blond élégamment vêtu, caché dans une voiture arrêtée de l'autre côté de la rue et qui ne le quittait pas des yeux depuis un long moment.

Neuf heures sonnèrent à tous les clochers de la ville. Alors, comme si elle avait atteint la limite de sa patience, la femme s'éloigna à pas lents, voûtée sous le poids de la déception. Dante se redressa, les sens en alerte : c'était peut-être le moment. Un dernier signe...

Sur le trottoir d'en face, un homme laissa tomber son journal. Voilà, les Voix avaient parlé !

Dante déboucha un flacon de chloroforme dont il imprégna un mouchoir au fond de la poche de son manteau. Si l'Indienne rentrait chez elle par son itinéraire habituel, elle tournerait à gauche dans une rue bordée d'ateliers et d'entrepôts, déserts à cette heure tardive. Les réverbères espacés et peu nombreux ménageaient de larges zones d'ombre. L'un d'eux, hors service depuis que Dante en avait aplati trois jours auparavant le tuyau d'alimentation en gaz, se trouvait à l'intersection de la rue et d'une ruelle obscure. C'était là qu'il comptait attaquer.

À vingt pas derrière elle, marchant en silence sur ses semelles de caoutchouc, Dante pressa peu à peu l'allure pour la rattraper au moment où elle aborderait la zone d'obscurité. Elle ne se rendait compte de rien et ne se retournait même pas. Parfait ! Le moment tant attendu approchait. Les préliminaires étaient souvent cent fois meilleurs et plus excitants que l'action elle-même.

La squaw ne l'entendit pas venir. À peine eut-elle posé le pied dans le cercle d'ombre que Dante appliqua le mouchoir imbibé de chloroforme sur son visage. C'est presque trop facile, pensat-il avec un bref éclair de déception...

La violence de la réaction le prit si totalement au dépourvu que sa proie faillit lui échapper. Un coup de coude dans le sternum, un coup de talon qui lui racla le tibia et lui écrasa les orteils. La viande se débattait toujours au début, mais celle-ci était pire que tout ce que Dante avait connu jusqu'alors ! Il évita de justesse des ongles acérés dans les yeux, détourna un coup de genou en direction de ses testicules. Elle ne paraissait même pas avoir peur de lui, la salope ! Le seul sentiment qui étincelait dans son regard était la haine. Elle lui gâtait son plaisir.

Malgré tout, Dante réussit à ne pas lâcher prise et à garder le tampon de chloroforme appliqué sur la bouche et le nez de la garce. Avait-elle le diable au corps pour résister aussi longtemps aux effets de la drogue ? Il sentit un liquide chaud lui couler sur la figure : son sang, son propre sang ! La salope lui avait labouré le front à coups de griffes ! Elle le lui paierait, la pute ! Quand il l'aurait enfin matée, elle comprendrait ce qu'il en coûte de résister à Dante Scruggs !

La lutte se poursuivit avec acharnement jusqu'à ce que la drogue fasse enfin son effet. L'Indienne cessa peu à peu de se débattre et s'affala, inerte. Dante la palpa de la tête aux pieds, s'attarda sur ses seins petits mais fermes et découvrit... un poignard sanglé sur sa cuisse. L'immonde salope ! Voilà ce qu'elle cherchait à prendre quand elle se tortillait entre ses bras ! En essuyant avec son mouchoir son visage ensanglanté, il aspira une bouffée de chloroforme. Fou de rage, il jeta l'étoffe au loin avant d'empoigner la femme sous les aisselles et de la traîner dans un entrepôt abandonné, soigneusement repéré depuis des semaines, où il avait caché le sac de voyage contenant ses instruments. C'est là qu'il lui ferait connaître les délices de la Rivière Verte, avec des raffinements qu'aucune n'avait encore subis. Il s'offrirait peut-être même le luxe de la laisser se réveiller avant de commencer les opérations...

— Hé ! Vous, là-bas !

Dante sursauta, se retourna. Merde ! À moins de cinquante pas, des gens accouraient vers lui. Au moins trois hommes, peut-être davantage — difficile à dire dans l'obscurité. En hâte, il tira la viande inerte dans l'ombre de l'entrepôt.

— Arrêtez, vous entendez ? Arrêtez !

Il n'eut pas besoin de demander conseil aux Voix pour lâcher la femme et détaler. Ces hommes n'avaient pas pu le voir clairement. Bien sûr, c'était rageant d'abandonner au moment le plus agréable, mais il en trouverait d'autres, plus fraîches et moins rétives que cette garce. Quand il tourna le coin de la rue, il entendit des pas se rapprocher, un homme ou deux, pas plus. Il connaissait le quartier comme sa poche. Ils ne le rattraperaient jamais.

Dante tourna deux fois encore, traversa un atelier désert, dévala un escalier, se terra dans un coin d'ombre et attendit, le couteau à la main et les sens en alerte. Il y eut un bruit de course dans une ruelle parallèle, des voix, des appels qui s'éloignaient. Au bout de dix minutes de silence complet, il rengaina son couteau. La voie était libre, il pouvait rentrer chez lui.

C'est alors qu'il entendit, tout proche, le cliquetis caractéristique d'un chien de revolver qu'on arme. Un Colt de fort calibre. Une fraction de seconde après, il sentit le canon se poser sur sa tempe.

— Ne bougez plus, monsieur Scruggs, fit une voix à son oreille. Après tout le mal que nous nous sommes donné pour vous rencontrer, je n'ai pas envie de devoir vous tuer. Considérez-moi comme un ami. M'avez-vous compris ?

La voix parlait avec un accent. Allemand ?

— Oui.

— Bien. Vous pouvez tourner la tête, maintenant.

Allemand, oui. Dans sa section, Dante avait eu des soldats, des immigrés, qui parlaient avec le même accent. Il se tourna lentement et put voir l'homme avec son bon œil. Jeune, à peu près de son âge. Grand, large d'épaules, musclé. Blond, les yeux bleus. Un costume bien coupé qui avait dû coûter cher. Était-ce un de ceux qui l'avaient poursuivi ? Non, il respirait trop calmement.

— Qu'est-ce que vous voulez ? demanda Dante.

Un léger sourire aux lèvres, l'homme fit glisser le canon du Colt de sa tempe à son front, puis à l'orbite de son œil de verre où il le laissa appuyé.

— Vous pouvez m'appeler Frederick.

— Qu'est-ce que vous me voulez, Frederick ?

— Vous rendre service, monsieur Scruggs.

— Me rendre service ?

— Permettez-moi d'abord de vous dire que j'admire votre travail. Je désire vous aider à l'accomplir.

— Que savez-vous de mon travail ?

— Nous avons l'œil sur vous depuis un bon moment, monsieur Scruggs. Et nous avons suivi avec un grand intérêt les progrès de votre... carrière.

— Vraiment ?

— Oui. Votre manière de procéder nous passionne et je ne vous cacherai pas qu'elle nous plaît. Beaucoup.

— Et si vous me... rendez service, comme vous dites, qu'avez-vous à y gagner ?

— Bonne question, monsieur Scruggs. Si je souhaite vous rendre service, voyez-vous, c'est parce que je désire que vous me rendiez à votre tour un certain nombre de services.

— Comment cela ?

— Oh ! de cent manières que vous ne pouvez pas même imaginer ! Mais venez donc plutôt avec moi, que nous en discutions à notre aise.

Dante voyait une lueur à la fois sombre, convaincante et ironique traverser le regard de Frederick quand les Voix intervinrent : *Cet homme nous plaît.* Dante fut stupéfait. Jamais encore les Voix n'avaient si vite fait confiance à quelqu'un. Mais comment Leur résister ?

Car Frederick lui plaisait, à lui aussi.

Lorsqu'ils avaient aperçu dans la ruelle obscure une silhouette d'homme qui traînait un corps, Doyle avait été le premier à crier et le premier à rejoindre la femme. À la lueur des allumettes que craquait Lionel Stern, il s'évertua à la ranimer tandis que Jack et Innes prenaient en chasse le malandrin. Armé de sa canne-épée, Presto fouilla le secteur et ne tarda pas à trouver un mouchoir taché de sang qui sentait le chloroforme. Lorsqu'ils découvrirent ensuite, dans un coin de l'entrepôt, un sac en tapisserie contenant de la corde, des scies et un assortiment d'instruments chirurgicaux, ils comprirent avec horreur que la femme avait échappé de peu à une mort abominable.

Au moment où les deux autres revinrent bredouilles, la femme respirait mieux mais n'avait pas repris connaissance. Sentant que Jack s'apprêtait à dire que l'incident ne devait pas les détourner de leur objectif, Doyle le prit de vitesse et déclara qu'il fallait sans tarder transporter la femme en lieu sûr. Jack ne protesta pas. Doyle se rendit alors compte que, depuis sa confession, Sparks n'oserait plus s'opposer ouvertement à lui. Il tenait là un atout décisif, dont il ne devrait cependant user qu'à bon escient et sans excès.

Presto alla héler un fiacre. Quelques minutes plus tard, les quatre hommes portant la femme inanimée entrèrent au Palmer House par la porte de service et empruntèrent un monte-charge jusqu'à l'étage de Doyle. Par malheur, le major Pepperman apparut au même moment dans le couloir. À la vue du groupe, au milieu duquel Doyle portait une femme dans ses bras, son sourire se mua en une grimace horrifiée.

— Je voulais justement vous inviter à boire un dernier verre, bredouilla-t-il. Je suis avec deux journalistes qui m'attendent au bar...

— Désolé, mon vieux. Un peu plus tard, peut-être ?

Médusé, Pepperman vit Innes ouvrir la porte, Doyle entrer et les autres s'engouffrer à sa suite. C'était plus que louche ! Qui donc étaient ces individus ? Celui habillé en dandy avait la peau aussi sombre que celle d'un nègre, un autre une tête à faire peur avec des cicatrices comme un pirate ! Accablé, le major voyait déjà les manchettes annonçant le scandale (LE CRÉATEUR DE HOLMES SURPRIS EN PLEINE ORGIE !) et la ruine qui le guettait. Depuis son arrivée en Amérique, Doyle se conduisait de façon bizarre. Nul besoin d'être un génie pour tirer les conclusions de ce que le major venait de voir. L'infortuné avait englouti le plus clair de ses économies dans l'organisation de cette tournée. Jusqu'à ce qu'il rentre au moins dans ses frais, il ferait donc l'impossible pour protéger son investissement. À aucun prix, les vices cachés de Doyle ne devaient transpirer dans le public. Et lui qui croyait ne pas prendre de risques en misant sur un auteur célèbre — un Anglais, qui plus est, un parangon de respectabilité ! Pourquoi, grand Dieu, pourquoi n'avait-il pas continué à promouvoir le cirque ?

Lorsque Doyle eut étendu la femme sur un canapé, les cinq hommes purent enfin la voir clairement. Elle avait une trentaine d'années, le teint bistre, les cheveux noirs, des traits accusés. Elle n'était pas belle, mais la force de caractère qui émanait de sa personne la rendait attirante.

Jack Sparks et Presto éprouvèrent en la dévisageant l'étrange impression de la reconnaître.

— Indienne d'Amérique, dit Sparks à mi-voix.

— La connaissez-vous ? s'enquit Doyle, intrigué par l'attitude des deux hommes.

Jack se borna à faire un signe de dénégation.

— Comment le pourrais-je ? répondit Presto. Et pourtant, elle a quelque chose de... familier.

Doyle déboucha un flacon de sels qu'il fit respirer à la femme. Elle détourna la tête, ouvrit les yeux et vit avec inquiétude les cinq visages masculins penchés vers elle. Doyle la rassura, lui présenta ses compagnons, expliqua comment ils l'avaient retrouvée inanimée dans la rue et emportée ici. Sans mot dire, elle écouta en buvant un verre d'eau. À sa propre surprise, ces inconnus ne lui inspiraient aucune crainte. Elle se sentait au contraire en sécurité avec eux, surtout Jack et Presto auxquels elle rendait avec curiosité leurs regards interrogateurs.

— Comment vous appelez-vous, mademoiselle ? lui demanda Doyle.

Elle l'examina avec attention avant de répondre :

— Mary Williams.

— Nous serions-nous déjà rencontrés ? s'enquit Presto.

Ainsi, l'homme à la peau sombre et celui avec les cicatrices le sentaient eux aussi.

— Non.

— Pourtant, nous en avons tous trois l'impression, n'est-ce pas ?

Savaient-ils qu'ils se connaissaient par le rêve ?

— Oui, répondit-elle.

— Pourquoi, à votre avis ? insista Presto.

Quelque chose la retint de formuler la réponse. Doyle intervint et reprit l'interrogatoire sous un autre angle.

— Vous êtes amérindienne, n'est-ce pas, mademoiselle ?

— Oui. Dakota.

— Aviez-vous déjà vu l'homme qui vous a attaquée ?

— Il me suivait depuis mon arrivée à Chicago. Je ne le connais pas et je ne sais rien de lui.

— Pourquoi n'avez-vous pas prévenu la police ?

— Il ne m'avait encore rien fait.

— La police aurait quand même pu vous aider...

— Je suis capable de me défendre seule.

Devant leurs mines sceptiques, elle précisa :

— Ce soir, j'ai commis une erreur, je pensais à autre chose. Il a choisi le seul moment où j'étais vulnérable. S'il essaie encore une fois, je le tuerai, déclara-t-elle d'un ton qui ne permettait pas d'en douter.

— Malgré tout, mademoiselle Williams, vous avez de la chance d'être encore en vie, dit Presto.

Il lui montra les instruments de torture que contenait le sac. Elle les regarda sans manifester de surprise — rien dans ce cauchemar à l'œil de verre trop bleu n'aurait pu l'étonner — et finit par admettre qu'elle avait en effet eu de la chance.

— Si je puis me permettre de vous poser cette question, dit alors Doyle, que faisiez-vous seule à la nuit tombée dans un endroit pareil ?

— J'attendais quelqu'un qui ne venait pas. Ma déception m'a rendue distraite, l'homme en a profité.

— Qui donc attendiez-vous ?

Elle regarda alternativement Jack et Presto.

— Ces messieurs, je crois, répondit-elle enfin.

Les deux interpellés accueillirent sa déclaration avec calme. Doyle, Innes et Lionel Stern sursautèrent de stupeur.

— Vous *croyez* ? s'exclama Doyle. Sur quoi vous basez-vous ?...

— Laissez la parler ! l'interrompit Sparks.

Marche Seule attendit un instant. Oui, elle pouvait parler sans crainte.

— Je vous ai déjà vus en rêve, l'un et l'autre. Vous le savez parce que vous faites le même rêve.

Jack et Presto échangèrent un regard.

— Parlez-nous de ce rêve, insista Presto.

— Une tour noire dans le désert. Un temple ou un autel sous la terre. Six personnages rassemblés. Je suis l'un des six, vous l'êtes aussi. Tous les deux. Un démon noir sort de la terre. Un homme qui vous ressemble, précisa-t-elle en désignant Jack d'un signe.

Les trois autres écoutaient, livides.

— J'ai grand besoin d'un scotch, marmonna Doyle.

— Moi aussi, dit Stern en le rejoignant près du bar.

— Verse-m'en un double, bredouilla Innes.

— Vous aussi, vous avez vu la tour, dit Marche Seule.

Jack et Presto acquiescèrent.

— Le rêve a commencé il y a trois mois, reprit-elle. D'abord de temps en temps. Maintenant, il revient presque toutes les nuits.

Jack opina. Doyle l'observait de l'autre bout de la pièce. Son regard fébrile, tourmenté, trahissait enfin un signe de vie.

— Pour moi, c'est deux ou trois fois par semaine, dit Presto. Je me réveille couvert de sueurs froides.

— Savez-vous ce qu'il signifie ? demanda Jack.

Elle hésita à les effrayer par son interprétation.

— Non, répondit-elle.

Réconforté par le whisky, Doyle les rejoignit. Il prit dans sa poche le dessin de Jacob Stern, déplia le feuillet et le tendit à Mary Williams.

— Ceci ressemble-t-il à la tour que vous voyez en rêve ?

— Oui. Et aussi à celle qui est ici, dans cette ville.

Les mains tremblantes, Lionel Stern se versa une nouvelle rasade de scotch qu'il avala d'un trait.

— La tour serait donc à Chicago ? s'étonna Doyle.

— Non. Celle du rêve se trouve dans le désert. Elle est plus grande et bâtie en pierres noires.

— De quelle tour parlez-vous, alors ?

— De ce qu'ils appellent le château d'eau. C'est là que le rêve m'a dit de vous attendre.

— Pouvez-vous nous y emmener ? demanda Jack.

— Oui. C'est tout près de l'endroit où vous m'avez trouvée. Nous nous y serions rencontrés si j'avais attendu un peu plus longtemps.

— Allons-y, dit Jack en se dirigeant vers la porte.

— Mademoiselle Williams ! intervint Doyle. Je ne saurais trop vous recommander de prendre du repos. Vous venez de subir une pénible épreuve et...

— Non, déclara-t-elle d'un ton sans réplique.

Ils embarquèrent dans deux fiacres. Arrivés au château d'eau, Doyle dit aux cochers d'attendre afin de les raccompagner ensuite à l'hôtel. La lumière des becs de gaz donnait à la tour, qui se détachait dans l'obscurité, l'apparence incongrue d'un château de conte de fées. Jack et Presto convinrent de sa ressemblance avec la tour de leur rêve. En la comparant au dessin du rabbin Stern, ils notèrent certaines autres similitudes.

— Votre père l'a sans doute dessinée de mémoire parce qu'il l'avait vue à l'occasion du Congrès des religions, dit Doyle à Lionel Stern.

Jack, Presto et Mary Williams n'étaient cependant pas d'accord. La tour qu'ils voyaient en rêve était noire, plus grande, menaçante. Et nul ne pouvait confondre une ville comme Chicago avec un désert de sable blanc. Leur examen du château d'eau ne faisait qu'approfondir le mystère.

Pendant ce temps, Doyle réfléchissait. Que penser de ces rêves qui se recoupaient ? Il s'était une fois penché sur le cas de trois médiums, disséminés dans trois parties du monde, qui recevaient simultanément des fragments du même message spirite, mais ils étaient alors en état de transes, pas en sommeil. Il ne s'agissait en outre que de messages simples, sans représentation visuelle complexe ni arguments aux significations voisines, voire identiques.

Jacob Stern participait donc à ce rêve multiple. Pourquoi ces quatre-là étaient-ils récepteurs du même message ? Mary

Williams paraissait naturellement douée ; mais Jack, bien que son frère possédât des pouvoirs occultes, n'avait jamais présenté de caractères de médiumnité — à moins que son abus de drogues ne les ait induits. Quant à Presto, son personnage se trouvait aux antipodes des médiums classiques : qui, plus qu'un homme de loi, devrait avoir les pieds sur terre ? Ils avaient aussi tous quatre en commun un livre saint d'une importance primordiale pour leur religion. Le cas de Mary Williams était un peu différent : issue d'une culture ignorant l'écriture, elle était sans doute dépositaire de la tradition orale de son peuple.

Pourtant, aucun de ces éléments n'apportait de début de réponse à la question essentielle : quels étaient les objectifs et la signification du rêve ? Quel rapport avait-il avec la disparition des livres sacrés ? Puisque je ne rêve pas, pensa Doyle, je puis au moins chercher les réponses à ces questions, de sorte qu'ils puissent accomplir jusqu'au bout la tâche que ce rêve leur confie...

À l'écart, Sparks contemplait la tour en silence.

Et si je ne trouve pas un moyen pour que Jack redevienne lui-même, conclut Doyle, ils n'y parviendront jamais.

À quelques rues de là, tandis que Doyle et ses compagnons étudiaient l'énigmatique château d'eau, Frederick Schwarzkirk faisait entrer Dante Scruggs dans ses bureaux, les seuls de l'immeuble encore occupés à cette heure tardive. La porte ne portait pas d'autre enseigne que son nom au-dessus du mot COLLECTIONNEUR en capitales.

Il y régnait une grande activité. Une demi-douzaine d'hommes, vêtus et gantés de noir, plaçaient des dossiers et des livres dans des boîtes en carton qu'ils entassaient dans le couloir. La première pièce était déjà vidée de son contenu, à l'exception d'une table-bureau de chêne massif et d'un appareil de télégraphie, d'où s'échappait une bande de papier portant les points et les tirets d'un message.

— Je reviens d'un voyage d'affaires à l'étranger, dit Frederick, et je suis en train de déménager, comme vous pouvez le constater.

Dante se borna à sourire sans répondre. Pendant le trajet en voiture, il avait jugé plus sage de s'abstenir de poser trop de questions. Frederick irradiait tant de sûreté de soi et de puissance que Dante se sentait bête mais, en même temps, traité avec l'affection un peu condescendante que l'autre accorderait à son chien préféré. Les Voix lui répétaient d'ailleurs de ne s'inquiéter de rien, il pouvait faire confiance à cet homme.

Sans le présenter aux autres, Frederick le laissa seul quelques instants pour aller dans le bureau voisin, où Dante l'entendit donner quelques ordres en allemand. Un homme qui portait une caisse passa devant lui, les manches retroussées. Dante remarqua, au creux de son coude gauche, un curieux tatouage représentant un cercle que traversaient trois lignes brisées en forme d'éclairs.

En reculant pour laisser passer deux autres hommes, qui poussaient une pile de lourdes caisses sur un diable, Dante se trouva derrière le bureau et ne put résister à l'envie de jeter un coup d'œil sur la bande du télégraphe — il avait été deux ans opérateur télégraphiste pendant son service dans l'armée. Il eut le temps de déchiffrer la phrase APPORTEZ LES LIVRES IMMÉDIATEMENT avant qu'un bruit de pas derrière lui signale le retour de Frederick. Dante s'écarta aussitôt et prit sa mine la plus innocente.

Frederick agita un index faussement menaçant :

— Vilain curieux !

Dante rougit et se contenta de sourire.

— Les vilains curieux doivent être punis, dit Frederick en arrachant la bande qu'il parcourut rapidement.

Dante se sentit gêné mais n'éprouva aucune crainte. Une fois sa lecture terminée, Frederick craqua une allumette, mit le feu à la bande qu'il laissa tomber sur le plancher et entreprit d'envoyer une réponse. Dante tendit malgré lui l'oreille au rythme des cliquetis mais l'autre, voyant qu'il écoutait, parla pour détourner son attention.

— Vous vous plaisiez dans l'armée, n'est-ce pas ?

— Oh, oui !

— Vous étiez fier de votre autorité ?

Comment pouvait-il parler et composer en même temps un message en morse ? s'étonna Dante.

— Oui, c'est vrai.

— Vous aimiez appartenir à une grande organisation. Cela donnait un sens à votre existence, n'est-ce pas ?

— Oui, j'aimais bien.

— Vous étiez un bon soldat, au service d'objectifs plus étendus, plus profonds que vos facultés de compréhension. Au coude à coude avec d'autres hommes unis par le même esprit, dévoués aux mêmes idéaux.

Là, Dante ne suivait plus.

— Euh... hein ?

Frederick éclata d'un rire indulgent.

— Vous aimeriez servir de nouveau dans une armée, n'est-ce pas, monsieur Scruggs ?

— Euh... oui, répondit Dante en hésitant.

— Pas une armée aux ordres d'un gouvernement lointain, dirigée par des chefs incompétents et corrompus, par des lâches ayant peur de leur ombre. Je vous parle d'une armée radicalement différente, une armée à laquelle vous seriez fier d'appartenir. Une armée où vos qualités uniques, loin d'être sanctionnées, seraient récompensées. Où vous seriez même encouragé à les exercer, à les développer. Cela vous plairait, n'est-ce pas, monsieur Scruggs ?

À mesure que Frederick parlait, Dante se sentait parcouru par un frisson de plaisir.

— Oh, oui ! Cela me plaîrait beaucoup.

— Nous recrutons dans le monde entier, mais selon des critères si sévères que peu d'hommes peuvent les satisfaire. Après vous avoir observé des mois, monsieur Scruggs, je vous crois digne de nous.

— Comment m'avez-vous remarqué ?

— Nous avons des yeux et des oreilles un peu partout, il est rare que la personne adéquate échappe à notre attention. Alors, nous la soumettons à un examen détaillé, tel que celui que vous avez vous-même subi, et nous intervenons au moment propice.

Dante déglutit avec peine. Il avait soudain l'impression qu'un ange l'effleurait de son aile. Entre temps, Frederick qui avait fini d'envoyer son message débrancha les fils du télégraphe et tendit l'appareil à Dante.

— Auriez-vous l'amabilité de le mettre dans une caisse, monsieur Scruggs ?

— Bien sûr, Frederick, mais...

Dante regarda autour de lui sans en voir aucune. Déjà penché sur un tiroir qu'il vidait de ses dossiers, Frederick lui montra la porte du second bureau.

— Entrez là.

À peine eut-il franchi la porte que six paires de mains se saisirent de Dante, le soulevèrent et le couchèrent sur une table au milieu de la pièce. Il ne voyait des hommes que leurs yeux sous des cagoules noires. Une main gantée s'abattit sur sa bouche pour étouffer son cri de terreur. Dante avait beau se débattre, il ne pouvait plus faire un geste. Des visions d'abattoirs lui traversèrent l'esprit. Une odeur âcre et chaude de charbons incandescents l'étouffait.

Frederick reparut alors, mais son sourire charmeur avait disparu. Il plongea une main dans la poche de Dante et lui prit son couteau pendant que les autres lui relevaient les manches et baissaient son pantalon jusqu'aux chevilles. Un gémissement de terreur lui échappa, sa vessie se vida involontairement. Que signifiait ce traitement brutal, que lui voulaient ces individus ? Et ses Voix, pourquoi étaient-elles muettes ? Personne n'allait lui venir en aide ?

Frederick coupa les boutons de son caleçon long et lui dénuda les parties qu'il caressa du tranchant de la lame.

— Vous êtes-vous jamais demandé ce qu'éprouvaient les femmes que vous « traitiez » dans votre « travail », monsieur Scruggs ? Avez-vous jamais imaginé leur effroyable terreur ? Leur peur de mourir ? La douleur de vos premières incisions ? J'ai vu les morceaux que vous conservez dans votre appartement. Vous êtes un collectionneur soigneux, vous aussi. Pourquoi vous intéressez-vous à une partie du corps plutôt qu'à une autre ? Sa forme, sa texture ? Sa fonction, peut-être ? Ou alors, vous n'y pensez même pas. Ce qui compte plutôt, c'est la magie de l'acte pour lui-même, le besoin impérieux de posséder la chair, n'est-ce pas ?

Dante se débattit en gémissant.

— Du calme, voyons ! Détendez-vous. C'est bien ce que vous leur dites, au début ?

Frederick l'écorcha à peine, juste assez pour faire jaillir un filet de sang que Dante sentit couler entre ses cuisses. Frederick se pencha, lui parla à l'oreille.

— Chaque plaisir a son prix, chaque péché sa sanction. Les rites initiatiques sont aussi anciens que l'humanité, aussi mystérieux que la face de Dieu. Pourtant, nous leur obéissons parce qu'eux seuls nous permettent d'accéder à la fraternité d'une société secrète. C'est par son sang et sa peur qu'on est baptisé pour renaître dans sa nouvelle vie. Il n'existe pas d'autre moyen pour vous rendre utile, plus utile que vous n'êtes capable de l'imaginer. N'oubliez jamais que la mort vous guette à tout moment. Que nous ne tolérons pas la désobéissance. Que vos pensées et votre esprit ne sont plus à vous mais appartiennent désormais à une puissance supérieure. Vous avez toujours aspiré à la servitude, elle devient votre réalité quotidienne. Votre existence entière vous a conduit ici, en cet instant auquel vous avez toujours aspiré en vous-même. Il suffit maintenant de vous y soumettre.

Frederick planta le couteau dans le bois de la table entre les cuisses de Dante, qu'il érafla au passage en provoquant une nouvelle effusion de sang.

— Soyez l'un de nous et vivez éternellement.

Dante sentit une atroce brûlure au bras gauche. À demi aveuglé par les larmes, il tourna la tête pour voir une main gantée appliquer un fer rouge au creux de son coude. Le fer enfin soulevé laissa une marque imprimée dans sa chair : un cercle traversé par trois lignes briséees en forme d'éclair.

Et Dante perdit connaissance.

CHAPITRE 11

Un ramassis de cahutes, groupées autour de l'entrée d'une mine d'argent abandonnée, formait toute l'agglomération de Skull Canyon, Arizona. Sa population avait atteint le niveau record de trois cent cinquante âmes avant que le filon s'épuise et que la compagnie ferroviaire annule son projet d'embranchement. La ville, si toutefois elle méritait ce pompeux qualificatif, ne comptait plus que deux habitants permanents, prospecteurs sexagénaires et simples d'esprit qui s'obstinaient à gratter la poussière des galeries, et une dizaine de résidents occasionnels qui venaient par roulement tenir le relais de la diligence et l'hôtel, lorsque la malchance forçait les rares voyageurs à y passer la nuit sur des paillasses grouillantes de puces et de punaises.

Avec le débarquement des Pénultièmes Baladins la veille au soir, la population avait bondi au chiffre de trente et une personnes — l'hôtel ne pouvant en loger que quinze, les plus jeunes de la troupe et les machinistes avaient dû se contenter de coucher dans les chariots. Ce chiffre se montait même à trente-deux si on y incluait Buckskin Frank McQuethy, arrivé juste avant l'aube. Tapi dans une échancrure de la falaise dominant le canyon, assez proche de l'hôtel pour distinguer les visages à l'aide de la lunette de visée de sa carabine à répétition, il en avait libéré le cran de sûreté et attendait l'apparition du Chinois.

De son poste d'observation, il repéra cinq chariots dételés. La vie s'éveilla quand les premiers rayons du soleil vinrent lécher le bord de la falaise : des employés de l'hôtel qui vidaient les ordures, d'autres qui rentraient du bois, la fumée qui sortait de la cheminée de la cuisine. Déplorant de ne pas être assis devant le feu, un bol de café chaud entre les mains, Buckskin Frank rajusta la couverture de cheval sur ses épaules et essaya de ne pas claquer des dents. Une bouffée de bacon grillé monta lui chatouiller les narines et lui rappeler qu'il mourait de faim.

Le froid était devenu glacial pendant sa chevauchée de la nuit. Il n'arrivait plus à se réchauffer comme il le faisait si facilement quand il était plus jeune. À mi-chemin de Wickenburg, il avait décidé qu'il était trop vieux pour ce genre de folies et qu'il aurait mieux fait de filer tout droit vers la Sonora. Combien de belles matinées comme celle-ci avait-il gâché, dans sa vie, à l'affût d'un quelconque minable qu'il devait prendre dans sa ligne de mire ? Non, vraiment, à des heures pareilles il n'aspirait plus qu'à un bon lit, garni d'une paire de seins, tièdes et fermes. Seule, l'idée qu'un coup de feu bien ajusté lui vaudrait la réalisation de ce rêve le maintenait en éveil.

Un cuistot de l'hôtel fit tinter le triangle du déjeuner, les comédiens commencèrent à sortir des chariots. Frank braqua sa lunette, les détailla un à un.

Pas de Chinois.

Au bout d'une demi-heure, les palefreniers sortirent les mules de l'écurie pour les atteler pendant que le reste de la troupe émergeait de l'hôtel. Quatre femmes et douze hommes, tous blancs, montèrent dans trois des cinq chariots. Un grand et gros type, qui avait l'air de commander tout le monde, s'installa seul aux guides du quatrième chargé de décors et de malles, mais la caravane ne s'éloigna pas : le cinquième chariot, le plus petit, était encore vide.

Trois personnes sortirent enfin de l'hôtel. Un doigt sur la détente, l'œil collé à la lunette, Frank redoubla d'attention : une brune avec des yeux à damner un saint et un grand escogriffe dégingandé en costume noir soutenaient un petit vieux tout courbé, avec une barbe blanche, un drôle de chapeau rond bordé de fourrure et un long manteau noir, qu'ils aidèrent à monter dans le dernier chariot.

Frank sentit que quelque chose clochait et les scruta de plus près. Entre sa barbe et son chapeau, on ne voyait rien du petit vieux. En montant dans le chariot, un pan du manteau s'écarta et dévoila une tache sombre sur sa chemise blanche. Du sang ? Le doigt de Frank se crispa sur la détente. Allait-il prendre le risque ? Réfléchis, Frankie, fit la voix de Molly. Officiellement, tu es encore condamné pour meurtre. Si ce type n'est pas le bon, tu n'arrangeras pas tes affaires en le descendant devant vingt témoins.

Des éclats de voix, maintenant. Frank braqua sa lunette dans cette direction : le gros type sautait de son siège et courait en agitant les bras vers la belle brune qui répliquait du tac au tac. Si

Frank ne pouvait pas entendre ce qu'ils se jetaient à la figure, le sens était clair : ce n'était pas le gros type qui avait le dessus. Une minute plus tard, il remonta tout penaud sur son siège et la brune embarqua dans son chariot. Elle est bien roulée et elle ne manque pas de culot, jugea Frank avec admiration.

Le convoi s'ébranla enfin. Frank savait, par le loueur de Wickenburg, que les comédiens se rendaient dans une sorte de communauté religieuse établie en plein désert, à vingt-cinq milles au nord-ouest de Skull Canyon. L'endroit, qui s'appelait La Cité Nouvelle, existait depuis trop peu de temps pour figurer sur les cartes mais grandissait à vue d'œil. Les gens n'étaient pas des mormons mais ils avaient l'air de chrétiens, le loueur ignorait de quelle variété. En tout cas, c'étaient de bons clients qui payaient rubis sur l'ongle. Un peu excentriques, oui, mais pas dangereux. Ils se construisaient une espèce de château avec des pierres extraites des collines avoisinantes.

Même si ses clowns ne se perdaient pas dans le désert, ce qui faisait un gros SI, ils n'arriveraient pas à Skull Canyon avant la fin de l'après-midi. Frank ne pouvait pas se permettre de perdre autant de temps. Le Chinois n'était peut-être pas avec les acteurs, mais son instinct disait à Frank qu'il devrait regarder d'un peu plus près le petit vieux du dernier chariot. Après tout, les comédiens savent se servir des fards pour se maquiller.

Frank avait une autre raison de vouloir se lancer sur cette piste, raison qu'il hésitait à admettre : c'était moins le petit vieux qu'il voulait voir de plus près que l'autre personne montée avec lui dans le chariot. La belle brune au regard à damner un saint ressemblait à Molly comme une sœur et lui faisait battre le cœur comme un gamin.

Il s'étira de son mieux, se remit en selle, descendit jusqu'à l'hôtel où il posa quelques questions. Personne n'y avait vu de près le petit vieux qui avait l'air d'un Juif du Vieux Monde, comme ceux qu'on trouve dans l'Est. Ce qu'il pouvait bien fabriquer au milieu du désert avec une troupe de comédiens ambulants était une autre paire de manches. Le personnel savait seulement qu'il avait une sorte de fièvre et qu'il valait mieux rester à l'écart. Une fois à l'hôtel, il n'était pas sorti de sa chambre.

La brune ? Ah, oui ! Un beau morceau, celle-là ! Le grand escogriffe et elle soignaient le petit vieux. Quelqu'un avait entendu qu'on l'appelait Eileen.

Y avait-il un bureau du télégraphe dans le patelin où se rendaient les acteurs ? Oui, affirma-t-on à Frank. Il laissa un message scellé à donner au shérif qui commandait la milice : ils devaient rester à Skull Canyon en attendant qu'il leur télégraphie ses instructions. Et si quelqu'un demandait où Buckskin Frank était parti, ce dernier serait reconnaissant aux gens de l'hôtel de répondre qu'on l'avait vu prendre la route de Prescott — vers le nord-est. Sur quoi, après avoir nourri son cheval et s'être offert un copieux déjeuner, Buckskin Frank s'éloigna plein nord-ouest, sur la piste menant à La Cité Nouvelle.

À onze heures ce soir-là, lorsque Doyle, Jack et leurs compagnons arrivèrent aux bureaux de Frederick Schwarzkirk, ils trouvèrent les portes ouvertes et les locaux déserts. Le groupe ne comportant pas moins de quatre détectives — Doyle, Jack, Presto avec son souci du détail propre à l'homme de loi et, à sa manière, Marche Seule — ceux-ci examinèrent les lieux avec la plus grande minutie pendant qu'Innes et Lionel Stern montaient la garde à l'entrée.

À l'évidence, les bureaux avaient été déménagés peu de temps auparavant. On voyait des cendres dans une corbeille à papier, le contour d'un appareil sur le plateau poussiéreux de la table et un rouleau de papier télégraphique oublié dans un tiroir. La présence de fils dénudés sortant d'une plinthe trahissait un branchement clandestin sur la ligne du télégraphe de l'immeuble. L'épaisseur de la couche de poussière sur les étagères suggérait en outre que dossiers et registres n'y étaient entreposés que pour le décor et n'avaient jamais été manipulés avant d'être emportés.

Sur la table de la deuxième pièce, ils décelèrent des traces d'urine et de sang, si frais que le bois ne les avait pas entièrement absorbées. Malgré la fenêtre laissée grande ouverte, l'air était encore imprégné de relents de chair grillée. Des agissements infâmes avaient dû se dérouler ici dans un passé récent.

Ces locaux, conclut Doyle, servaient de base d'opérations aux voleurs de livres saints, ce qui signifiait que Frederick Schwarzkirk était le survivant de leurs agresseurs à bord de l'*Elbe*. À l'exception du nom Schwarzkirk signifiant Église Noire, ils ne discernaient aucun autre lien avec leur rêve commun. Quant à la fouille des lieux, elle ne leur avait pas fourni d'indications sur la direction qu'auraient pu prendre l'Allemand et ses complices.

— À l'évidence, dit Doyle lorsqu'ils quittèrent les lieux, ces individus ne laissent rien au hasard. Oublieraient-ils derrière eux des indices révélateurs, voire des témoins susceptibles de leur nuire ?

Nul ne répondit, mais ils pensèrent aussitôt la même chose : ils appartenaient, eux, à cette dernière catégorie.

— Le rabbin Brachman ! s'exclama Jack avec inquiétude.

— Ils voulaient soumettre le faux Zohar à son examen, compléta Presto.

En un éclair, Jack retrouva son esprit de décision.

— Doyle, regagnez votre hôtel avec Stern et Mlle Williams, dit-il en sautant dans un des fiacres. Prenez le livre, gardez-le dans votre chambre et n'ouvrez à personne jusqu'à notre retour. Presto, Innes et moi allons voir si tout va bien chez le rabbin.

Ainsi, pensa Doyle, il reprend vie dans l'action. Le reste du temps, il est comme une statue de cire. Et tandis que Mary Williams montait à côté de lui dans le deuxième fiacre, une idée se forma peu à peu dans son esprit.

Une seule fenêtre était éclairée au-dessus du péristyle de la synagogue B'nai Abraham.

— Le logement de Brachman, dit Jack. La fenêtre à côté est celle de sa bibliothèque, où le livre a été dérobé.

— D'après les indications du rabbin, les voleurs étaient passés par-derrière, observa Presto.

— C'est donc par là qu'ils s'introduiront de nouveau.

Les trois hommes étaient tapis dans l'ombre sur le trottoir d'en face. Avant de venir à la synagogue, ils avaient fait un détour par leur hôtel, où Jack s'était muni de la mystérieuse mallette d'Edison.

— Quelqu'un à l'intérieur, dit Innes.

Une silhouette venait de se profiler entre la lampe et le store de la fenêtre. Celle d'un homme grand et de forte carrure, sans rien de commun avec un frêle rabbin septuagénaire. L'homme tenait un livre ouvert.

Jack ouvrit la mallette. Abritant son contenu de la curiosité de ses compagnons, il en sortit une sorte de paire de jumelles montée sur une armature permettant de la fixer sur la tête comme un casque. Muni de cet équipement, qui lui donnait l'allure d'un gigantesque insecte, il examina les fenêtres sans mot dire. Derrière son dos, Innes et Presto échangèrent des regards perplexes.

— Vous voyez quelque chose ? s'enquit Innes.

— Oui, répondit Jack en poursuivant son examen.

— Quoi, au juste ? voulut savoir Presto.

Jack enleva l'appareil, le remit dans la mallette et la referma prestement, au vif dépit d'Innes.

— Allons-y, dit-il. Suivez-moi.

Ils traversèrent la rue en courant et contournèrent la synagogue jusqu'à la porte de derrière. Jack prit dans sa poche une trousse à outils et rouvrit la mallette. Il en sortit un coffret de la taille d'une boîte à chaussures, muni sur une face d'une ampoule électrique logée dans une sorte de dôme métallique dont on pouvait agrandir ou rétrécir l'ouverture à l'aide de volets articulés. Puis il tendit la mallette à Innes et confia l'appareil à Presto.

— Braquez-le vers la serrure, lui dit-il.

Presto s'exécuta. Jack régla le diamètre de l'ouverture et bascula un contacteur sur le côté de la boîte. On entendit un léger bourdonnement ; un instant plus tard, un pinceau de lumière blanche jaillit du dôme.

— Grand Dieu ! murmura Innes. Qu'est-ce donc ?

— Devinez, dit Jack qui s'escrimait déjà à crocheter la serrure.

— Une... lampe torche ? hasarda Innes.

— C'est précisément ainsi que l'appelle Edison.

La serrure céda, Jack ouvrit la porte.

— Éteignez, dit-il à Presto.

Il reprit ses jumelles dans la mallette et scruta l'obscurité. En file indienne, les trois hommes s'avancèrent à pas de loup, traversèrent une première pièce, firent halte sous une arche. Jack reprit la lampe électrique, l'alluma brièvement. Ils étaient au seuil d'un vestibule d'où partait un escalier central. À leur gauche, une double porte donnait accès à la synagogue. Jack toujours en tête, ils reprirent leur marche hésitante et s'arrêtèrent au pied de l'escalier.

On marchait à l'étage. Des pas feutrés, légers.

Jack leur fit signe de rester sur place et s'engagea sans bruit dans l'escalier. Figés, retenant leur respiration, Innes et Presto attendirent. Machinalement, Innes tâta le mur à côté de lui. Sa main se posa sur un bouton rond. Un interrupteur électrique, peut-être ?

On entendit le fracas d'une chute. Un bruit de lutte. Des pas précipités. Innes tourna le bouton. Le lustre du vestibule s'alluma...

Surpris par la lumière, deux hommes masqués vêtus de noir qui dévalaient l'escalier s'arrêtèrent net. Presto dégaina sa canne-épée, bondit vers eux. Le premier, porteur d'un sac de toile noire, sauta par-dessus la rampe, retomba souplement sur ses pieds et courut vers la porte de la rue. Innes s'élança à sa suite. L'autre sortit un couteau de sa manche. De la pointe de son épée, Presto lui cloua la main au mur. L'homme lâcha son couteau. Presto lui décocha un punch à la mâchoire, l'homme trébucha, sa tête heurta violemment la rampe et il s'affala, inerte. Entre-temps, Innes avait atteint le seuil de la synagogue derrière l'homme au sac de toile noire, mais celui-ci avait déjà disparu. Frustré, Innes rentra et referma soigneusement la porte.

Sur le palier de l'étage, Presto trouva un troisième homme en noir étendu mort sur le tapis, le cou brisé. L'épée brandie, il s'avança vers la porte entrebâillée, où brillait la lampe qu'ils avaient vue de l'extérieur.

Innes le rejoignit en enjambant l'homme inerte dans l'escalier. À peine l'avait-il dépassé que ce dernier se redressa d'un bond et dévala les dernières marches. Sans hésiter, Innes sauta par-dessus la rampe et lui atterrit sur le dos. Mais l'autre, trapu et musclé, ne tomba pas et s'efforça, tel un taureau furieux, de déloger son cavalier par des bonds désordonnée. Innes lui saisit le cou à deux mains, serra, appela à l'aide.

— J'arrive ! cria Presto.

Une lutte confuse s'engagea, qui se poursuivit jusque dans le sanctuaire, où l'homme parvint enfin à échapper à Innes et à disparaître. Presto le prit en chasse. Il y eut un bruit de verre brisé, puis le silence.

— Il s'est enfui en sautant à travers une fenêtre, dit Presto, qui revint en rengainant la lame dans sa canne.

Innes et lui remontèrent vers la pièce où la lampe brillait toujours. Le rabbin Brachman était assis dans son fauteuil, affaissé sur sa table comme s'il s'était assoupi en travaillant. Jack contemplait sombrement la scène.

— Ils se sont échappés ? demanda-t-il sans se retourner.

— Oui, les deux, répondit Presto. Celui sur le palier, c'est vous ?

— Je ne voulais pas le tuer, répondit Jack froidement. Mort, il ne nous sert à rien.

— Grand Dieu ! s'exclama Innes en remarquant pour la première fois le visage blanc et les yeux grands ouverts du rabbin. Il est mort, lui aussi ?

— On a l'esprit d'observation, dans votre famille, dit Jack d'un ton sarcastique.

— Ils l'ont tué ? reprit Innes, trop choqué pour se formaliser.

— Une injection de poison, répondit Jack en montrant sur le cou du rabbin un point rouge à peine perceptible. Même méthode que celle utilisée pour tuer Rupert Selig à bord de l'*Elbe*.

— Arthur estimait qu'ils l'avaient fait mourir de peur ! protesta Innes.

— Arthur se trompait, répliqua Jack, agacé. Cette substance provoque les symptômes d'une crise cardiaque, voilà tout. Allez monter la garde, au cas où les autres reviendraient. J'ai du travail à faire ici.

— Si vous n'y voyez pas d'inconvénient, dit Presto sèchement, j'aimerais d'abord rendre hommage au disparu. C'était un homme juste et bon, il mérite au moins un peu de respect de notre part. Vous est-il venu à l'idée, Jack, ajouta-t-il d'une voix si vibrante de colère qu'Innes en fut stupéfait, que si nous n'avions pas perdu du temps pour aller chercher votre maudite mallette, ce pauvre homme serait sans doute encore en vie ?

Jack devint cramoisi, serra les poings mais parvint à se dominer. Presto ferma avec douceur les yeux du rabbin Brachman, se recueillit le temps d'une prière muette et quitta la pièce sans un mot.

Innes s'apprêtait à le suivre quand Jack le retint :

— Restez, j'aurai besoin de vous.

Innes acquiesça d'un signe de tête puis, à l'exemple de son frère, il affecta de se plonger dans un état de profonde concentration, les mains derrière le dos.

— Les hommes que vous poursuiviez portaient-ils quelque chose ? demanda Jack.

— Oui, l'un d'eux avait un sac de toile noire.

— Le faux Zohar, donc, qu'ils voulaient lui soumettre afin de l'authentifier.

— Il est peu probable que le rabbin ait accepté. S'ils l'ont tué, c'est parce qu'il refusait, vous ne croyez pas ?

— Non, ils l'ont tué quand ils nous ont entendus en bas. Mais je pense en effet qu'il ne leur a rien dit. Voyons, poursuivit-il en se penchant vers la table. Brachman travaillait au moment de leur arrivée — l'encrier ouvert, des taches d'encre encore fraîche sur la paume de sa main. Qu'est-ce que cela vous suggère ? Regardez sa table de travail.

Innes obtempéra, plus anxieux que s'il passait un examen.

— Eh bien... s'il travaillait, je ne vois pas de papiers. Les aurait-il cachés ?

— Oui. Et dans un endoit auquel même des professionnels comme ceux-ci ne penseraient pas. Où, alors ?

Innes dut admettre qu'il n'en avait aucune idée.

— Nous pouvons supposer que le rabbin a disposé tout au plus d'une dizaine de secondes entre le moment où il a entendu ces hommes pénétrer dans la synagogue et celui où ils sont arrivés dans cette pièce. Réfléchissez !

Innes passa vainement en revue les endroits à portée de la main ou assez proches de la table pour constituer une cachette. Les poings sur les hanches, il recula, se tourna... et heurta du coude la lampe, qui s'écrasa par terre en les plongeant dans l'obscurité.

— Ah, diable ! s'exclama-t-il, honteux de s'exprimer ainsi en présence d'un mort. Je suis vraiment désolé.

Jack alluma sa torche électrique, dont il dirigea le faisceau sur le parquet jonché d'éclats de verre.

— Vous avez gagné.

— Je vous ai déjà présenté mes excuses...

— Non, vous avez trouvé la cachette des papiers.

Sous les débris du pied de la lampe, Jack ramassa deux feuillets : l'un était une liste des participants au Congrès des religions, l'autre une courte note de la main du rabbin.

— Que se passe-t-il ? Pourquoi êtes-vous dans le noir ? s'étonna Presto qui rentrait à ce moment-là.

— Je fouillais la lampe, je l'ai fait tomber par mégarde, répondit Innes.

— Qu'avez-vous trouvé ? demanda Presto en s'approchant.

— Au prix infiniment regrettable de la vie du rabbin Brachman, répliqua Sparks, la réponse que nous cherchions.

— Que pensez-vous de mon ami Jack ? demanda Doyle.

Marche Seule le dévisagea longuement avant de répondre.

— C'est un homme malade. Très malade.

— De quoi souffre-t-il, selon vous ?

Elle sentit la sincérité de son inquiétude et choisit ses mots avec soin afin de ne pas l'aggraver inutilement.

— Je vois la maladie en lui, comme un poids ou une ombre. Elle se tient là, dit-elle en montrant son côté gauche, et elle est très puissante.

Ils étaient dans le salon de la suite du Palmer House, Doyle dans une bergère où il savourait un cognac, Marche Seule assise en tailleur devant la cheminée. Épuisé, Lionel Stern était étendu sur le canapé où le sommeil l'avait surpris, la caisse du Zohar près de lui sur une table.

— Vous me semblez experte en médecine, mademoiselle Williams.

— Mon grand-père me l'a enseignée, il possédait de grands pouvoirs. Mais notre médecine est très différente de la vôtre.

— Pouvez-vous m'expliquer en quoi ?

— Nous croyons que la maladie vient de l'extérieur et pénètre dans le corps, où elle peut rester cachée et croître longtemps avant de se manifester.

— Comment cela ? demanda Doyle, sa curiosité piquée au vif. Je suis moi-même médecin — disons plutôt que j'ai fait des études pour le devenir. Je suis convaincu que certaines personnes ont un talent inné de guérisseurs, ce qui n'est malheureusement pas mon cas. J'ai beaucoup travaillé pour apprendre la médecine, mais je ne suis jamais parvenu à la pratiquer comme je l'aurais souhaité.

— C'est pourquoi vous avez préféré écrire des livres.

— Il fallait bien gagner de quoi nourrir ma famille, répondit-il avec un sourire contrit.

— Je n'ai rien lu de vous, je le regrette.

— Vous m'en voyez ravi, au contraire. Ainsi, vous êtes considérée comme un médecin par votre peuple ?

Une fois encore, Marche Seule réfléchit avant de parler. Sans savoir pourquoi, cet homme lui inspirait confiance, ce qui était inhabituel pour un Blanc. Comme les autres Blancs, il ignorait tout de sa culture, mais il lui manifestait un respect qu'elle n'était pas accoutumée à recevoir. Il possédait une réelle force intérieure dont il ne faisait cependant pas étalage, comme trop de Blancs. N'ayant jamais encore rencontré d'Anglais, elle se demandait si tout le monde était comme lui dans son pays.

— Oui, répondit-elle enfin.

— Et vous êtes capable de voir que mon ami est malade ?

— Je dis même que sa vie est en danger.

Doyle ne prit pas ses paroles à la légère.

— Il s'agit donc d'une maladie physique ?

— Elle est encore dans son esprit, mais elle entrera un jour dans son corps. Un jour prochain.

— Peut-il en guérir avant que cela se produise ?

— Je devrai l'observer davantage avant de le savoir.

— Pensez-vous pouvoir lui venir en aide ?

— Je ne puis répondre maintenant.

— Comment traiteriez-vous sa maladie ?

— Il faut l'extirper de lui.

— Comment cela ?

— Dans notre médecine, le médecin délivre une personne de sa maladie en l'invitant à sortir du malade pour venir dans son propre corps.

— Cela peut être dangereux pour le médecin !

— En effet.

Doyle l'observa avec intérêt. Assise près des flammes qui semblaient sculpter ses traits, il émanait de sa personne une force et une sûreté de soi dépourvues de toute ostentation. Au souvenir des jugements stupides portés par Teddy Roosevelt sur les Indiens, il frémit en pensant aux clichés qu'il leur avait lui-même longtemps appliqués. Si Mary Williams en était un exemple, ces gens étaient certes différents des Blancs, mais rien dans sa culture ni ses racines n'autorisait à la mépriser ou à en avoir peur. En dépit de sa propre formation à la médecine officielle, il reconnaissait chez cette Indienne un réel pouvoir de guérir.

— Que faites-vous de la maladie après l'avoir extirpée du malade, mademoiselle Williams ?

— Selon la nature de la maladie, je la chasse dans l'air, l'eau, la terre — le feu parfois.

Doyle se rappela les récits de Jack sur les Indiens du Brésil qu'il avait fréquentés.

— Vous utilisez aussi, je pense, des herbes ou des racines pour composer des mixtures médicinales ?

— Oui, répondit-elle, étonnée qu'il le sache.

— Quelle est la cause de cette sorte de maladie ? Vous avez dit qu'elle vient de l'extérieur.

— Quand le monde devient malsain, il crée des maladies qui pénètrent dans les hommes.

— Et comment le monde devient-il malsain ?

— Par la faute des hommes, dit-elle comme s'il s'agissait d'une évidence. Les maladies qui pénètrent en eux ne font que revenir à leur source.

— Vous considérez donc que le monde était pur jusqu'à l'arrivée de l'homme ?

— Il était au moins en équilibre.

Avant l'arrivée des Blancs, s'abstint-elle d'ajouter.

— Ainsi, la maladie que contracte une personne n'est qu'un reflet de ce qu'il porte déjà en lui-même ?

— C'est vrai la plupart du temps.

— Répondez-moi franchement, mademoiselle Williams : avez-vous une chance de guérir mon ami ?

— C'est difficile à dire. J'ignore ce qu'il veut.

— Je ne comprends pas.

— Parfois, une personne s'attache à sa maladie. Certains en arrivent même à la considérer plus réelle qu'eux-mêmes.

— Et c'est ce qui est arrivé à mon ami ?

— Je le crois, oui.

— Il serait donc incurable ? Personne ne pourrait le soigner, par aucune méthode ?

— Non, à moins qu'il ne décide lui-même de guérir. En ce moment, il aime encore trop la mort.

Elle le perce à jour avec une extraordinaire lucidité, pensa Doyle en finissant son verre de cognac. La médecine officielle diagnostiquerait en Jack une aliénation mentale caractérisée. Une autre médecine, usant d'autres méthodes, serait-elle en mesure de le ramener à son état normal ?

Le retour des trois autres mit fin à ses réflexions.

En quelques mots, Jack et Presto relatèrent les événements survenus à la synagogue : l'incursion des hommes en noir, leur tentative infructueuse de faire authentifier le livre par le rabbin Brachman et l'assassinat de ce dernier. Cela ne se serait jamais produit jadis, pensa Doyle sombrement. Jack aurait deviné leurs intentions et su intervenir à temps pour les empêcher d'agir.

— Ces hommes appartiennent à la même équipe que celle de l'*Elbe*, conclut Jack. Ils portent au bras gauche la même marque, imprimée au fer rouge.

— L'odeur de chair grillée dans le bureau, observa Marche Seule.

— Ils auraient donc procédé à l'initiation d'une nouvelle recrue avant leur départ, ajouta Presto.

— Résumons-nous ! intervint Doyle.

Jack posa sur la table les deux feuillets retrouvés dans le pied de la lampe.

— Avant de mourir, Brachman a pu dissimuler les renseignements que nous cherchions. Voici, détachée d'un programme officiel, la liste complète des ecclésiastiques qui ont participé au Congrès des religions. Il a entouré un nom, celui d'un évangéliste américain : A. Glorious Day.

Doyle sentit sa gorge se nouer :

— A comme Alexander ?

— Oui, dit Jack. C'est lui que nous avons vu sur les photographies d'Edison.

— Qui est cet homme ? demanda Marche Seule.

— Mon frère, répondit Jack avec un ricanement amer.

Doyle et elle échangèrent un regard : voilà donc la source de sa maladie.

— Nous savons désormais qu'Alexander était à Chicago et sous quel pseudonyme, déclara Doyle. Pouvons-nous établir un lien entre les vols de livres saints et lui ?

— Le rabbin Brachman a écrit ce billet quelques instants avant sa mort, dit Jack.

Il tendit le deuxième feuillet à Doyle qui en fit la lecture à haute voix :

— « Monsieur Sparks, je me souviens d'avoir rencontré une fois le Révérend Day pendant le Congrès. Au cours d'un symposium, j'avais présenté une étude sur le rôle essentiel des livres sacrés dans la fondation des diverses religions. Le Révérend Day était ensuite venu m'exprimer son intérêt sur ce sujet et me poser des questions sur ces textes sacr..." Le billet s'interrompt brusquement ici.

— Voyez la tache d'encre, dit Jack. Il a dû sursauter en entendant du bruit derrière sa porte.

— L'intérêt d'Alexander pour ces livres date donc du Congrès des religions, auquel il a assisté en se faisant passer pour un évangéliste, commenta Doyle.

— À coup sûr, approuva Jack. Le premier vol a été commis six mois plus tard.

— Celui des Upanishads aux Indes, précisa Presto.

— Un mois avant celui de la Vulgate d'Oxford, enchaîna Jack.

— Suivi de celui du Tikkunei Zohar à Chicago il y a quelques semaines, compléta Lionel Stern.

— Nous retrouverions sans doute dans tous ces lieux, dit Jack, la trace du « collectionneur » allemand.

— Lequel, pouvons-nous dire sans grand risque d'erreur, opère pour le compte de votre frère, déclara Doyle. Celui-ci aurait donc pris contact dans les mois ayant suivi le Congrès avec la Ligue hanséatique afin de commanditer les vols.

— Sans doute, approuva Jack.

— Comment connaissait-il l'existence de cette Ligue ? s'étonna Lionel Stern.

— Lorsqu'il vivait en Angleterre, Alexander avait établi des contacts avec à peu près toutes les organisations criminelles du monde entier, répondit Doyle. On peut déduire sans grand effort que la Ligue en faisait partie.

— Mais enfin, pourquoi ? demanda Innes. Qu'est-ce que votre frère peut vouloir faire de ces livres ?

Un long silence suivit.

— Excellente question, Innes, dit enfin son frère.

— À laquelle nous pouvons pas encore répondre, ajouta Jack en allant s'asseoir à l'écart.

— Nous savons au moins qu'il n'a présenté aucune demande de rançon, observa Presto.

— Peut-être parce qu'il y cherche des informations... mystiques, hasarda Lionel Stern.

— Des secrets cachés, approuva Doyle, tels que ceux censés se trouver dans la Kabbale.

— Comme la fabrication du Golem ? suggéra Innes.

— Peut-être, dit Doyle.

— Ce genre de suppositions ne mène à rien, intervint Jack sèchement.

Le silence retomba.

241

— Savons-nous où se trouve actuellement votre frère ? demanda Marche Seule.

— Nous avons établi que ses bureaux disposaient d'un télégraphe, dit Presto. Ils communiquaient donc par ce moyen.

— Pourrait-on repérer la ligne ? s'enquit Doyle.

— Impossible, répondit Jack.

— La tour ! lança Marche Seule. C'est là qu'il se trouve.

Son intervention les surprit, mais aucun d'entre eux ne comprit où elle voulait en venir.

— Cet homme, votre frère, que je vois dans mon rêve est venu à Chicago, expliqua-t-elle. Il a vu la tour du château d'eau, de même que votre père avant de réaliser ce dessin, ajouta-t-elle à l'adresse de Lionel Stern. Votre frère aurait donc pu s'en inspirer pour construire sa propre tour noire dans le désert, telle que nous la voyons en rêve.

— C'est même peut-être là que mon père s'est rendu, supposa Lionel Stern.

— Suggérez-vous que cette tour noire, que vous voyez tous trois en rêve, existe réellement ? s'étonna Doyle. Que ce n'est pas un simple symbole ?

— Oui, confirma Marche Seule. Elle existe.

— Dans ce cas, intervint Presto, il ne doit pas être très difficile de découvrir l'emplacement d'un bâtiment de cette taille et d'une forme aussi particulière.

— En effet, approuva Doyle. Nous pouvons télégraphier aux carrières et fabriques de matériaux dans l'Ouest.

— D'autant plus qu'un tel projet nécessite un nombre considérable d'ouvriers qualifiés, déclara Presto.

— Et des sommes astronomiques, ajouta Lionel Stern.

— Les journaux locaux doivent être au courant d'un chantier aussi exceptionnel et avoir publié des articles, dit Doyle. Innes, prépare une liste. Nous allons envoyer une série de télégrammes.

Pendant qu'Innes s'exécutait, Doyle lança un coup d'œil à Jack. Toujours assis à l'écart, il semblait se désintéresser de leurs échanges d'idées.

— L'un d'entre vous, reprit Doyle, peut-il se rappeler des éléments du rêve susceptibles de nous aider à déterminer l'endroit où se dresse cette tour ?

Jack parut ne pas même avoir entendu la question.

— Mary, dit Presto, de nous trois vous êtes celle dont le rêve comporte, je crois, le plus de détails.

Marche Seule se concentra, les yeux clos.

— Six personnes réunies dans une salle sous la terre.

— Oui, je les vois aussi, approuva Presto.

— L'homme noir émerge du feu de la terre pour monter vers le ciel...

— Comme le Phénix qui renaît de ses cendres, dit Doyle malgré lui.

— Le Phénix ? répéta Stern.

— Phoenix, Arizona ! s'exclamèrent-ils ensemble.

— C'est là qu'il faut envoyer les premiers télégrammes, enchaîna Doyle. Grand dieu, il me vient une idée...

Il feuilleta fébrilement son calepin à la recherche du dessin relevé dans la cabine de Rupert Selig, qui figurait sur le bras des hommes en noir.

— Nous supposons depuis le début que cette marque est l'emblème d'une ligue de malfaiteurs. Peut-être faisons-nous fausse route. Peut-être s'agit-il de tout autre chose.

— Quoi, par exemple ? voulut savoir Innes.

Doyle tourna le dessin sur le côté :

— Qu'évoquent maintenant ces lignes brisées ?

— Des traits et des points, dit Presto.

— Des signes de l'alphabet Morse, ajouta Innes.

— Précisément ! approuva Doyle. Quelqu'un saurait-il les interpréter ?

Jack s'était approché et regardait par-dessus l'épaule de Doyle.

— La lettre R et une série de chiffres, dit-il. 13 et 11 sur la ligne du milieu. 13 et 18 sur la dernière.

— Ce n'est donc pas une date, dit Presto.

— Des coordonnés géographiques ? hasarda Innes.

— Non, dit Jack, elles correspondraient au milieu de l'océan Atlantique.

— Une référence biblique, alors ? intervint Stern. Des numéros de chapitres et de versets ?

— Innes, il y a une Bible dans le tiroir de ma table de chevet, dit Doyle. Va la chercher, je te prie.

— Mais dans quel livre regarder ? demanda Presto.

— Un livre commençant par la lettre R, répondit Doyle.

— Il n'y en a que trois, dit Innes en posant la Bible sur la table. Ruth, Révélations et épîtres aux Romains.

Doyle feuilleta rapidement le volume :

— Ruth ne comporte que quatre chapitres et les épîtres aux Romains quatorze versets.

— Quel est ce livre des Révélations ? s'enquit Marche Seule.

— Le dernier, dit Stern. Les visions de l'apôtre Jean.

— Une prophétie de l'Apocalypse, précisa Jack.

— Voilà, déclara Doyle. Révélations, 13-11 : *Je vis sortir du sein de la Terre une autre Bête qui avait deux cornes et parlait de la*

243

voix d'un dragon. Et le 13-18 : *Que celui qui comprenne calcule le nombre de la Bête, car ce nombre est celui d'un homme. Et son nombre est 666.*

CHAPITRE 12

L'après-midi touchait à sa fin lorsque les Pénultièmes Baladins atteignirent le premier poste de garde, à cinq milles de La Cité Nouvelle.

Ils avaient cheminé dans le désert, sous un soleil qui tapait avec plus de fureur qu'un forgeron fou sur son enclume. Au départ de Skull Canyon, Jacob avait eu la prévoyance de se munir de bidons d'eau supplémentaires, grâce auxquels ils avaient pu tous trois supporter la fournaise. À lui seul, Kanazuchi en avait bu deux. Taciturne, économe de ses gestes, cet homme étrange semblait réserver toute son énergie à se guérir lui-même au prix d'un effort de volonté qui portait des fruits spectaculaires : sa blessure se cicatrisait, sa pâleur s'estompait, sa respiration retrouvait son rythme régulier et, malgré la chaleur, la fièvre tombait.

Eileen se souciait davantage de la santé de Jacob, qui avait mené l'attelage toute la journée par une température inhumaine. Voulant le relayer, elle avait dû très vite abandonner, prête à défaillir, pour regagner l'abri de la bâche. Il devait être épuisé, le pauvre, ne serait-ce qu'à cause des cahots. Congestionné, la chemise trempée de sueur, il ne s'était pourtant jamais plaint et affichait une gaieté qui interdisait à Eileen de céder à son inquiétude croissante. Maudit Bendigo ! On n'a pas idée de traverser le désert en pleine chaleur ! Leur première représentation ne devait avoir lieu que le lendemain soir : avec des chariots équipés de lanternes, ils auraient pu partir au coucher du soleil. Mais Rymer était si radin qu'il se serait laissé arracher le cœur plutôt que de manquer un repas gratuit !

Après avoir quitté les collines rocailleuses pour la plaine de sable du désert Mojave, leur caravane s'était engagée dans une curieuse forêt minérale de colonnes verticales, aux formes biscornues modelées par l'érosion. Les chariots venaient d'en contourner une formation quand ils butèrent sur une barrière de bois, première trace de présence humaine depuis des heures, flanquée d'une petite hutte en rondins apparemment inoccupée.

Un coup de sifflet déchira l'air. Une douzaine d'hommes et de femmes armés surgirent soudain, les uns autour des chariots, d'autres perchés sur les colonnes, fusils braqués. Ils étaient uniformément vêtus de légers pantalons de coton blanc, de lourdes bottes ferrées et de tuniques blanches sans cols ceintes de cartouchières. Plus étrange encore, observa Eileen : ils souriaient.

Une femme de haute taille, la seule sans fusil mais armée de deux revolvers à la ceinture, s'avança vers la barrière, un sifflet pendu au cou, et s'adressa à Bendigo Rymer qui menait le chariot de tête.

— Bienvenue à La Cité Nouvelle, mon ami, dit-elle d'une voix forte et claire. Quel est l'objet de votre visite ?

Bendigo s'inclina en faisant un grand moulinet avec son chapeau tyrolien.

— Nous sommes les Pénultièmes Baladins, venus pour vous distraire et, nous l'espérons humblement, vous plaire.

La femme continuait à sourire.

— Un instant, je vous prie, dit-elle en consultant un registre qu'elle portait sous le bras. Puis-je vous demander votre nom, monsieur ?

— Je suis Bendigo Rymer, directeur de cette joyeuse troupe et votre serviteur, madame.

— Combien de personnes vous accompagnent, monsieur Rymer ?

— Dix-sept... euh, dix-neuf en tout.

La femme referma son registre.

— Vous êtes attendus. Nous allons jeter un coup d'œil dans vos chariots et vous pourrez poursuivre votre chemin.

— Avec plaisir, nous n'avons rien à cacher.

La femme fit un signe. Pendant que les gardes sur les piliers continuaient à braquer leurs fusils, ceux au sol s'approchèrent des chariots.

— Bonsoir, dit Jacob à un jeune Noir qui prenait en souriant les rênes de ses mules.

— Bonsoir, monsieur, répondit poliment le jeune homme.

— Il règne une chaleur accablante dans votre désert, dit Jacob en s'épongeant le front.

— C'est vrai, monsieur, répondit l'autre, toujours souriant — mais sans cesser d'épier ses moindres gestes.

Une main souleva la bâche à l'arrière. Kanazuchi s'était assis, adossé au côté du chariot, ses armes cachées sous un pan du manteau. Eileen refréna sa surprise en découvrant que le garde était une mince jeune fille blonde d'à peine vingt ans, le visage grêlé de taches de son et les cheveux noués en queue de cheval. Avec l'assurance d'un soldat aguerri, elle observa méthodiquement l'intérieur, son regard s'arrêta un moment sur Kanazuchi qui, très à l'aise, lui fit un signe de tête et un sourire. La jeune fille les lui rendit d'un air parfaitement innocent.

— Une radieuse journée à vous, dit-elle en laissant retomber la bâche.

Les gardes reculèrent en signalant à la femme que l'examen était terminé. Elle pesa sur le contrepoids en pierre, la barrière se souleva.

— Vous pouvez aller, monsieur Rymer. Ne tentez pas de vous écarter de la route. On vous accueillera à l'entrée de La Cité Nouvelle, où vous recevrez des instructions.

— Nous vous remercions de votre obligeance, madame, répondit Bendigo avec un nouveau salut obséquieux.

Soulagé, il se hâta de relancer son attelage. Au passage de chaque chariot, la femme saluait de la main, souriait et souhaitait « Une radieuse journée ! ». Lorsque la barrière se referma, Eileen écarta la bâche pour regarder derrière eux. Les gardes perchés sur les piliers de pierre les suivaient des yeux, l'arme à la main, tandis que les autres regagnaient déjà leurs cachettes.

— Que pensez-vous de tout cela ? demanda-t-elle à Jacob.

— Je vois dans ce déploiement de force l'influence perni-cieuse du fanatisme religieux.

Kanazuchi rejoignit Eileen près de la bâche entrebâillée. Elle fut frappée par sa transformation : le contrôle à la barrière sem-blait l'avoir revitalisé, ses gestes retrouvaient leur souplesse et leur précision félines. Sans se sentir personnellement menacée, Eileen perçut pour la première fois qu'il y avait du fauve dans cet homme et qu'il pouvait être dangereux.

— Bizarres ces gens, n'est-ce pas ? lui dit-elle.

— Sérieux.

— Ils ont pourtant l'air heureux.

— Non, pas heureux. Trop de sourires.

Après le poste de garde, la route s'améliora et le chariot ne cahota plus. On entendait au loin des coups sourds, rythmés. La main en visière, Eileen essaya de voir d'où ils provenaient mais ne put rien distinguer.

— Qu'est-ce que c'est, ce bruit ?

— Ils plantent des piquets de clôture et clouent du fil de fer barbelé, dit Kanazuchi.

— Vous les voyez d'ici ? s'étonna-t-elle.

Sans répondre, Kanazuchi se débarrassa du chapeau rond de Jacob, de son long manteau noir et entreprit de décoller les touffes de poil de sa barbe.

Ils approchaient du but. Le moment était venu pour lui de reprendre sa propre identité.

Dès neuf heures du matin, le bureau de la Western Union avait reçu un flot de réponses aux télégrammes envoyés la veille au soir. Le nom d'Arthur Conan Doyle avait, il est vrai, grandement contribué à attiser le zèle de ses correspondants qui s'avouaient, pour la plupart, dans l'incapacité de lui fournir des informations — ce qui ne les gênait pas pour interroger son auteur sur le sort de qui-vous-savez.

Ainsi que Doyle l'avait escompté, les éléments les plus sérieux se trouvaient dans la longue réponse du *Republican* de Phoenix, premier quotidien du territoire de l'Arizona.

Selon son rédacteur en chef, une communauté religieuse, s'intitulant La Cité Nouvelle, s'était récemment établie sur des terres inexploitées, acquises par ses fondateurs à une centaine de milles au nord-ouest de Phoenix. Ils disposaient à l'évidence de moyens financiers considérables, dont l'opinion attribuait la source à la découverte de minerai d'or ou d'argent d'une richesse exceptionnelle. Chaque tentative du journal pour réaliser un reportage avait été poliment mais fermement repoussée. Que ces gens souhaitent préserver leur isolement et leur tranquillité n'avait cependant rien pour éveiller les soupçons : beaucoup d'autres venaient précisément dans ces parages désertiques profiter des mêmes avantages.

L'un des reporters du *Republican*, envoyé en mission de reconnaissance, avait jugé La Cité Nouvelle si fort à son goût qu'il y était resté. Depuis son télégramme de démission, dans lequel il décrivait l'endroit comme « une sorte d'Utopie devenue réalité », nul n'avait plus de nouvelles de lui, mais cela non plus n'étonnait personne au journal : célibataire endurci, il passait pour un original aux yeux de ses collègues. Quant aux Utopies expérimentales, Doyle savait qu'elles faisaient partie intégrante de la tradition américaine. Rien que depuis la fin de la guerre de Sécession, plus d'une centaine de sectes et de groupes plus ou moins excentriques avaient vu le jour dans tous les coins du pays.

L'exemple des mormons, auxquels l'Utah devait en grande partie sa prospérité et dont nombre de communautés avaient essaimé ces dernières années dans le même quart nord-ouest de l'Arizona, inclinait les responsables politiques à une grande indulgence vis-à-vis des nouveaux venus de La Cité Nouvelle. S'ils voulaient vivre selon les préceptes de leur religion (dont nul, à vrai dire, ne savait au juste en quoi elle consistait), rien de plus conforme aux libertés religieuses garanties par la Constitution — surtout, notait le journaliste, si l'exercice desdites libertés entraînait des retombées significatives sur l'économie de la région et contribuait aux ressources fiscales du Territoire.

Une dernière information fournie par le *Republican* emporta la décision de Doyle. Le bruit courait que les habitants de La Cité Nouvelle construisaient un sanctuaire rivalisant en splendeur avec celui des mormons à Salt Lake City. Aucun membre de la rédaction n'avait vu le monument de ses yeux, mais on savait que les travaux progressaient rapidement et que les bâtisseurs utilisaient des pierres noires, extraites de carrières au nord du Mexique.

L'église noire.

Innes acheta dans une librairie voisine une carte récente de l'Arizona. Selon les indications du journaliste, les deux frères purent établir que La Cité Nouvelle se trouvait au cœur de la partie orientale du désert Mojave.

Doyle passa dans une banque avant de regagner le Palmer House, où il remit au major Pepperman un billet à ordre de deux mille cinq cents dollars en garantie de sa participation à la fin de la tournée, sous réserve d'une interruption de quinze jours nécessitée par le règlement de problèmes personnels imprévus. Accablé, Pepperman accepta sans discuter les dires de son Cher Grand Auteur, qu'il était résigné à ne jamais revoir, et considéra la somme comme un dédit. Tout compte fait, il laissait dans cette aventure moins de plumes qu'il ne le craignait et, si on voulait encore bien de lui, il rentrerait dans le giron du cirque. Mieux valait promouvoir des femmes à barbe et des acrobates que rester à la merci des caprices d'un Anglais débauché, même célèbre.

Faute d'avoir vu un rapport entre les renseignements demandés par Doyle et l'événement qui, depuis plusieurs jours, faisait la une de la presse locale, le rédacteur en chef du *Republican* n'avait pas mentionné qu'une chasse à l'homme se déroulait dans toute la région pour retrouver un Chinois, auteur de massacres particulièrement atroces commis à l'arme blanche. S'il en avait fait état, Doyle et ses cinq compagnons se seraient sans doute précipités dans l'heure à la gare de Chicago prendre leurs billets pour Phoenix.

Car la nuit précédente, à nouveau visitée par son rêve, Marche Seule avait pu distinguer le visage d'un des autres personnages présents avec elle dans la crypte.

Celui d'un Asiatique qui tenait une épée de feu.

Lorsque Dante Scruggs recouvra un semblant de lucidité, il faisait grand jour. Il était dans un train ; des champs de blés et des bâtiments de fermes défilaient derrière la vitre du compartiment où il se trouvait en compagnie de trois hommes, qu'il reconnut ausitôt : c'étaient ceux qui l'avaient agressé dans les bureaux de Frederick la veille au soir.

Ils observaient le réveil de Dante avec une froideur intéressée, sans émotion ni amitié. Ils ne se ressemblaient pas et, pourtant, ils se comportaient de manière identique. Il émanait de leurs gestes précis, mesurés, une violence contenue capable d'éclater au moindre prétexte.

— Quelle heure est-il ? demanda Dante à la cantonade.

Les trois hommes le dévisagèrent comme s'ils n'avaient pas compris. Au bout d'un moment, l'un d'eux montra son gousset. Dante baissa les yeux et constata qu'il était habillé comme eux en voyageur de commerce prospère. Il tâta son gilet, y trouva un oignon : 14 h 15. En remettant la montre à sa place, il ressentit un élancement au bras gauche. Se souvenant d'avoir été marqué au fer rouge, il s'abstint de le palper ou de manifester qu'il souffrait de peur qu'ils en profitent pour le torturer de nouveau.

Pourquoi ne se rappelait-il rien de ce qui s'était passé ensuite ? Il avait sûrement perdu conscience, car il s'était écoulé plus de douze heures depuis son initiation. Lui avait-on administré une drogue pour tout effacer de sa mémoire ? Il aurait voulu poser des dizaines de questions, mais la prudence l'en dissuada. Et puis, il éprouvait soudain envers ces hommes un sentiment imprévu de fraternité. Ils portaient sur le bras la même marque que lui, ils avaient subi la même épreuve initiatique qui tissait entre eux des liens plus forts que ceux de la simple amitié. D'ailleurs, il n'avait jamais eu d'amis et n'en avait aucun besoin.

Frederick avait parlé d'une armée. Ils étaient donc tous des soldats, comme il l'avait été naguère et comme il le redevenait. Des guerriers. Ce qu'il détestait par-dessus tout dans l'armée régulière, c'était les parlottes inutiles, les jérémiades, la paresse des soldats, leur bêtise, leur indiscipline, bref, tout ce qui détournait l'armée de sa tâche fondamentale : tuer. Avec ceux-ci, le problème ne se posait pas. Frederick avait vu juste : il était digne d'eux.

La porte du compartiment s'ouvrit. Les deux hommes les plus proches se levèrent pour aller dans le couloir. Frederick entra et vint s'asseoir en face de Dante. En revoyant son visage amical et souriant, Dante sentit son cœur battre plus vite et ses mains devenir moites.

— Comment vous sentez-vous ? lui demanda Frederick.

— Bien. Très bien.

— Pas de regrets ?

— Non, monsieur.

Frederick lui posa une main sur le genou et le regarda dans les yeux jusqu'à ce que Dante se sente rougir. Gêné, il se détourna en souriant bêtement.

— Tout ira bien, vous verrez, dit Frederick. Avec votre expérience, l'entraînement ne vous posera pas de problèmes. D'ailleurs, vous avez déjà commandé des hommes, je vois même en vous l'étoffe d'un officier.

— Merci, monsieur, bafouilla Dante.

— Avez-vous faim, monsieur Scruggs ?

— Oh ! oui, monsieur !

Frederick fit un signe. L'homme resté dans le compartiment descendit un panier du filet à bagages, le posa près de Dante et ouvrit le couvercle, en dévoilant un appétissant assortiment de sandwiches, de fruits et de boissons.

— Nous accordons le plus grand soin à notre alimentation, dit Frederick. Rien que de bonnes choses, nourrissantes et équilibrées. Jamais d'alcool. Chez nous, il est interdit.

— De toute façon, je ne bois pas.

— Tant mieux. Une armée gagne les batailles avec son estomac, n'est-ce pas, monsieur Scruggs ? Servez-vous.

Dante avait rarement éprouvé une telle fringale. Sous le regard ironique de Frederick, il s'empiffra de trois sandwiches et avala deux flacons de soda en se torchant les lèvres sur sa manche. Après qu'il eut lâché une série de renvois sonores, Frederick lui tendit une serviette. Dante la regarda un instant sans comprendre, rougit, la prit enfin et s'essuya la bouche le plus délicatement qu'il put.

— Nous croyons aux vertus de la discipline, monsieur Scruggs, déclara Frederick. Comme vous, je pense ?

— Bien sûr.

— La discipline doit aussi s'exercer sur soi-même. Il est essentiel au succès de nos opérations que nos hommes ne se fassent pas remarquer. Imaginez, par exemple, que vous soyez chargé d'une mission de confiance vous amenant à dîner dans un restaurant élégant où vous devez vous mêler à la foule et passer inaperçu. Y parviendriez-vous, monsieur Scruggs, si vous vous conduisiez à table comme un cochon qui se roule dans sa fange ?

Frederick souriait toujours. Dante devint livide.

— C'est pourquoi nous devons apprendre à nous dominer. C'est aussi pourquoi nous estimons que chaque preuve de faiblesse chez l'un de nous doit être sévèrement punie. Cela fait partie de son entraînement.

Dante suait maintenant à grosses gouttes. Frederick se pencha pour lui lancer une tape affectueuse sur le genou.

— Ne prenez pas cette mine inquiète, monsieur Scruggs. Je ne vous avais pas encore instruit de nos règles et vous mouriez de faim. Mais à partir de maintenant, j'espère que vous ne m'infligerez jamais plus ce genre de répugnant spectacle. N'est-ce pas, monsieur Scruggs ?

— Non, monsieur, jamais plus, bredouilla Dante.

Frederick se carra confortablement sur la banquette.

— Bien. Nous ne sommes pas des ingrats, monsieur Scruggs. Pour nous, la discipline ne se borne pas à punir. Quand un homme nous donne satisfaction, nous estimons qu'il mérite une récompense. Cette générosité n'est cependant pas tout à fait désintéressée, voyez-vous, car un homme à qui on accorde un réel plaisir au moment opportun sera incité à redoubler d'efforts afin d'en obtenir davantage. En un sens, c'est un investissement. Vous me suivez ?

— Euh... je n'en suis pas sûr.

— Eh bien, prenons un exemple. Imaginez que nous vous confions une mission délicate dont vous vous acquittez à la perfection. Qu'attendriez-vous de nous en échange ?

Dante haussa les épaules en signe d'ignorance.

Frederick claqua des doigts. L'un des hommes dans le couloir ouvrit la porte du compartiment pour laisser entrer une blonde, jolie mais vulgaire et habillée de manière provocante, qui tenait une mallette à la main.

— 'Mande pardon, messieurs, j'voulais pas déranger, dit-elle en lançant des regards inquiets.

— Que puis-je faire pour vous, mademoiselle ? demanda Frederick avec suavité.

— Ben voilà... j'ai trouvé cette valise à ma place dans le

wagon d'à côté et le type dehors, un de vos amis qu'était assis en face de moi, m'a dit qu'elle était à un monsieur dans c'compartiment. Alors, il m'a d'mandé si ça me dérangerait pas de la lui rapporter moi-même.

— C'est trop aimable à vous, mademoiselle, dit Frederick. Notre ami vous a-t-il proposé quelque chose pour vous dédommager de votre peine ?

— Euh... oui, répondit la blonde en rougissant. Il a parlé de dix dollars.

— Naturellement ! approuva Frederick en sortant son portefeuille. Permettez-moi de vous inviter à rester avec nous, mademoiselle. Notre compartiment est plus confortable et nous vous sommes très reconnaissants de votre obligeance.

Le troisième homme sortit dans le couloir. Seule avec Dante et Frederick, la blonde s'assit voluptueusement dans le moelleux siège de première classe.

— Chose promise, chose due, lui dit Frederick en lui glissant un billet de dix dollars. Johnson, poursuivit-il à l'adresse de Dante, vérifiez donc votre bagage pour voir s'il n'y manque rien. Quelle étourderie de l'avoir oublié dans un autre wagon !

Perplexe, Dante mit un moment à comprendre et déboucla lentement la mallette.

— Voyagez-vous seule, mademoiselle ? s'enquit Frederick avec sollicitude. Au fait, comment vous appelez-vous ?

— Rowena Jenkins et, oui, j'voyage seule.

— Un bien joli nom pour une bien jolie fille, susurra Frederick, de plus en plus suave. Pardonnez ma question, Rowena, et n'y voyez surtout pas malice de ma part, mais ne pratiquez-vous pas un peu la prostitution ?

La fille blêmit et parut prête à bondir vers la porte. Mais le sourire de Frederick était si sincèrement amical — et le matelas de billets aperçu dans son portefeuille si épais — qu'elle se détendit un peu.

— Ben... j'dis pas, ça m'est arrivé d'me dépanner de temps en temps avec les moyens du bord.

Dante ouvrit la mallette. À l'intérieur, soigneusement aligné sur un lit de velours noir, un assortiment complet d'instruments chirurgicaux brillait de l'éclat du neuf.

— Satisfait, Johnson ? s'enquit Frederick.

— Tout est... parfait ! répondit Dante, éperdu de reconnaissance.

Il referma la mallette, se tourna vers la fille qui lui fit un sourire engageant. Le grand avec l'accent était trop bourgeois, trop intimidant pour son goût, mais le petit blond avait l'air simple et gentil. Devoir quitter la maison huppée de Chicago pour un bas-tringue à Kansas City ne lui souriait guère ; mais si elle se débrouillait pour se faire des clients en douce et essayer de les garder, elle n'aurait peut-être pas perdu son temps, en fin de compte.

Buckskin Frank rattrapa son retard sur les comédiens vers le milieu de l'après-midi. Il avait beau connaître la région comme sa poche, jamais il ne s'était aventuré aussi loin dans ce désert, dont les Apaches eux-mêmes n'avaient rien pu tirer. Il y faisait une chaleur à assommer un bison, mais Frank avait assez d'ex-périence pour s'arrêter toutes les heures afin d'abreuver le cheval et le cavalier. Il avait toujours bien traité les animaux, qui méri-taient plus d'égards que la plupart des hommes de sa connais-sance. Les bêtes, au moins, savaient témoigner leur gratitude.

Les traces étaient fraîches, faciles à suivre. Il fit halte au som-met de la dernière falaise avant de plonger vers la plaine de sable. Un peu plus loin, la deuxième fourche de la piste depuis Skull Canyon. Là-bas, un petit nuage de poussière. Frank sortit ses jumelles de leur étui.

C'était la première fois qu'il se trouvait aussi proche des comédiens. Leur caravane contournait une formation de piliers rocheux. La bâche du dernier chariot était ouverte à l'arrière, mais on ne pouvait rien voir à l'intérieur...

Et ça, qu'est-ce que c'est ?

Frank refit sa mise au point en avant du convoi. Une barrière en travers de la piste, une petite cabane, des fils télégraphiques le long de la route qui continuait au-delà. Des silhouettes qui s'agi-taient. Il était encore trop loin et les ondes de chaleur brouillaient trop les détails pour qu'il les distingue clairement.

Un autre nuage de poussière, plus important celui-là, sur l'autre piste à sa gauche. Frank braqua les jumelles : une longue file de chariots à fond plat, une dizaine au moins, se dirigeait vers la fourche. Des cochers en chemises blanches. À côté, sur le siège, un autre homme en chemise blanche armé d'un fusil. Chaque chariot était chargé de longues caisses étroites, aux formes familières.

C'était absurde, ces gens étaient des civils ! Buckskin Frank voulut en avoir le cœur net. Si cela ne le concernait pas directe-ment, tout ce qui pouvait compromettre sa tâche, c'est à dire des-cendre le Chinois, méritait qu'il s'y intéresse. Estimant qu'il leur faudrait une dizaine de minutes pour atteindre l'intersection, il descendit de la falaise au galop et coupa à travers le sable jusqu'aux formations rocheuses, un labyrinthe de colonnes aux formes bizarres, comme une forêt pétrifiée. Arrivé là, il attacha son cheval hors de vue et partit à la recherche d'un poste d'observation.

Les chariots étaient encore à quelque distance. Devant lui, les rocs renvoyaient l'écho de chocs rythmés, de voix. Frank tendit l'oreille : des chants ? Il se hissa sur un gros rocher, passa avec précaution la tête par dessus le bord et découvrit une clairière naturelle entre les colonnes. Une douzaine de personnes en blanc, comme celles des chariots, étaient assises en cercle et tapaient des mains en chantant... quoi donc ? Un cantique ! Des jeunes qui souriaient aux anges. Parmi eux, deux Noirs, un Mexicain, deux Indiens. Garçons et filles mêlés en nombre égal, bardés de cartouchières et d'étuis à revolver. Tout près, contre une colonne, autant de carabines à répétition. Du matériel sérieux.

Drôle de pique-nique pour école du dimanche !

Frank allait redescendre de son perchoir quand il entendit des pas derrière lui : un des jeunes en blanc, un petit blond à peine sorti de l'adolescence, patrouillait entre les piliers, le fusil à la main. Frank attendit, compta jusqu'à cent. Le chœur continuait à chanter en tapant des mains, toujours la même mélopée. Le petit blond s'éloigna, ne reparut pas.

Frank se laissa enfin glisser du rocher. Tout cela était plus que bizarre : anormal, non, inquiétant. Si tu voulais filer au Mexique, lui dit une voix intérieure qui n'était pas celle de Molly, ce serait le bon moment...

Entre-temps, le convoi était presque arrivé à sa hauteur. Accoudé à une anfractuosité, Frank observa à la jumelle les longues caisses étroites empilées sur les chariots.

Son premier coup d'œil ne l'avait pas trompé. Toutes les caisses portaient sur le couvercle le même marquage au pochoir : US ARMY. Dans chacune, un lot de dix fusils de guerre Winchester, modèle standard de l'armée fédérale.

Et il y en avait des centaines.

La Cité Nouvelle

— Une radieuse journée, mon Révérend !

— Merci, frère Cornelius. Radieuse journée, en vérité, répondit le Révérend qui sortait de sa demeure et venait à sa rencontre.

L'après-midi était déjà avancé. Les yeux mi-clos pour se protéger du soleil éblouissant, les poumons agressés par l'air brûlant, le Révérend Day se demanda s'il aurait la force d'accomplir toutes ses obligations de la journée. *Si seulement ils savaient ce que j'attends d'eux !* pensa-t-il en posant un regard désabusé sur la foule qui se pressait dans la rue. *Combien resteraient ? Combien prendraient la fuite ?*

— Tout va bien, frère Cornelius ?

— À merveille, mon Révérend. Loué soit le Seigneur ! répondit Cornelius Moncrief — qui faisait le pied de grue depuis plus de deux heures ; comme presque tous les jours et sans jamais se plaindre.

— J'en suis heureux pour vous. Marchons un peu, frère.

Ils déambulèrent côte à côte sur le trottoir en planches de la Grand-Rue, le colosse — récemment nommé chef de la sécurité de La Cité Nouvelle — ajustant son pas sur celui de l'évangéliste bossu, dont les éperons d'argent sonnaient au rythme heurté de sa boiterie. Les passants souriaient et s'inclinaient bien bas devant le Révérend, qui saluait d'un geste bienveillant chacune de ses ouailles et accordait sa bénédiction à tous.

Je les terrorise. Tant mieux, ne nous relâchons pas.

— L'amour de nos fidèles est un miraculeux bienfait du Seigneur, déclara-t-il.

— Rien de plus vrai, Révérend, approuva Cornelius.

Les deux hommes quittèrent la Grand-Rue pour prendre la direction du chantier de la tour.

— Je ne vous dirai jamais assez, frère Cornelius, la profonde reconnaissance que m'inspirent vos admirables efforts pour le bien de notre Église.

Le cœur de Cornelius battit si fort qu'il ne savait plus s'il allait fondre en larmes de gratitude ou éclater du rire de la béatitude.

— Vous êtes trop bon et indulgent, Révérend.

— Point du tout, mon frère. Vous justifiez au-delà de mes espérances la confiance que j'ai placée en vous. Vous savez insuffler le courage au cœur de nos soldats chrétiens, leur inspirer dans la joie le zèle de prendre les armes pour assurer d'un même élan la protection de notre sainte communauté et la destruction de ses ennemis.

Le visage ruisselant de larmes, trop bouleversé pour parler, Cornelius s'arrêta net en dodelinant de la tête tandis que le Révérend lui tapotait amicalement l'épaule.

— Vos larmes, frère Cornelius, sont comme la rosée du Ciel qui donne vie au désert aride et fait pousser les fleurs là où régnait la désolation.

J'aurai beau leur servir cent fois de suite les mêmes sornettes, ces imbéciles se jettent dessus et les avalent comme s'ils crevaient de faim.

Cornelius osa enfin lever les yeux vers le Révérend. Un sourire timide apparut sur ses lèvres.

Il est temps de lui administrer une dose du Sacrement, pensa le Révérend, qui accrocha le regard de Cornelius et libéra quelques décharges soigneusement mesurées du Pouvoir, dont il maîtrisa l'intensité avec la précision nécessaire à ses propres desseins.

Le Révérend aimait administrer le Sacrement, il aimait la délicieuse sensation de pénétrer jusqu'au plus secret de ses sujets, de caresser leur intimité qu'ils dénudaient d'eux-mêmes avec tant d'obligeance. Ces instants de viol visuel lui étaient si précieux qu'il ne pouvait s'en passer.

Lorsqu'il vit que les yeux de Cornelius devenaient vitreux, le Révérend rappela en lui les ondes du Pouvoir et rompit le contact en claquant des doigts. Des années de tâtonnements empiriques lui avaient appris à moduler le Pouvoir avec la délicatesse du chirurgien maniant le bistouri. Une juste dose les rendait, des jours durant, plus dociles que des poupées de son et leur collait aux lèvres un sourire d'ivrogne. Pas assez les rendait rétifs ; un peu trop, en revanche, les transformait en légumes. Le cimetière de La Cité Nouvelle abritait nombre de ces erreurs de mesure.

Avec Cornelius, il devait marcher sur le fil du rasoir. L'homme avait une forte personnalité qui exigeait un dosage intense, mais le Révérend ne pouvait pas non plus prendre le risque de lui griller le système nerveux. Car il en avait besoin, de celui-là. En un temps record, Cornelius avait transformé un ramassis de recrues indisciplinées en une armée digne de ce nom. Pour ses qualités de chef et ses dons de tacticien, nul en ville ne lui arrivait à la cheville. *Mais tout cela demandait tant d'efforts ! Il était si fatigué, Seigneur... Tiendrait-il jusqu'au bout ?*

Cornelius rouvrit les yeux et posa sur le Révérend le regard éperdu d'un chien fidèle.

— Bien, dit le Révérend comme s'il ne s'était rien passé. Quelles bonnes nouvelles avez-vous à nous apprendre aujourd'hui, mon Frère ?

Cornelius tituba, retrouva son équilibre et emboîta docilement le pas à son maître.

— La troupe de comédiens s'est présentée comme prévu à la porte est il y a environ une heure. Ils devraient arriver en ville d'une minute à l'autre.

— Parfait ! s'écria le Révérend. Nous allons enfin pouvoir

nous distraire. Savez-vous depuis combien de temps je n'ai pas mis les pieds dans un théâtre ?

Le front de Cornelius se plissa sous l'effet d'une intense perplexité.

— Euh... non.

Indécrottable... Tant pis.

— Allez accueillir nos hôtes et invitez-les à dîner chez moi ce soir.

— Bien, Révérend. Autre bonne nouvelle : notre dernier chargement d'armes vient lui aussi de franchir la clôture. Avec votre permission, je vérifierai moi-même la livraison.

— J'y compte, frère Cornelius. L'entraînement de notre milice se déroule-t-il à votre satisfaction ?

Les yeux du colosse s'embuèrent à nouveau.

— Nos frères et sœurs font preuve d'une ardeur édifiante, mon Révérend, répondit-il d'une voix chevrotante.

— Progressent-ils dans leurs exercices de tir ?

— De jour en jour. Quand ils disposeront des nouveaux fusils, je suis sûr qu'ils s'amélioreront encore.

— Fort bien.

Ils arrivaient au pied de la tour, les travailleurs s'inclinaient respectueusement sur leur passage. Soulagé d'échapper enfin au soleil, le Révérend s'abrita aussitôt à l'ombre du bâtiment.

Il soulevait son chapeau pour éponger la sueur de son front quand il éprouva une décharge électrique le long de la colonne vertébrale et reconnut immédiatement le signal. L'accès s'annonçait sévère. Il n'avait plus une minute à perdre. Un filet de sang lui coulait déjà des narines.

Il se détourna à la hâte en se couvrant le visage d'un mouchoir et congédia Cornelius d'un geste de la main :

— Je dois maintenant me livrer à la méditation. Allez, frère, retournez remplir vos devoirs.

Cornelius s'inclina docilement et battit en retraite, non sans lancer un regard inquiet par-dessus son épaule. Le Révérend n'attendit pas qu'il ait disparu pour se diriger en boitillant vers un côté de sa cathédrale. Les travailleurs s'éloignèrent aussitôt. Une fois seul, il prit dans sa poche un trousseau de clés, se pencha pour défaire un cadenas et souleva une trappe d'acier donnant accès à un escalier qui s'enfonçait sous terre.

Le mouchoir rougissait dans sa main, le sang coulait de plus en plus. Il dut se redresser et reprendre son souffle avant de s'engager sur les degrés.

Au bas des marches, il inséra une autre clé dans une serrure. Un énorme bloc d'onyx noir pivota sans effort sous sa pesée et le

Révérend pénétra enfin dans la fraîcheur de la crypte, qu'il referma soigneusement derrière lui.

Il traversa d'un pas rapide une antichambre hexagonale et s'enfonça dans un labyrinthe de couloirs, éclairés par des appliques d'acier et de verre, dont lui seul connaissait le tracé par cœur. Le claquement de ses bottes sur le sol de marbre noir éveillait des échos caverneux. Parvenu à une deuxième porte, il en manœuvra la serrure et entra dans sa chapelle privée. À part lui, seuls les maçons et les mineurs chinois qui l'avaient creusé connaissaient l'existence de ce sanctuaire secret. Ils étaient maintenant enterrés sous l'étoile de mosaïque à six branches qui ornait le sol de marbre. Le roc des parois était grossièrement taillé, il régnait une atmosphère moite, une odeur terreuse, car il avait voulu se sentir proche des entrailles de la terre.

Sous une large ouverture circulaire fermée par une grille de fer forgé, ménagée dans le plafond rocheux, le Révérend s'arrêta devant l'un des six reliquaires en argent, chacun placé sur un piédestal à chaque pointe de l'étoile. Il en souleva le couvercle, caressa du bout des doigts le parchemin du vénérable manuscrit qui y reposait — une copie ancienne du Coran provenant de la grande mosquée de La Mecque.

Alors qu'il se penchait, une goutte de son sang tomba sur le parchemin et il sentit soudain le Pouvoir bouillonner en lui avec une telle intensité qu'il se hâta de retirer sa main de peur d'endommager le livre de manière irréparable. Ainsi que la Vision le lui avait révélé, le sanctuaire remplissait son rôle à la perfection en accroissant le Pouvoir comme une loupe concentre les rayons du soleil.

Il s'arrêta ensuite devant le dernier reliquaire, le seul encore vide. *Il ne manque plus qu'un livre et Frederick est déjà en chemin pour me l'apporter. Dans quelques jours, j'accomplirai enfin l'Œuvre Sacré...*

Des éclairs colorés dansant devant ses yeux annonçaient l'imminence de la Vision. Sa tête résonnait de roulements de tambour, le sang coulait à flots de ses narines. Le Révérend s'avança en titubant vers le centre de l'étoile, à la fois rempli d'émerveillement et de terreur par l'approche de la Vision. Son regard se tourna vers le coin du sanctuaire où s'ouvrait l'ancien puits de mine, le gouffre sans fond que la Vision lui avait décrit. Monté des profondeurs du néant, un souffle d'air glacé l'ébouriffa, comme pour lui promettre la consommation prochaine de ses plus sombres aspirations.

La Vision le saisit enfin et le jeta à terre. Les yeux révulsés, les muscles tétanisés, le corps secoué de soubresauts spasmodiques, de pitoyables gémissements s'échappaient de ses lèvres écumantes. Mais son esprit restait lucide.

Une décharge électrique explosa en lui. La Lumière d'En-Bas l'inonda de son obscur éclat.

Et dans l'étreinte de cette atroce extase, il entendit du fond de l'abîme gronder le murmure de la Bête.

LIVRE QUATRE
LA CITÉ NOUVELLE

CHAPITRE 13

29 septembre 1894

« Alors que tombe le crépuscule, notre train franchit le Mississippi près de Saint Louis. Nous avons quitté Chicago à midi ; sauf retards importants dans les correspondances, il nous faudra donc vingt-quatre heures pour gagner Flagstaff, Arizona, d'où un train spécial nous emmènera à Prescott, ville située à une soixantaine de milles de La Cité Nouvelle. La durée du trajet dépendra ensuite de facteurs qu'il nous est impossible de prévoir, tels que l'état des routes et le temps qu'il fera. En tout cas, nous nous hâterons autant qu'il sera humainement possible.

« Avec une grande générosité, Presto finance notre expédition en puisant dans ses réserves, apparemment illimitées. Il a retenu dans ce wagon-lit des compartiments pour nous six et affrété le train spécial de Flagstaff à Prescott. D'ici là, nous devrons tous nous astreindre à dormir, même si cela nous est difficile, car l'occasion ne se représentera peut-être pas de longtemps.

« À l'heure où j'écris ces lignes, les autres sont au wagon-restaurant, sauf J.S. resté seul dans son compartiment voisin du mien. Depuis sa confession, il se retranche dans le silence. J'aimerais croire qu'il se concentre en vue des événements à venir, mais je crains plutôt d'assister à la lente asphyxie de sa personnalité. Avoir appris que son frère a survécu ne lui a pas même rendu son besoin d'action. Je ne vois dans ses yeux que le reflet de la solitude et du désarroi. Après tout ce qu'il a subi, il est vrai, je ne sais si aucune âme au monde serait capable d'en endurer davantage.

« Nos trois compagnons de voyage, Jack, Presto et Mary Williams — ainsi que Jacob Stern qui ne les a pas encore

263

rejoints —, sont investis d'une mission par leur vision commune qu'Innes et moi ne partageons pas. Chacun de nous a toutefois son rôle à jouer. Celui du détective me suffirait amplement si je ne me sentais tenu de donner plus de prix à ma contribution : faire en sorte que Jack redevienne lui-même, au moins en partie, avant la confrontation finale. Faute pour lui d'être en pleine possession de ses facultés, je redoute de voir les autres courir à un désastre. Le temps nous est compté, mais il me reste un dernier atout.

« Je le jouerai ce soir. »

Les Baladins découvrirent l'église noire au détour des derniers rochers. Des hommes grouillaient comme des fourmis sur les échafaudages de la tour centrale, qui se dressait à plus de deux cents pieds au-dessus du sol. Les travaux étaient cependant loin d'être achevés : même vue de cette distance, la façade avait encore l'aspect d'une coquille vide. Malgré tout, l'apparition soudaine d'un spectacle aussi insolite en un tel lieu avait de quoi couper le souffle.

Eileen grimpa sur le banc du cocher à côté de Jacob, que la vision semblait avoir pétrifié.

— C'est bien celle que vous avez vue en rêve ?

— Oui.

— Vous aussi ? demanda-t-elle à Kanazuchi qui regardait de sous la bâche.

Le Japonais acquiesça d'un signe de tête.

— Et maintenant, qu'allons-nous faire ? demanda Eileen.

— Je n'en ai aucune idée, répondit Jacob.

— Mais... vous disiez que vous le sauriez en arrivant !

— Accordez-moi un moment, de grâce ! Tomber sur une chose pareille est déjà assez déconcertant, sans parler des implications de ce que... de ce qui...

Il bredouillait, ses mains tremblaient. Je me suis bien trompée en croyant que le pauvre homme avait tout prévu, pensa Eileen. Il est désorienté, il a peur et il ne sait pas plus que moi comment réagir.

Elle lui tendit un bidon d'eau et prit les rênes pour le laisser boire. Il en vida d'un trait près de la moitié sans quitter la tour des yeux. Entendant des grincements derrière elle, Eileen souleva un coin de la bâche : Kanazuchi déclouait une planche à mains nues et mettait son sabre dans la cavité ainsi dégagée qu'il recouvrit à nouveau. Elle le vit ensuite cacher son long couteau sous sa tenue noire de coolie et revenir à l'avant du chariot.

— Jacob, dit-il à voix basse.

Il se retourna. Leurs regards se croisèrent. Kanazuchi tendit la main, posa les doigts sur le front de Jacob qui ferma les yeux. Les traits du Japonais exprimèrent alors une douceur, une compassion dont Eileen ne l'aurait jamais cru capable. Une minute plus tard, la respiration de Jacob devint plus régulière, les rides d'angoisse s'effacèrent de son front. Quand Kanazuchi retira sa main, Jacob rouvrit les yeux. Toute trace d'appréhension en avait disparu.

— Souvenez-vous, dit Kanazuchi.

Jacob fit un signe affirmatif. Avant que le Japonais ne regagne l'arrière du chariot, Eileen le retint par le bras.

— Que venez-vous de lui faire ? demanda-t-elle.

Un instant, il la fixa et elle discerna dans son regard des profondeurs insoupçonnables.

— Nous devons parfois nous rappeler les uns aux autres qui nous sommes en réalité, répondit-il.

Il la salua en s'inclinant puis, plus silencieux qu'une ombre, se laissa glisser hors du chariot, traversa en courant un espace nu et disparut derrière des rochers.

— Que vous a-t-il fait ? demanda-t-elle à Jacob.

— Disons qu'il m'a... imposé les mains.

— Allons donc !

— Ce n'est pas parce qu'un homme est armé d'un sabre qu'il est nécessairement mauvais.

— Il coupe des têtes, avec ce sabre !

— Nous ne devons pas, ma chère petite, préjuger des valeurs d'une personne selon les critères de notre propre culture lorsque les siennes en diffèrent aussi radicalement.

— Vous avez tout à fait raison. Et pour vous prouver à quel point j'ai l'esprit large, je vais apprendre à réduire les têtes pour meubler mes loisirs.

— Il serait sûrement ravi de vous fournir de quoi vous entraîner ! dit Jacob en riant. Si vous voulez bien m'excuser, Eileen, poursuivit-il en rentrant à l'intérieur du chariot, je ferais mieux de remettre mes vêtements avant d'arriver. Vous êtes censée veiller sur un vieux rabbin malade... Oh ! ma pauvre barbe ! l'entendit-elle s'écrier. Il n'en reste que des touffes, elle est irrécupérable.

— Si quelqu'un s'étonne, répondit-elle, dites que c'est une conséquence de votre maladie.

Eileen fit claquer le fouet, les mules se remirent en marche.

Un instant plus tard, elle entendit Jacob siffloter gaiement. Kanazuchi a opéré un vrai miracle, se dit-elle. Mais après tout, ils étaient l'un et l'autre des hommes de religion et partageaient le même rêve, ce qui voulait sans doute dire qu'ils avaient davantage de points communs qu'elle ne pouvait l'imaginer.

Un instant plus tard, redevenu un rabbin présentable malgré son visage imberbe, Jacob revint prendre les rênes. On distinguait au loin une large rue, bordée de maisons de bois d'assez belle apparence, conduisant au chantier de construction de la tour. De part et d'autre de cette voie centrale s'étendait à perte de vue un amas anarchique de baraquements sommaires d'où émergeait un vaste hangar. Un large no-man's-land séparait les premières maisons d'une clôture de fil de fer barbelé qui encerclait l'agglomération.

Ils arrivèrent bientôt en vue du deuxième poste de garde. À leur approche, des hommes armés, vêtus de blanc comme les précédents, vinrent au-devant des chariots.

— Sans vouloir vous harceler, Jacob, avez-vous réfléchi à ma première question ? demanda Eileen.

— Nous allons sourire et obéir docilement à tout ce qu'on nous dira de faire. Vous séjournez ici une semaine, n'est-ce pas ? Nous aurons donc le temps de nous familiariser avec cette ville et de découvrir qui la dirige. Ce sera peut-être moins difficile que vous ne le pensez, surtout pour une personne aussi pleine de charme que vous. Ensuite, nous nous efforcerons avec discrétion de découvrir le lieu où ils dissimulent les livres sacrés.

— Bien. Et après ?

— Un peu de patience, ma chère petite ! répondit-il en souriant. Il faudra que j'improvise.

— Pardonnez ma déformation professionnelle. J'aime connaître mon texte avant d'entrer en scène, voilà tout.

— Rien de plus normal.

— Et lui ? demanda-t-elle en indiquant l'endroit où Kanazuchi avait disparu.

— Selon toute vraisemblance, notre mystérieux ami adoptera une conduite similaire. Nous savons qu'il a laissé son arme dans ce chariot, il reviendra tôt ou tard la chercher.

— Nous n'allons quand même pas l'attendre !

— Soyez tranquille. S'il a besoin de nous pour une raison ou une autre, je le crois tout à fait capable de nous retrouver, où que nous soyons.

Devant eux, à moins de cent pas, les chemises blanches entouraient le chariot de tête que menait Bendigo Rymer.

— Nous pourrions laisser notre peau dans cette ville, dit-elle. Venir y jouer la comédie me paraît absurde.

— On peut aussi mourir dans son lit ou d'une chute de cheval. Ou encore, à Dieu ne plaise, foudroyé par un orage. Ce n'est pas une raison pour nous arrêter de vivre.

Elle l'entoura de ses bras, posa la tête sur son épaule. Il lui caressa les cheveux avec tendresse. Elle avait envie de pleurer, mais se retint de peur de paraître faible.

— Ne me jouez pas le mauvais tour de mourir trop vite, vieux sac d'os. Je tiens à vous garder, même si nous venons de faire connaissance.

— Je ferai de mon mieux, répondit-il en riant. Mais c'est bien parce que vous insistez !

Les chariots de tête s'étaient arrêtés. Rymer donnait des coups de chapeau et parlementait avec les gardes. Un instant plus tard, la barrière se leva.

— Cachez-vous, vous êtes censé être malade, dit Eileen.

Jacob alla s'étendre à l'arrière du chariot. Eileen lança les mules. En passant sous une banderole qui proclamait BIENVENUE À LA CITÉ NOUVELLE, elle rendit leurs sourires aux gardes de part et d'autre de la barrière.

Après avoir traversé le no-man's-land, la caravane s'engagea dans la rue principale bordée de façades pimpantes, repeintes de frais, aux fenêtres ornées de bacs de fleurs et de rideaux de chintz. Chaque maison arborait une enseigne : mercerie, dentiste, forgeron, hôtel, bazar. Alignés sur les trottoirs en planches, les habitants — uniformément souriants et vêtus de blanc — saluaient le défilé des chariots. Quand ceux-ci arrivèrent enfin devant le théâtre, où un calicot barrant la façade souhaitait la bienvenue aux Pénultièmes Baladins, une petite foule massée sous la marquise leur fit une ovation. D'autres uniformes blancs accouraient des rues transversales pour venir grossir le comité d'accueil.

Le tumulte cessa soudain à l'apparition d'un colosse en longue blouse grise, le seul dans la foule à n'être pas vêtu de blanc. Suivi d'une femme portant un cahier ouvert, il s'approcha du chariot de Bendigo Rymer.

— Bienvenue à La Cité Nouvelle, déclara le colosse.

— Merci, commença Bendigo, je suis très...

— Une radieuse journée, n'est-ce pas ?

— Certes ! Je n'en ai jamais vu de plus...

— Seriez-vous Bendigo Rymer, l'ami ?

— Lui-même, à votre service, mons...

— Voudriez-vous descendre et rassembler vos gens devant moi, je vous prie ?

— Tout de suite, monsieur, tout de suite.

Bendigo s'empressa de sauter de son siège et tapa dans ses mains en criant à la troupe de mettre pied à terre. Comédiens et machinistes se regroupèrent derrière lui tandis que la foule, désormais silencieuse, formait un cercle autour d'eux. Eileen aida Jacob à descendre du chariot en le soutenant comme s'il était toujours invalide.

L'homme en blouse grise compta les têtes, consulta le cahier de la femme et recommença le décompte.

— Vous aviez annoncé dix-neuf personnes au premier poste de garde, dit-il enfin à Bendigo. Je n'en vois que dix-huit. Comment l'expliquez-vous, monsieur Rymer ?

Rymer déglutit, lança un coup d'œil affolé à Eileen et se retint de sursauter en découvrant Jacob sans sa barbe.

— Eh bien, c'est très simple, répondit-il avec une aisance affectée. Ce monsieur qui s'est joint à nous à Phoenix est tombé malade en cours de route et...

— Cela devrait faire un de plus, pas un de moins.

— Bien entendu, intervint Eileen. À notre départ de Wickenburg, un médecin a accepté de nous accompagner sur une partie du trajet pour soigner le malade.

— Et alors, où est-il ? voulut savoir le colosse.

— Il nous a quittés tard hier soir. Son cheval était attaché au dernier chariot, qui restait à la traîne des autres — je ne suis pas très douée, voyez-vous, pour mener un attelage de mules. M. Rymer ne s'est pas aperçu de son départ et j'ai négligé de l'en informer.

— Voilà l'explication ! renchérit Bendigo, en essuyant discrètement son front où perlaient des sueurs froides.

Avec un sourire figé, le colosse en blouse grise les regarda alternativement sans que rien dans son expression ne trahisse ses sentiments. Eileen remarqua qu'il portait deux revolvers à la ceinture sous sa blouse et qu'une crosse de fusil dépassait d'une profonde poche intérieure.

— Cet homme ne fait donc pas partie de votre troupe, dit-il enfin en montrant Jacob.

— Non, non, pas le moins du monde ! confirma Rymer avec une hâte indécente.

— Mais c'est un de nos amis, corrigea Eileen.

— Son nom ?

— Jacob Stern, dit Eileen.

Le cerbère fit signe à la femme de l'inscrire sur son cahier, puis il se tourna vers Bendigo :

— Il me faut maintenant les noms des autres.

— C'est tout naturel, bafouilla Rymer en lui tendant une liste.

— Comment vous appelez-vous ? demanda Eileen au colosse.

— Et vous ?

— Je vous l'ai demandé d'abord.

Bendigo lui lança un regard meurtrier.

— Frère Cornelius, madame, répondit-il avec un sourire de moins en moins bienveillant.

— Et moi, Eileen Temple, dit-elle en lui tendant la main. Vous avez une bien belle ville, frère Cornelius.

Décontenancé, l'autre hésita et se décida, avec une répugnance visible, à effleurer la main tendue.

— Je sais... Vous serez logés à l'hôtel, poursuivit-il. Nous vous y conduirons après que vous aurez déchargé vos bagages au théâtre.

— Parfait ! approuva Rymer, que l'intervention d'Eileen mettait sur des charbons ardents. Je suis sûr que nous y disposerons d'installations de premier ordre.

— Je n'en sais rien, déclara Cornelius, vous êtes les premiers à vous en servir.

Il fit un nouveau signe à la femme au cahier, qui tendit à Rymer une pile de fascicules.

— Le règlement intérieur de La Cité Nouvelle, expliqua Cornelius. Distribuez-le à vos gens et dites-leur de s'y conformer strictement. Nous tenons à ce que nos visiteurs respectent nos règles et nos usages.

— Rien de plus naturel, frère Cornelius. Je considère...

L'autre lui coupa encore une fois la parole :

— Le Révérend Day compte sur vous ce soir pour dîner. Vous tous sans exception, précisa-t-il avec un regard menaçant à l'adresse d'Eileen et de Jacob Stern.

— Veuillez transmettre au Révérend nos remerciements les plus sincères et lui dire combien son invitation nous honore, déclara Rymer. À quelle heure convient-il de ?...

— Huit heures.

— Fort bien. Et où devrons-nous ?...

— On viendra vous chercher. Une radieuse journée à vous, conclut frère Cornelius en tournant les talons sans plus de cérémonie.

De souriants volontaires se détachèrent alors de la foule pour aider au déchargement des chariots. En les observant, Eileen se rendit compte qu'elle n'avait encore jamais vu autant de gens de races différentes se mêler les uns aux autres en aussi bonne intelligence.

Ce phénomène trop beau pour être vrai cachait à coup sûr quelque chose d'anormal.

Dissimulé sur une butte rocheuse dominant la ville non loin de la clôture, Kanazuchi avait observé toute la scène. S'il était trop éloigné pour lire sur les lèvres à l'œil nu, les gestes et les expressions étaient assez simples à déchiffrer pour en tirer un certain nombre de conclusions :

Les chemises blanches ne se déplaçaient qu'en masse, comme des colonies d'insectes.

Personne ne s'était encore rendu compte qu'il y avait eu un passager de plus dans le dernier chariot ; l'imbécile de directeur était sur le point de les trahir quand Eileen avait sauvé la situation.

L'homme en blouse grise était dangereux. Ayant malgré lui attiré son attention, Jacob aurait sans doute des ennuis, ce que lui, Kanazuchi, ne pouvait permettre à aucun prix. Le moment venu, le vieux aurait à jouer un rôle essentiel dans des circonstances que l'avenir seul dévoilerait.

Kanazuchi ne pourrait rien entreprendre avant la nuit, quatre ou cinq heures plus tard. De son poste d'observation, il voyait des gardes armés patrouiller régulièrement de chaque côté de la clôture. Il allait donc les observer de manière à déterminer la fréquence de leurs passages.

Le déchargement des bagages achevé, il vit les comédiens conduire les chariots vers une remise dans la partie sud de la ville. Pour le moment, son sabre était en sécurité et il savait où le trouver.

Kanazuchi accorda alors son attention à la tour que lui avait révélée sa vision. Il observa les allées et venues des travailleurs qui grouillaient à ses pieds. Une fois l'obscurité venue, c'est par là qu'il commencerait.

Innes fit irruption dans le compartiment en brandissant une liasse de papiers :

— À notre dernier arrêt, j'ai envoyé des télégrammes. Chevaux, cartes, armes et provisions sont commandés et nous attendront à Prescott. En voici la liste, dit-il en tendant un feuillet à son frère. Si tu penses que nous avons besoin d'autre chose, il est encore temps de télégraphier.

Constatant avec satisfaction l'efficacité toute militaire de son jeune frère, Doyle y jeta un coup d'œil.

— Il ne manque rien, dit-il. Félicitations, mon garçon.

— J'ai demandé des carabines à répétition, précisa Innes. Vous savez vous en servir, je pense ?

Presto et Mary Williams acquiescèrent d'un signe, puis Presto reprit son compte-rendu du comportement de Jack au moment de la mort du rabbin Brachman.

— Peut-on vraiment se fier à lui ? conclut-il d'un ton soucieux. Son apparent mépris de la vie humaine m'a choqué, je ne vous le cache pas.

Doyle considéra un moment la plaine illuminée par le clair de lune qui défilait derrière la vitre.

— Puis-je m'entretenir seul quelques instants avec Mlle Williams ? demanda-t-il enfin.

Lorsque Presto et Innes se furent retirés, Doyle se tourna vers Mary.

— Jack et vous êtes en quelque sorte liés par ce rêve, n'est-ce pas ?

— En quelque sorte, oui.

— J'ai fait pour lui tout ce que j'ai pu, reprit-il. Mon diagnostic ne débouche sur aucune solution. Avez-vous une idée de la cause de sa maladie ?

— Les malades sont parfois victimes d'une attaque... extérieure, répondit-elle en hésitant.

— Que voulez-vous dire ?

— Je parle du Mauvais Esprit.

— Vous croyez réellement à son existence ? En tant qu'entité indépendante, veux-je dire ?

— Tel est notre enseignement.

— Alors, si vous voulez bien tenter de le guérir, mieux vaut ne pas attendre davantage.

Elle lui lança un regard solennel, approuva d'un signe.

— Puis-je me rendre utile ? demanda Doyle.

— Non, répondit-elle d'un ton sans réplique.

Et elle sortit du compartiment.

Buckskin Frank attendit que les dernières lueurs du couchant soient éteintes avant de quitter l'abri des rochers. Dans la clairière, les chants avaient cessé au crépuscule et les jeunes en blanc s'étaient rassemblés autour d'un feu de camp. Avant que la lune se lève, Frank prit son cheval par la bride et s'éloigna le long de la clôture.

Dix doubles rangées de barbelés fixés à des poteaux espacés de vingt pas, plantés dans le sable avec du mortier. Du travail solide, fait pour durer. S'il y avait d'anciens cow-boys chez ces avaleurs de Bible, ils n'élevaient sûrement pas de bovins, le pays n'avait jamais vu pousser un brin d'herbe. Dans un ranch normal, trois fils de fer suffisaient largement pour empêcher les vaches de divaguer et on n'avait pas besoin de clôtures plus hautes qu'un homme. Celle-ci était donc faite pour interdire les incursions car, en plus, un mirador se dressait tous les cinq cents pas, couronné d'une plate-forme couverte occupée par deux chemises blanches armées de Winchester. Frank dut s'écarter du tracé pour rester hors de vue des guetteurs.

Au bout de quelques milles, il se rapprocha de la clôture entre deux miradors. Des lumières scintillaient à cinq ou six milles de là, une ville importante à première vue. Si le Chinois était resté caché dans un chariot des comédiens, c'est donc là qu'il se trouvait maintenant.

Frissonnant de froid, Frank étudia la situation. À sa gauche comme à sa droite, la clôture continuait à perte de vue et rien ne permettait de supposer qu'elle n'encerclait pas totalement la propriété. Il devait y avoir des barrières et des postes de garde de loin en loin, de sorte qu'il ne disposait que de deux solutions : soit forcer le passage sous le nez des gardes, soit ouvrir une brèche dans les barbelés. Problème : comment sortir ensuite de là avec un cadavre de Chinois ficelé sur la croupe du cheval ?

D'un autre côté, le Mexique n'était qu'à deux jours de trot, sans barbelés ni gardes armés jusqu'aux dents d'ici à la frontière. Au pire, il pourrait se raser la moustache et se teindre les cheveux en blond avec du jus de citron, comme on le lui avait appris en prison. Seulement, voilà : la brune aux yeux à damner un saint était là-dedans, elle aussi...

À peine y eut-il pensé que revint le hanter la vision du corps de Molly Fanshaw, gisant désarticulé deux étages au-dessous de lui dans la grande rue de Tombstone. Frank grimaça de douleur. C'est déjà assez pénible de vivre dans une cellule avec de tels souvenirs ; au dehors, c'est pire. On est poursuivi par le rappel de ses erreurs. Et on se découvre un dégoût profond de son propre égoïsme et de son aveuglement passé — n'est-ce pas, Frankie ?

Était-ce la voix de Molly ou celle de sa conscience ? Il entendait de plus en plus souvent Molly lui donner de bons conseils

272

en le taquinant gentiment. Est-ce que cela voulait dire qu'il se ramollissait, qu'il perdait la boule ? Était-elle morte pour de bon ou survivait-elle en cachette à l'intérieur de lui-même ?...

Assez ! À quoi ça t'avance de te ronger les sangs ?

Des lumières en mouvement à sa gauche, assez loin derrière la clôture, attirèrent tout à coup son attention. Il prit ses jumelles, s'efforça de voir dans l'obscurité.

Une longue colonne de chemises blanches portant des torches défilait, l'arme à la bretelle. Une centaine, au moins. À cheval, un homme grand et fort en blouse grise commandait l'exercice. Pas besoin de se creuser les méninges pour comprendre que c'était mille fois plus inquiétant qu'un forcené de Chinois qui maniait le coupe-coupe.

Et la brune aux beaux yeux était à l'intérieur...

Frank posait déjà la main sur la cisaille dans la fonte de sa selle quand la voix de Molly arrêta son geste.

D'accord, Frankie, joue les héros pour cette fille si ça te fait plaisir. Mais sers-toi d'abord de ce qui te tient lieu de cervelle. Personne ne te demande de courir au martyre en fonçant tête baissée comme un taureau stupide. Cisaille ces barbelés, tu te retrouveras cinq minutes plus tard avec cent canons de fusils sous le nez. Et puis, Frank McQuethy, sois honnête avec toi-même : pour te sortir de la panade, dans laquelle tu te jettes plus souvent qu'à ton tour, tu sais très bien que l'éloquence et la diplomatie ne sont pas précisément ton fort.

Pas moyen d'esquiver Molly, elle le connaissait comme si elle l'avait fait...

Frank fit faire demi-tour à son cheval et longea la clôture à la recherche d'un poste de garde.

Tandis que Buckskin Frank, roulé dans sa couverture, s'endormait en attendant le lever du jour, Kanazuchi écartait à mains nues deux rangées des barbelés de la clôture. Il aurait pu trancher le fil de fer avec son long couteau, mais les cinq minutes d'intervalle entre les patrouilles ne lui en accordaient pas le temps et il ne voulait pas laisser de traces. D'ailleurs, la lune serait bientôt à son zénith et le priverait de son seul avantage.

Il se glissa en souplesse dans l'interstice, en prenant soin de ne pas accrocher sa chemise aux pointes acérées. Les muscles voisins de sa blessure obéirent en protestant contre l'effort qui leur était imposé. Une fois passé, il rapprocha les fils, effaça ses traces dans le sable et courut vers l'abri le plus proche, une cabane déserte à une centaine de pas. Dans l'obscurité ambiante, la patrouille la plus vigilante n'aurait distingué qu'une forme indéfinissable.

Tapi à l'ombre du mur, il déploya ses sens, perçut des sons et des odeurs venus de toute la ville. Au loin, la silhouette de la tour semblait creuser dans le ciel étoilé une cavité plus noire que la nuit. Les travaux se poursuivaient à la lumière des lampes. Il décida de gagner le chantier en évitant les rues principales.

Un instant plus tard, il s'engagea dans un labyrinthe de ruelles et de passages, s'enfonça dans des recoins ombreux quand quelqu'un s'approchait. De temps à autre, il apercevait par une fenêtre des personnages en blanc assis à table ou devant leur cheminée ou encore couchés sur des grabats, les yeux ouverts, figés comme des statues. En longeant une masure, il entendit pleurer. Par la porte entrouverte, il vit une femme qui sanglotait, prostrée sur le sol de terre battue ; un homme assis près d'elle mangeait dans une écuelle sans lui jeter un regard.

Pas un chien n'aboyait à son passage et on ne voyait nulle part d'animal familier, phénomène surprenant dans une agglomération de cette importance. On n'entendait non plus aucun rire, aucun éclat de voix. Il s'étonna aussi de n'avoir vu aucun enfant. Des couples, oui, mais pas d'enfants.

Au détour d'une ruelle, il se trouva soudain nez à nez avec la personne la plus jeune qu'il ait rencontrée jusque là, un garçon d'une quinzaine d'années qui portait un seau. Le garçon le dévisagea un instant sans marquer ni surprise ni intérêt avant de s'éloigner en silence.

Kanazuchi atteignit bientôt la limite de la ville, qu'un espace nu de cinq ou six cents pas séparait du chantier de construction. De part et d'autre de la tour centrale, le bâtiment en forme de E majuscule comportait deux ailes en retour d'équerre, aux pignons coiffés par des clochetons et aux murs couverts de formes irrégulières invisibles d'aussi loin, sans doute des sculptures car on entendait le choc des maillets sur les ciseaux des tailleurs de pierre. La tour, d'une hauteur égale à la longueur de l'ensemble, semblait plus proche de son achèvement que les autres parties de l'édifice. Un dôme percé de fentes oblongues — clocher, observatoire ? — en couronnait le sommet.

Des portes, étroites et hautes comme des meurtrières, s'ouvraient à la base de la tour. Kanazuchi ne put en distinguer l'intérieur caché par des bâches accrochées aux échafaudages. Autour du bâtiment, des pistes aboutissaient à divers ateliers et réserves de matériaux : blocs de pierre, scierie, magasins d'outillage, fours à briques, etc. Une armée de travailleurs s'affairait sur le chantier, sans intervention visible de contremaîtres ou de chefs d'équipe. Chaque individu paraissait connaître précisément sa tâche et la manière de l'accomplir.

Une falaise crayeuse, qui se dressait derrière la tour sur le double de sa hauteur, en accentuait l'aspect sévère. Dans l'espace compris entre cette paroi et l'arrière du bâtiment, l'activité semblait moins fébrile que du côté de la façade. Kanazuchi attendit qu'un banc de nuages voile la lune pour quitter le couvert des dernières baraques de la ville. Il traversa l'espace nu en direction de la falaise qu'il longea jusqu'au niveau du bâtiment. L'arrière en était dénué de tout ornement et la construction elle-même donnait l'impression d'avoir été négligée ; à l'évidence, l'église était conçue pour n'être vue que du devant.

À l'abri d'un éperon rocheux, Kanazuchi observa la noria des travailleurs, qui sortaient de l'édifice en poussant chacun une brouette pleine de déblais, la déchargeaient à mi-chemin de la falaise, puis rentraient avec la brouette vide et recommençaient.

Kanazuchi rampa jusque derrière un tas de déblais et attendit qu'un travailleur ait vidé sa brouette pour lui briser d'une seule manchette les vertèbres cervicales. Il tira ensuite le cadavre derrière le monticule et le dépouilla de ses vêtements blancs, qu'il enfila par-dessus les siens avant d'enfouir sommairement sa victime sous la terre meuble et les débris de rocs. Lorsque survint le travailleur suivant, il empoigna la brouette vide et le suivit, sans que l'homme lui accorde un regard, jusqu'à une rampe de planches aménagée sur un escalier de quelques marches qui descendait à l'intérieur de l'édifice.

Sous des voûtes si élevées qu'on ne les distinguait pas même d'en bas régnait une atmosphère froide et angoissante. Ici et là, des ouvriers posaient un dallage d'ardoises, d'autres sculptaient des piliers ou jointoyaient des blocs de pierre. Nul ne semblant remarquer sa présence, Kanazuchi pénétra plus avant dans l'église. Sa vision lui avait montré une crypte où travaillaient des Chinois. Les déblais entassés à l'extérieur pouvaient en effet provenir d'une telle excavation ; elle se trouvait peut-être sous ses pieds, mais il lui faudrait du temps pour en découvrir l'entrée. Il remarqua alors que, dans toute la partie centrale du bâtiment, le sol était légèrement concave et que les dalles étaient creusées de rigoles convergeant vers une grille, située au point le plus bas, d'où s'échappait un vent glacé.

Kanazuchi se penchait pour l'examiner quand des cloches se mirent à sonner avec un bruit que la réverbération des voûtes rendait assourdissant. Dès les premiers tintements, les ouvriers autour de lui cessèrent immédiatement leur travail, posèrent leurs outils et se dirigèrent vers les portes principales. Kanazuchi se mêla à eux, une centaine ou davantage, pendant qu'ils se rassemblaient en silence devant les portes. Il déploya ses sens et se rendit compte, avec stupeur, qu'il n'émanait de cette foule aucune pensée personnelle, aucune voix intérieure. Un esprit unique animait et dirigeait tous ces corps.

Des contremaîtres vêtus de noir apparurent alors, le fusil à la main. Une troupe d'une importance égale arrivait pour prendre la relève. Kanazuchi constata qu'elle comptait, comme leur groupe, moins de visages blancs que de visages noirs, jaunes ou basanés. Les deux bataillons se croisèrent en n'échangeant que des sourires mécaniques. La relève entra en bon ordre dans l'église, où les bruits du travail reprirent leur rythme. Les autres regagnèrent la ville et se scindèrent en trois groupes, répartis dans autant de baraquements. Kanazuchi suivit ceux qui le précédaient dans un de ces dortoirs, sous le regard vigilant de gardes armés qui ne lui accordèrent aucune attention.

Chaque dortoir accueillait quarante personnes, hommes et femmes mêlés, dans des couchettes superposées. Chacun se jeta sur la première paillasse disponible. Épuisés, beaucoup dormaient déjà avant même d'être couchés.

Kanazuchi se hissa sur une couchette supérieure. Les gardes surveillaient étroitement les issues, il n'avait donc pas le choix. De toute façon, sa blessure n'était pas encore entièrement cicatrisée et son corps avait besoin de repos. Autant en profiter.

Le Révérend A. Glorious Day rejoignit ses hôtes du dîner avec une heure de retard. À ce moment-là, comme on pouvait s'y attendre, les comédiens avaient depuis longtemps liquidé toute la nourriture à portée de main. Le règlement interdisant aux étrangers de circuler en ville sans une escorte que nul ne leur proposait, ils avaient tué le temps de leur mieux à l'hôtel. Puis, à huit heures précises, on était venu les chercher pour les conduire tout droit à la résidence personnelle du Révérend.

« La Demeure de l'Espérance », ainsi que l'annonçait un panneau au-dessus de la porte, était une vaste hacienda de briques blanchies à la chaux, sans contredit la plus belle maison de la rue principale. La salle à manger, comme les autres pièces que les comédiens avaient aperçues en s'y rendant, déployait un luxe aussi hétéroclite qu'ostentatoire — meubles victoriens, tapis persans, lustres de Venise, statuettes extrême-orientales — comme si le maître des lieux avait dévalisé les salons d'une douzaine de millionnaires pour en répartir le contenu au petit bonheur.

Une escouade de chemises blanches taciturnes et attentionnées leur avait servi un repas copieux, épicé à la mode mexicaine. À l'issue du banquet, Rymer leva son verre de l'excellent vin rouge dont ils s'étaient abreuvés (si le règlement intérieur de La Cité Nouvelle proscrivait l'alcool, la Demeure de l'Espérance se plaçait à l'évidence au-dessus des lois édictées par son propriétaire) et chanta les louanges de son jugement infaillible, grâce auquel il avait entraîné ses heureux Pénultièmes Baladins vers cette oasis de bon goût, avant-poste de la civilisation éclairée.

— Bravo, monsieur Rymer ! Votre exquise modestie n'a de rivale que la verbosité homérique de votre éloquence.

Sans que nul ne l'ait vu ni entendu entrer, le Révérend Day se tenait sur le seuil d'où il n'avait pas perdu un mot du discours de Bendigo Rymer à sa propre gloire. Convaincu d'avoir reçu un compliment, celui-ci rougit de plaisir et fit à son hôte une profonde courbette.

— Dites-moi, poursuivit le Révérend, comment avez-vous choisi un nom aussi remarquable pour votre petite troupe ?

— Eh bien, déclara Rymer en se rengorgeant, parce que nous mettons notre point d'honneur à offrir à notre public le summum, le nec plus ultra, l'*ultime* perfection théâtrale. Mais à ces qualificatifs trop galvaudés j'ai préféré celui de pénultième, plus subtilement évocateur.

Pendant la tirade de Rymer, le Révérend s'installa à sa place restée vide. Eileen était assise à sa droite et, à sa gauche, Rymer puis Jacob Stern.

— Vraiment ? Voilà qui est intéressant. Ignoreriez-vous que le mot *pénultième* signifie *avant-dernier* ?

Le sourire béat qu'arborait Bendigo se figea sur ses lèvres comme sous l'effet d'un gel brutal qui, du même coup, bloqua irrémédiablement les rouages de son cerveau. Eileen était sur le point de pouffer de rire quand l'aspect du Révérend, qu'elle voyait de près pour la première fois, lui étreignit la gorge : cet homme est moribond, pensa-t-elle d'instinct.

Le Révérend avait la démarche raide et mécanique d'un insecte, comme si une barre de fer s'était substituée à sa colonne vertébrale. Son costume noir pendait sur son corps décharné comme les voiles sur le mât d'un bateau encalminé. Une excroissance osseuse lui soulevait l'épaule gauche, sa jambe gauche paraîssait atrophiée. Une épaisse toison noire couvrait ses mains simiesques, trop maigres et déformées. Son visage était littéralement squelettique : sous le front haut et bombé, ses yeux verts flamboyaient au fond de leurs orbites caverneuses ; ses joues trop creuses accentuaient la saillie des pommettes et du maxillaire. Des touffes de cheveux noirs ou gris, raides et clairsemés comme ceux d'une momie, lui tombaient sur les épaules. Des cicatrices d'un blanc maladif sillonnaient sa peau cireuse, comme si elle avait été découpée en morceaux et maladroitement recousue.

Le Révérend éluda les présentations : il avait déjà lu les noms de ceux qui comptaient et ne s'intéressait pas aux autres. Son apparition inopinée ayant réduit la tablée au mutisme, il pérorait seul, d'une voix grave marquée par un fort accent du Sud — l'exagérait-il pour dissimuler une diction britannique qui transparaissait de temps à autre ?

Je connais ce visage, se disait Eileen en l'observant. Je suis sûre de l'avoir déjà vu, je ne sais dans quelles circonstances, mais ce ne sont pas des traits qu'on oublie.

De son côté, Jacob l'avait aussitôt reconnu et il savait où et quand : au Congrès des religions à Chicago, l'année précédente. Méconnaissable sans sa barbe, il notait avec soulagement que le Révérend l'avait examiné sans qu'un éclair de reconnaissance lui ait traversé le regard. Cet homme a des yeux redoutables, pensa Jacob en sentant son cœur battre plus vite. Il avait déjà rencontré des gens doués d'une force de volonté tangible ; celui-ci projetait la sienne comme s'il usait d'une arme.

Jacob cherchait à attirer l'attention d'Eileen pour l'avertir d'éviter son regard à tout prix quand le Révérend se tourna vers lui :

— Comment vous portez-vous ce soir, monsieur Jacob Stern ? J'ai entendu dire que vous étiez tombé malade au cours de votre voyage.

— Beaucoup mieux, je vous remercie.

— À l'évidence, vous n'êtes pas membre de cette troupe. Puis-je vous demander ce qui vous amène dans ce coin retiré de notre vaste monde ?

— Disons que je voyage en touriste. Le vieil homme que je suis profite de sa retraite pour découvrir l'Ouest.

— Dans quelle communauté religieuse sommes-nous ? intervint Eileen, incapable de dominer sa curiosité. C'est vous qui la dirigez, je pense. Quel but poursuivez-vous ?

Le Révérend la regarda en face pour la première fois et elle sentit le choc de son regard comme un coup de poing. Il affichait une expression courtoise, voire amicale, mais la force de son regard était telle qu'Eileen en eut un accès de nausée et dut baisser les yeux à la hâte.

— Servir Dieu, mademoiselle Temple, répondit-il avec onction. Dieu et son Fils Jésus-Christ, notre Sauveur. Ainsi que nous le devrions tous. Ne vous a-t-on pas remis à votre arrivée un exemplaire de notre brochure ? Elle contient tous les renseignements que nos visiteurs doivent savoir sur les objectifs que nous poursuivons et sur nous-mêmes.

Il veut que je le regarde mais je ne le dois pas, pensa Eileen, les yeux obstinément baissés. Je sens son esprit qui cherche à s'insinuer dans ma tête comme un insecte...

Conscient du désarroi d'Eileen, Jacob tenta de détourner sur lui l'attention du Révérend.

— Pardonnez mon impertinence, dit-il, mais il m'a semblé que votre brochure s'appesantissait moins sur ce qu'il faut faire que sur ce qu'on ne doit pas faire.

Le Révérend tourna vers Jacob un regard dur, à la limite de colère.

— Vous semblez oublier, monsieur, que Dieu Lui-même nous a donné Ses commandements.

Il ne supporte pas la contradiction, pensa Jacob, et il n'a pas l'habitude qu'on lui tienne tête — avec des yeux comme les siens, il faudrait être fou pour s'y risquer.

— Ils ne sont que dix. Vous en avez cinquante.

— Se plier à la volonté de Dieu entraîne sur un chemin malaisé que les hommes ont bien du mal à suivre. Nous ne prétendons pas atteindre à la perfection, monsieur Stern, nous nous efforçons simplement de nous en approcher.

— Voilà un noble idéal, digne des louanges du monde. Pourquoi vous cachez-vous dans ce désert ?

— Parce que le monde est... mauvais, comme vos voyages vous ont sans doute permis de le constater. Mais l'espoir nous pousse à édifier pour nous-mêmes un monde meilleur dans notre Cité, c'est pourquoi j'ai appelé ma maison la Demeure de l'Espérance. Aussi attendons-nous de nos visiteurs qu'ils respectent nos efforts, quand bien même ils ne partageraient pas nos valeurs.

— Mon respect leur est tout acquis.

Depuis quelques instants, le regard que le Révérend fixait sur Jacob exprimait un intérêt croissant.

— Dites-moi, monsieur Stern, seriez-vous par hasard un homme de Dieu, vous-même ?

— En un sens, oui. Je suis rabbin.

— Mais bien sûr ! Je comprends mieux, maintenant. Nous

279

comptons dans nos rangs bon nombre de vos frères israélites, ainsi que des adeptes d'autres religions défaillantes qui se sont convertis à nos voies, cela va sans dire.

— Tout le monde peut se tromper.

Le Révérend le gratifia d'un sourire indulgent.

— Je ne voudrais pas imposer à mes hôtes l'ennui d'un débat théologique, mais peut-être accepteriez-vous de me consacrer demain un peu de votre temps, rabbin Stern, afin que nous discutions à loisir de nos... différences ?

— Avec plaisir, Révérend. Je dois pourtant vous avertir que se convertir au judaïsme est une entreprise ardue.

— Pour celui qui est au service de Dieu et de Son Œuvre Sacré, répondit le Révérend avec un nouveau sourire, c'est un risque qu'il faut être prêt à assumer.

Il se tourna alors vers Bendigo Rymer, plongé depuis sa rebuffade dans une transe hypnotique dont il émergea en papillotant des yeux.

— J'espère, monsieur Rymer, que vous avez trouvé notre humble théâtre à votre convenance ? dit-il en se levant.

— Oh ! oui ! Révérend ! Les installations en sont superbes, je tiens à vous exprimer ma profonde gratitude.

— Parfait. Je ne saurais vous dire combien nous nous réjouissons d'avance de votre représentation de demain soir.

Sur quoi le Révérend s'inclina avec raideur et quitta la pièce. Soudain assailli par une épouvantable migraine, Jacob porta la main à son front. Inquiète, Eileen se pencha vers lui avec sollicitude. Quant aux Baladins, qui avaient l'impression de retenir leur souffle depuis une heure, ils exhalèrent en chœur un soupir de soulagement.

Marche Seule frappa à la porte du compartiment. Faute de réponse, elle allait recommencer quand la porte s'ouvrit à la volée et Jack Sparks apparut, revolver au poing. Elle garda son calme et attendit qu'il parle en premier.

— Que voulez-vous ? dit-il d'un ton rogue.

— Puis-je entrer ?

— Pourquoi ?

Son regard apaisant parvint à pénétrer le mur d'hostilité qu'il avait dressé autour de lui. Comme à regret, Jack remit son arme à la ceinture et lui fit signe d'entrer. Elle s'assit en contrôlant ses gestes et sa respiration afin de ne projeter aucune onde négative dans cet espace confiné. Un instant plus tard, la tension un peu dissipée, il prit place en face d'elle.

— Je voudrais vous parler de mon rêve, dit-elle.

— Allez-y.

Sous son regard encore méfiant, elle prit le temps de choisir ses mots avec soin.

— Dans mon rêve, la terre est ma mère, le ciel est mon père. Ils vivent séparés mais se rejoignent à l'horizon. Parce que l'harmonie règne entre eux, les animaux naissent chacun à l'image des dieux qui se partagent le ciel et la terre. Les humains sont les dernières créatures apparues parce qu'il faut plus longtemps pour les créer.

— Pourquoi ?

— Parce qu'ils assument davantage de responsabilités.

— Que voulez-vous dire ?

— Ils sont les seuls à recevoir à la fois la lumière et les ténèbres, le Bien et le Mal. Les animaux obéissent à leurs dieux sans poser de questions. Ils ne connaissent que le Bien, alors que les humains doivent écouter les deux côtés. Ils sont les seuls à devoir choisir et décider.

— Décider quoi ?

— Quel est en eux le côté le plus fort.

Un éclair de colère s'alluma dans le regard de Jack.

— C'est lui qui vous envoie ? gronda-t-il en désignant du menton le compartiment de Doyle.

— Je ne vous parle que de mon rêve, se borna-t-elle à répondre.

Il y eut un silence malaisé.

— Soit, dit-il enfin. Continuez.

— Dans mon rêve, les humains ont perdu l'harmonie, ils ont oublié qu'ils sont nés à la fois du ciel et de la terre. Leur esprit est fort, mais leur cœur est fermé. Ils ne respectent plus les autres êtres vivants ni leurs dieux. Ils croient avoir trouvé leur propre chemin et être seuls sur terre, au-dessus du reste de la création. Leur esprit est fort, mais en décidant de suivre ce chemin ils s'écartent de la vérité. Cela crée en eux un vide et dans ce vide viennent des idées de l'esprit seul, qui ne parle pas avec la voix du cœur. Des idées de puissance, de domination sur les autres. Des idées venues des ténèbres. C'est ainsi que la blessure se creuse.

— Quelle blessure ?

— La blessure de la terre. Celle que nous voyons dans notre rêve.

— Le rêve du désert ?

— Oui. Les humains ont besoin de guérir, de rapprocher le cœur et l'esprit. Car l'esprit leur dit seulement qu'il leur faut toujours plus de puissance, si bien que la blessure s'agrandit. C'est de mon rêve que je vous parle.

Le regard de Jack exprimait maintenant l'intérêt.

— Dans le rêve que nous partageons, reprit-elle, nous voyons une tour dressée dans le désert. Mon peuple se sert de la roue de médecine pour ouvrir son cœur et écouter la voix de nos dieux. Même si nous appelons le ciel pour les entendre, nous savons que les dieux vivent en nous et que c'est en nous-mêmes qu'il faut écouter.

— Et cette tour ?

— Elle est comme notre roue de médecine, sauf qu'elle appelle dans les ténèbres. La blessure est béante sous la tour et l'Homme Noir demande aux ténèbres de sortir de la blessure pour répandre leur pouvoir sur la terre.

— Et c'est ainsi que les ténèbres remportent la victoire, dit Jack avec amertume.

— C'est ainsi que survient la fin des temps et que les humains sont anéantis, parce qu'ils ont creusé la blessure et permis à l'Homme Noir d'inviter les ténèbres en ce monde.

— Qui est cet homme ?

— Il est en chacun de nous la voix mensongère de l'esprit. Dans le rêve, il est celui qui entraîne les humains sur le mauvais chemin et libère les ténèbres du plus profond de la terre.

— Dans le monde réel, dit Jack, il est mon frère.

Elle hésita brièvement :

— Je le crois, en effet.

— Qui sont les Six ?

— Ceux qui sont appelés à arrêter l'Homme Noir.

— Appelés par qui ?

— Il ne nous appartient pas de le dire.

— Mais vous et moi en faisons partie.

— Oui, puisque nous avons tous deux reçu le rêve.

Jack garda le silence, agité par un flot d'émotions douloureuses qui se reflétaient sur son visage. Touchée de compassion, elle s'abstint toutefois de faire un geste vers lui. C'était à lui de tendre la main, d'appeler à l'aide.

— Comment pouvons-nous l'arrêter ? demanda-t-il enfin d'une voix rauque. J'ai déjà essayé et j'ai échoué. Je me suis trahi moi-même en le laissant attirer les ténèbres dans le monde. J'ai peur. Peur de ne pas avoir assez de force...

Pour la première fois, Marche Seule le regarda dans les yeux. Le moment était venu.

— Avant d'essayer à nouveau, vous devez vous guérir.

Les yeux de Jack s'emplirent de larmes.

— Je ne sais pas comment, murmura-t-il.

— Vous tenterez pourtant de vous opposer à lui ?

— Oui.

— Alors, vous échouerez encore. Le voulez-vous ?

— Non.

— Vous n'avez donc pas le choix.

Elle lui prit les mains. Il leva vers elle un regard chargé d'espoir.

— Je vais vous secourir, dit-elle à voix basse.

Le premier cri derrière la cloison réveilla Doyle en sursaut. Levés d'un bond, Innes et lui coururent vers le compartiment de Jack, tendirent l'oreille. Ils entendirent la voix de l'Indienne scander une mélopée et sentirent une âcre odeur de fumée — de la sauge, peut-être. Des gémissements s'élevaient par moments, retombaient. Un nouveau cri, un hurlement plutôt, leur dressa les cheveux sur la tête.

— Grand Dieu ! s'exclama Doyle.

— On croirait qu'il rôtit sur un bûcher, dit Innes.

D'instinct, Doyle ouvrit la porte. Le spectacle qu'ils découvrirent arrêta net les deux frères.

Une chaleur de four régnait dans le compartiment. Jack était couché par terre entre les banquettes, Marche Seule agenouillée près de lui. Inconscient, nu jusqu'à la ceinture, Jack avait le torse strié de peinture rouge et blanche, en bandes identiques à celles qu'arborait le visage de l'Indienne. De la fumée montait de deux pots de grès où brûlait de la sauge. Une longue pipe en bois était posée sur une banquette et une baguette de saule, au bout de laquelle était fixée une plume d'aigle, gisait par terre près de la tête de Jack. Marche Seule lui pétrissait le torse à deux mains en répétant sa lancinante mélopée. Totalement absorbée par son opération, elle ne se rendit pas même compte de l'intrusion des Doyle.

Un nouveau hurlement s'échappa des lèvres de Jack qui se tordait de douleur. Mi-fasciné, mi-horrifié, Doyle vit alors dans les mains de la femme une chose qu'elle paraissait avoir extraite de la poitrine de Jack. Une masse rosâtre et gélatineuse de la taille d'une grosse orange, au centre de laquelle brûlait un noyau noir cerné de cartilages gris en forme de cage thoracique. Cette chose innommable évoquait une larve de monstrueux insecte. Des vibrations spasmodiques secouaient les mains de la femme, sans qu'on puisse dire si elle exécutait elle-même ces mouvements ou s'ils lui étaient imposés par l'énergie interne de la chose qu'elle tenait. La scène était irréelle, au point que les Doyle se demandèrent s'ils en étaient réellement témoins.

Sur un dernier sursaut, Jack retomba, inerte. Doyle referma la porte, empoigna la main de son frère qu'il tira à l'écart dans le couloir. Innes et lui se dévisagèrent, livides, hors d'état de proférer un son. Un instant plus tard, de retour dans leur compartiment, ils se versèrent une solide dose de whisky dans l'espoir que la potion effacerait le souvenir de ce qu'ils avaient vu.

Jusqu'à la fin de la nuit, il n'y eut plus d'autre cri dans le compartiment mitoyen. Mais les frères Doyle furent incapables de retrouver leur sommeil interrompu.

Skull Canyon, Arizona

La milice avait passé à l'hôtel de Skull Canyon, qui affichait complet grâce à elle, une première nuit destinée à rester dans les annales. Lorsqu'au début de la deuxième soirée l'alcool commença à couler, il devint évident que la situation serait vite incontrôlable.

Volontaires et réguliers se divisaient en deux camps, convaincus l'un et l'autre d'avoir raison, sur le point de savoir lequel des ennemis publics il convenait de pourchasser en priorité : le diable chinois ou ce fils de pute de Frank McQuethy. Ils se rejoignaient toutefois sur un point capital : le premier des deux qui leur tomberait sous la main aurait droit séance tenante à une bonne cravate de chanvre, nouée à la maîtresse branche de l'arbre le plus proche.

Plus que tout autre, le shérif Butterfield souffrait du pénible sentiment d'avoir été honteusement trahi : c'était lui, après tout, qui était intervenu en personne auprès du gouverneur pour obtenir l'élargissement de Buckskin Frank. Avoir mis dans la balance son avenir politique pour se voir récompensé par un chiffon de papier épinglé sur une porte d'écurie ! Ce serpent de McQuethy profitait de la confiance qu'il avait mise en lui pour s'évanouir dans la nuit ! Il devait déjà se prélasser à Guadalajara et bien se moquer de sa naïveté, le fumier ! Le premier jour, le shérif avait quand même réussi à persuader les autres de se rendre à Skull Canyon, comme le leur avait demandé Frank, mais ils n'étaient arrivés dans ce trou perdu que pour constater sa disparition. Il y avait de quoi devenir enragé !

Pendant la deuxième journée, le ton n'avait cessé de monter.

Les interrogatoires du personnel de l'hôtel avaient repris, de plus en plus musclés, jusqu'à ce qu'un employé avoue enfin que Frank n'avait pas pris la route de Prescott — ainsi que Buckskin lui avait ordonné de le dire sous peine de mort ou de sévices encore pires, précisa-t-il afin de se disculper — mais bel et bien vers l'ouest et cette espèce de communauté religieuse dont tout le pays parlait.

L'excitation fut alors à son comble : c'était là que le Chinois était parti avec les comédiens.

À cheval ! bramèrent d'une seule voix les intrépides justiciers — au vif soulagement des employés de l'hôtel. Ne perdons pas une minute ! Une fois là-bas, il suffira de tirer dans le tas, on finira bien par débusquer ces deux immondes salauds ! Et que Dieu ait pitié de celui qui s'aviserait de se mettre en travers de notre chemin ! Il restait toutefois un détail à régler : où et comment trouver l'endroit.

C'est alors que l'un des cinq quidams arrivés dans la soirée et qui, depuis, se tenaient cois dans un coin de la salle de bar, se manifesta pour la première fois. Nous connaissons la ville, déclara-t-il courtoisement. De fait, nous nous y rendons nous-mêmes et serions très heureux de vous montrer le chemin.

Tout de suite ? s'enquirent les miliciens, assoiffés de vengeance et abreuvés de whisky.

Bien sûr, nous nous apprêtions justement à partir, répondit le serviable étranger. Si la route vous paraît trop longue et que vous décidez de faire une étape, nous pourrons même vous indiquer un endroit idéal pour camper.

Quelqu'un voulut savoir ce qui attirait ces messieurs dans une colonie religieuse au fin fond du désert. Nous sommes placiers en Bibles, l'informa l'aimable jeune homme. Un de ses compagnons confirma ses dires en ouvrant sa valise pleine de pieux ouvrages.

Un conciliabule s'engagea aussitôt entre les sages de la troupe : ces zèbres bien habillés avaient l'air de gens convenables et craignant Dieu. En plus, ils connaissaient les lieux pour y être déjà allés. La décision fut prise à l'unanimité : la milice devait profiter de cette occasion inespérée et partir avec eux sur-le-champ.

Les cinq représentants en littérature sacrée étaient déjà en selle, prêts à partir, lorsque les justiciers amateurs émergèrent de l'hôtel après avoir fini de vider leurs verres et invoqué en vain le nom du Seigneur. Aucun n'avait donc pu entendre leur chef, le grand blond au léger accent allemand qui leur avait si aimablement proposé de les guider, dire à ses compagnons : *Attendez mon signal.*

CHAPITRE 14

Frank se présenta à la barrière cinq minutes après le lever du soleil. Un homme et une femme en chemise blanche, armés de Winchester, sortirent du poste de garde pour venir à sa rencontre, un large sourire aux lèvres.

— Bienvenue à La Cité Nouvelle, dit la femme.

— Trop aimable, répondit Frank.

— Une radieuse journée, n'est-ce pas ?

— J'en ai vu de pires.

— Quel bon vent vous amène ? voulut savoir l'homme.

Frank arbora un sourire aussi épanoui que le leur :

— Je pensais m'enrôler chez vous.

— Vous... enrôler ? s'étonna la femme.

— Ouais.

Déconcertés, les gardes se consultèrent du regard. Leur sourire perdit de son éclat.

— Excusez-nous un instant, s'il vous plaît.

Ils regagnèrent le poste en chuchotant. Frank vit par la fenêtre l'homme manipuler un appareil de télégraphe et profita de ce que les gardes le laissaient seul pour braquer ses jumelles à l'est, dans le secteur où il avait vu la veille au soir se dérouler des manœuvres militaires. Il distingua alors les sacs de sable et les cibles d'un vaste stand de tir. Lorsque le télégraphe eut fini de cliqueter une réponse, Frank remit ses jumelles dans leur étui. Les deux gardes, qui avaient retrouvé le sourire, sortirent du poste et revinrent vers lui.

— Vous pouvez passer, monsieur, dit la femme. Veillez à ne vous écarter de la route à aucun moment. Vous recevrez de plus amples instructions en arrivant à La Cité Nouvelle.

— Une radieuse journée, lui souhaita l'homme.

Frank toucha le bord de son chapeau et éperonna son cheval. La barrière retomba derrière lui. Bien entretenue, assez large pour que deux chariots puissent se croiser, la route coupait droit à travers les dunes de sable. Frank voyait au loin une tache sombre, dont la forme se précisa à mesure qu'il s'en rapprochait : une gigantesque tour noire, dont la démesure le stupéfia.

— On dirait que tu débarques dans un drôle de cauchemar, Frankie, dit la voix de Molly. Pas un des tiens, en tout cas, puisque je n'y suis pas. Qu'est-ce que tu vas faire ?

— Tu me connais, Molly, grommela-t-il. Une fois parti, je vais jusqu'au bout.

Plus il avançait, plus son effarement croissait. Il s'était imaginé La Cité Nouvelle comme une pimpante bourgade aux rues bordées de barrières blanches et de jardins fleuris où jouaient des enfants. Il découvrait à perte de vue un bidonville aussi sordide que ceux qu'il avait vus autour des grandes villes du Mexique.

Au dernier poste de garde, on lui fit signe de franchir la barrière sans s'arrêter. Une jeune cavalière le rattrapa pour le guider jusqu'à une écurie près de la rue principale. En traversant la cour intérieure, il reconnut les chariots des comédiens rangés le long d'un mur. Au moins, il ne s'était pas trompé de destination.

Quand il mit pied à terre, un palefrenier emmena son cheval — avec sa carabine dans la fonte de la selle. Six jeunes garçons âgés tout au plus de dix-huit ans, Blancs et Noirs mêlés, lui souhaitèrent chaleureusement la bienvenue et lui mirent dans la main une brochure, intitulée *Règlement de La Cité Nouvelle à l'usage des visiteurs.* L'un d'eux le pria de se dessaisir de son revolver.

— Règle numéro 14, monsieur, dit-il en montrant une liste. Les armes sont interdites à La Cité Nouvelle.

Frank lui tendit son Colt sans discuter.

— Je garde l'étui, s'il n'y a pas d'inconvénient.

— Aucun, monsieur ! le rassura-t-il en souriant.

Tant mieux, s'abstint de répondre Frank, parce que j'aurai besoin des balles pour l'autre flingue caché dans ma botte.

— Voudriez-vous enlever votre chapeau et lever les bras au-dessus de votre tête ? demanda un autre.

— Pourquoi ?

— Pour vous passer votre chemise.

Deux jeunes s'approchaient déjà de lui avec une chemise blanche dépliée. Cette fois, Frank se rebiffa. Il rendit le règlement au premier jeune à sa portée et sortit de l'écurie. Affolé comme une nichée de poussins qui voient s'éloigner leur mère, le comité d'accueil se précipita à sa suite.

287

— Mais, monsieur, tous ceux qui viennent s'enrôler doivent porter une chemise blanche ! C'est écrit là...

Sans ralentir, Frank tourna dans la rue principale. Des hommes et des femmes en chemises blanches, aussi souriants les uns que les autres, déambulaient sur les trottoirs de planches. Frank nota une forte proportion de visages asiatiques. Aucun ne semblait répondre au signalement du Chinois meurtrier, mais ils étaient assez nombreux pour que celui-ci ait pu se dissimuler parmi ses congénères.

Il s'arrêta pour allumer un cigarillo. Déroutés, ses anges gardiens chuchotèrent entre eux jusqu'à ce que l'un d'eux, un jeune Noir à lunettes, s'enhardît :

— Monsieur, on ne doit pas fumer à La Cité Nou...

Frank le fit taire d'un regard sans équivoque et sortit de sa poche une poignée de pièces de monnaie.

— Dites, les gamins, combien voulez-vous pour me laisser tranquille et aller à la pêche ?

Les six échangèrent des regards ahuris avant de le dévisager comme s'il tombait d'une autre planète.

— L'argent n'a pas cours à La Cité Nouvelle, dit l'un d'eux. Nous n'en avons jamais besoin.

Frank rempocha ses pièces avec un soupir agacé.

— J'aurais dû m'en douter.

— Il faut que tout le monde obéisse aux règles...

— Sinon, l'interrompit Frank, c'est l'anarchie et une vache n'y retrouverait pas son veau. C'est bien ça ?

Les autres le regardèrent sans comprendre. Le jeune Noir, qui semblait être le chef du groupe, revint à la charge avec une louable obstination :

— Le règlement est très important, monsieur. Surtout pour ceux qui veulent se joindre à nous. On nous a dit que vous vouliez vous enrôler. Est-ce vrai ?

— Peut-être bien. J'y pense.

Un peu plus loin dans la rue, une affiche vivement colorée placardée sur un grand bâtiment attira l'attention de Frank. Il se remit en marche dans cette direction, suivi comme son ombre par le groupe des six.

— Nous avons des règles très strictes concernant les postulants, insista le jeune Noir.

— Ça ne m'étonne pas. Comment t'appelles-tu, petit ?

— Clarence, monsieur.

— Alors écoute-moi, Clarence. Arrête ton baratin et parle-moi franchement, que je puisse me décider tout seul. Pour commencer, qui est le patron, ici ?

— Plaît-il ?

— Votre chef. Celui qui fait les règles.

— Le Révérend A. Glorious Day.

— Et qu'est-ce qu'il a de spécial, ton révérend Day ?

— Le Révérend parle avec l'Archange.

— Il nous transmet la Parole du Seigneur, renchérit un autre. À travers le Révérend, nous Le voyons...

— Nous *communions* avec Lui, frère Tad, le corrigea Clarence.

— Vous... quoi ?

— Nous communions avec l'Archange.

Les six affichaient des sourires béats.

— Comment s'appelle-t-il, cet archange ? demanda Frank.

— Nous ne connaissons pas son nom. Nous savons seulement qu'il siège à la gauche de Dieu, répondit Clarence.

— C'est le Révérend qui vous le dit ?

— Oh, oui ! Il connaît bien l'Archange ! déclara un autre avec enthousiasme.

— Mais nous le connaissons aussi dans nos cœurs, compléta Clarence. Quand nous communions avec Lui.

— Et où se passe cette communion ?

Les six échangèrent des sourires entendus, comme s'il fallait être un simple d'esprit pour ignorer une évidence aussi éclatante.

— Mais, partout ! Nous entendons Sa voix partout où nous allons. Nous ne sommes jamais seuls.

— Veux-tu dire qu'en ce moment, par exemple, tu entends une voix te dire ce qu'il faut faire ? demanda Frank.

— Oui, monsieur. Grâce à l'intercession du Révérend, l'Archange ne nous quitte jamais.

— Alléluia ! clamèrent en chœur les cinq autres.

— Je vois...

Au milieu de cette foule d'énergumènes en chemises blanches qui souriaient aux anges, Frank se dit qu'il était tombé dans un asile de fous.

— Quand vous nous aurez rejoints, monsieur, vous entendrez vous aussi la voix de l'Archange, affirma l'un des six.

— Vous comprendrez tout après avoir rencontré le Révérend, déclara Clarence. Ceux qui veulent se joindre à nous rencontrent toujours le Révérend.

Frank préféra changer de sujet :

— Qu'est-ce que c'est, la tour qui se construit là-bas ?

— Le Tabernacle de l'Archange, monsieur.

— C'est donc une église ?

— Oh ! C'est bien plus qu'une église ! Quand l'Œuvre Sacré sera accompli, c'est là que paraîtra l'Archange.

— Le Révérend dit que l'heure de l'Œuvre Sacré est proche, enchaîna un autre. Bientôt, nous connaîtrons le jour le plus radieux !

— Alléluia ! entonnèrent les six avec extase.

Évitant d'extrême justesse de lâcher une bordée de jurons, Frank se dit qu'ils étaient plus cinglés qu'une troupe de chimpanzés qui auraient abusé du vin de palme. Pour faire diversion, il posa une main fraternelle sur l'épaule de Clarence et, de l'autre, montra l'affiche des Pénultièmes Baladins sur le mur du théâtre :

— Dis-moi, mon garçon, il doit y avoir une représentation ce soir, si j'ai bien compris ?

— Oui, monsieur.

— Les acteurs sont donc en ville ?

— Oui, monsieur, ils sont logés à l'hôtel.

— Et où est-il, cet hôtel ?

— Un peu plus loin, dans cette rue.

— Tous nos visiteurs y sont logés, ajouta un autre.

— Vous aussi, monsieur, précisa Clarence.

— Eh bien, tu aurais pu le dire plus tôt.

Clarence allait répondre quand les passants se dispersèrent devant cinq cavaliers qui surgissaient au grand galop en soulevant un nuage de poussière et s'arrêtaient devant une maison de l'autre côté de la rue, une vaste hacienda blanche d'aspect cossu baptisée la Demeure de l'Espérance. Au bruit, un colosse en blouse grise, celui que Frank avait vu commander les troupes la nuit précédente, sortit de l'hacienda en courant. Les cinq hommes portaient des vêtements citadins couverts de poussière. L'un d'eux, blessé à la cuisse, descendit de cheval avec l'aide de ses camarades. Celui qui paraissait leur chef, un grand blond à l'accent étranger, brailla quelque chose au colosse en blouse grise.

Frank tendit l'oreille.

Il était question d'une milice. Merde !

Le grand en blouse grise aboya des ordres. Des hommes en chemises blanches apparurent pour emmener les chevaux. D'autres, entièrement vêtus de noir, transportèrent le blessé à l'intérieur de l'hacienda. Un des cavaliers, un petit blond au visage poupin, prit une mallette dans la fonte de sa selle avant de s'engouffrer à son tour dans la maison. La scène n'avait pas duré deux minutes et, déjà, l'activité de la rue reprenait son cours normal. Pas un passant ne s'était arrêté pour regarder ni même échanger des commentaires avec son voisin. Drôle de bled ! Dans une ville ordinaire, l'incident aurait alimenté les bavardages pendant au moins une heure, pensa Frank en suivant des yeux le colosse en blouse grise qui remontait le perron de la Demeure de l'Espérance.

Il le connaissait, ce type, il l'avait déjà vu de près. Où ? Quand ? Voyons...

Nom de Dieu ! Cornelius Moncrief. Le gorille des chemins de fer. L'exécuteur des basses œuvres.

Dix ans plus tôt, Moncrief avait fait irruption à Tombstone et réduit en bouillie, dans un saloon bondé, un pauvre bougre de comptable soupçonné d'avoir escroqué vingt mille dollars à la compagnie. Vrai ou faux, ni Frank ni les autres shérifs adjoints n'avaient trouvé un sou dans les poches de cette andouille qui, par-dessus le marché, refusait de porter plainte, si bien qu'ils n'avaient pas même pu arrêter Moncrief pour coups et blessures volontaires. De toute façon, Moncrief ne s'était pas gêné pour se vanter de ses hautes protections à la Southern Pacific qui le rendaient intouchable.

Sur instructions de Wyatt Earp, Frank l'avait escorté jusqu'à la sortie de la ville en lui intimant l'ordre de ne jamais y remettre les pieds. Cornelius lui avait ri au nez avant de piquer des deux. Cet individu était une brute vicieuse qui aimait faire mal et torturer pour le plaisir. Que diable pouvait-il bien fabriquer ici ?

— Clarence, dit Frank, emmène-moi donc à l'hôtel.

Kanazuchi s'éclipsa du dortoir en feignant d'aller aux latrines. La vigilance des gardes se relâchait le matin, car ils devaient aussi distribuer aux travailleurs leur premier repas, un bol de bouillie d'avoine et un croûton de pain, dans le réfectoire situé entre les baraquements.

Adoptant le sourire béat des autres chemises blanches, il s'engagea dans le dédale des ruelles où il passa inaperçu. À la lumière du jour, on voyait qu'aucun bâtiment n'avait reçu la moindre couche de peinture. Ni fleurs ni ornements, rien que quatre parois de bois et un toit de tôle ondulée. La crasse régnait partout. Seule la rue principale, pimpante et soignée, servait de leurre ou d'appât pour les visiteurs.

Son rêve lui avait dit qu'il retrouverait le Kojiki et les autres livres saints dans la crypte de l'église, mais il n'avait pas encore eu le temps de résoudre le problème. Comment chercher l'accès alors que des équipes de travailleurs grouillaient jour et nuit sur les lieux ?

Le toit d'un bâtiment plus élevé que les autres attira son attention. Il s'y dirigeait lorsqu'il entendit des voix et des rires d'enfants, dont l'absence l'avait tant étonné la veille au soir. Se guidant sur le son, il arriva à un vaste enclos délimité par une haute barrière de barbelés. À l'intérieur, plus d'une centaine de garçons et de filles de couleurs diverses couraient et jouaient au ballon. Aucun n'était âgé de plus de huit ou neuf ans. On voyait des baraquements alignés au fond du terrain, les dortoirs sans doute. Des adultes se tenaient à intervalles réguliers tout autour du périmètre sans participer aux jeux ni même les surveiller. Ils se contentaient de regarder.

Kanazuchi en avait maintenant assez vu pour s'être rendu compte que les habitants de la ville étaient totalement dépouillés de leur individualité. Ils vivaient et agissaient en bloc, sous l'emprise du plus puissant système de manipulation mentale qu'il eût jamais connu. Il avait en vain tenté d'explorer la conscience des travailleurs : à chaque fois, il se heurtait à un mur impénétrable dressé autour de leur esprit. Comment et pourquoi s'exerçait cette domination collective, il l'ignorait. Il avait toutefois senti que l'énergie à sa source commençait à décliner.

Pourquoi, dans ces conditions, les enfants étaient-ils encore libres et paraissaient même heureux de vivre séparés de leurs parents ? À moins qu'on ne les parque ainsi en attendant qu'ils atteignent l'âge convenable — tels des veaux que les éleveurs isolent pour les engraisser...

Une fillette aux cheveux bouclés laissa échapper sa balle rouge, qui roula sous la clôture jusqu'aux pieds de Kanazuchi. Il la ramassa, la tendit à la petite fille qui s'approcha en souriant avec coquetterie. D'un preste tour de main, il escamota la balle, passa le bras à travers le grillage et la fit réapparaître derrière l'oreille de la fillette, qui poussa un cri de joie émerveillée et courut en riant rejoindre ses camarades. Un adulte qui avait vu la scène s'approchait. Kanazuchi reprit son sourire mécanique, le salua de la main et s'éloigna sans se retourner.

Il arriva bientôt au bâtiment élevé aperçu auparavant, un vaste hangar qui se dressait seul au centre d'une esplanade dégagée, à l'écart des baraques. Kanazuchi s'assura que personne ne passait à proximité avant de la traverser. Sur le devant, deux chemises blanches en armes gardaient une grande double porte entre-bâillée. À l'arrière, une porte plus petite n'était pas gardée. Kanazuchi en manœuvra sans bruit la poignée, ouvrit et se glissa à l'intérieur.

Des piles de caisses recouvertes de bâches occupaient une grande partie de l'espace intérieur. Kanazuchi s'engagea entre deux rangées, à peu près aussi hautes que lui, puis, une fois hors de vue de la porte principale, souleva une bâche et força le couvercle d'une caisse. Elle contenait une douzaine de fusils de guerre neufs : il y en avait donc plus d'un millier en tout dans l'entrepôt.

Des objets volumineux aux formes irrégulières étaient alignés contre un mur. Il souleva la bâche et découvrit de curieux canons cylindriques, montés sur trépied et pourvus d'une manivelle latérale. À côté, des caisses pleines de longues cartouchières garnies de balles de gros calibre. Si Kanazuchi n'avait jamais vu de mitrailleuses, il en connaissait l'existence. Il avait même entendu dire qu'avec une telle arme en terrain découvert, un seul homme pouvait en tuer plus de cent autres en moins d'une minute.

Un léger ronflement attira son attention. Trois rangées plus loin, un garde s'était endormi entre les caisses, son fusil près de lui. Un Chinois. Kanazuchi ramassa l'arme, posa le bout du canon sur le nez de l'homme, qui se réveilla sans manifester de réaction.

— Pourquoi dors-tu pendant ton service ? lui dit Kanazuchi en mandarin.

— Tu vas me dénoncer ? demanda l'autre sans s'émouvoir.

— Et si j'avais été un ennemi ?

— Ne me parle pas dans cette langue, dit l'autre en anglais, c'est interdit par le règlement.

— Je te dénoncerai si tu ne réponds pas à mes questions, reprit Kanazuchi en anglais.

— Tu dois me dénoncer. J'ai manqué aux règles, il faut que je sois puni. C'est la loi.

— Sais-tu ce qui t'attend ?

— Je serai conduit devant le Révérend qui me punira.

— Comment ?

— Il faut d'abord qu'il sache ce que j'ai fait. C'est la règle. Si tu ne dis rien, c'est *toi* qui manqueras aux règles et qui...

Kanazuchi le fit taire en l'empoignant à la gorge.

— Depuis quand es-tu ici ?

L'homme ne manifestait toujours aucune surprise.

— Deux ans.

— Il y avait ici des Chinois qui travaillaient avec des explosifs. Les as-tu connus ?

— Oui.

— Où sont-ils, maintenant ?

— Partis.

— Ils ont construit une chambre souterraine sous la grande église. Connais-tu son emplacement ?

— Non.

Kanazuchi sentit qu'il ne mentait pas.

— Ils travaillaient pour le Révérend ?

— Ici, tout est au Révérend.

— Où est-il, ce Révérend ?

L'autre secoua négativement la tête.

— Réponds ou je te tue.

Pour la première fois, une lueur d'angoisse apparut dans les yeux du Chinois.

— Tu n'es pas des nôtres...

Il s'apprêtait à pousser un cri d'alarme quand Kanazuchi lui serra le cou plus fort. L'homme retomba comme un pantin. Kanazuchi vida une caisse de fusils, y fourra le cadavre et recouvrit le tout d'un pan de bâche.

Les gardes à la porte principale ne s'étaient aperçus de rien. Sans bruit, Kanazuchi traversa le hangar et sortit par la petite porte de derrière.

Sa mallette sur les genoux, Dante Scruggs attendait à la porte du bureau comme Frederick le lui avait ordonné. Ailleurs dans la maison, ses compagnons de voyage prenaient soin de leur camarade, blessé par une balle perdue pendant qu'ils achevaient les derniers miliciens. Ils avaient ensuite parcouru sans arrêt le reste du chemin jusqu'à La Cité Nouvelle, près de deux heures au grand galop.

Dante était encore bouleversé de ce qu'il découvrait depuis son arrivée. L'accueillante simplicité de la Grande Rue, qu'il voyait à travers les rideaux, évoquait si bien ce dont il avait toujours rêvé qu'il espérait ne jamais devoir s'en éloigner. Mais puisqu'il se trouvait dans la Demeure de l'Espérance, tous les espoirs lui étaient permis. Allait-on lui faire cadeau d'une de ces jolies femmes en blanc aperçues dans la rue ? Peut-être. Jamais ses Voix ne lui avaient paru aussi heureuses.

Des éclats de voix derrière la porte le tirèrent de sa douce rêverie. L'homme que les autres appelaient le Révérend se fâchait contre Frederick au sujet d'un livre qu'il lui avait apporté.

— C'est sans valeur ! Inutile ! Comment avez-vous pu être aussi aveugle ? Je ne peux pas accomplir mon Œuvre sans le vrai livre ! De quoi voulez-vous que je me serve à sa place ?

Dante n'entendit pas la réponse de Frederick, prononcée sur un ton mesuré et raisonnable.

— Ah oui, vraiment ? Vous croyez qu'il suffit de jouer au Petit Poucet ? Qu'est-ce qui vous permet d'affirmer qu'ils vous suivent à la trace ? Qu'est-ce qui vous permet de croire qu'ils apporteront le livre authentique ?

Une nouvelle réponse calme de Frederick.

— NON ! hurla le Révérend. Vous ne toucherez pas un sou

tant que je n'aurai pas ce livre entre les mains ! Pas un sou, m'entendez-vous ?

Frederick reprit la parole. Quelques instants plus tard, la colère du Révérend parut s'apaiser car sa voix redescendit au niveau de celle de Frederick. Dante en fut grandement soulagé. Il lui déplaisait qu'on se fâche contre Frederick, cela troublait l'harmonie de son nouveau monde.

Au bout d'un moment, la porte s'ouvrit et Frederick lui fit signe d'entrer. Debout, souriant, le Révérend lui tendit les bras en signe de bienvenue. Frederick releva la manche de Dante pour dévoiler sa marque. Le Révérend approuva d'un signe de tête plein de bienveillance.

— Montrez donc vos nouveaux outils au Révérend, monsieur Scruggs, lui souffla Frederick à l'oreille.

Dante ouvrit sa mallette, un peu gêné de s'apercevoir qu'il n'avait pas eu le temps de nettoyer toutes ses lames après qu'ils en eurent fini avec la milice. Charcuter des hommes ne lui apportait pas moitié autant de jouissance que dépecer des femmes — le souvenir de la petite blonde dans le train lui causait encore un délicieux frisson — mais c'était quand même mieux que rien.

Quand il releva les yeux, Dante sentit que le Révérend avait compris tous ses secrets sans qu'il ait eu besoin de les lui expliquer ou d'en avoir honte. Le Révérend était donc leur général, un homme généreux, digne d'admiration et de fidélité, le chef qu'un vrai soldat rêve de servir. D'ailleurs, en cet instant même, les Voix lui disaient qu'elles aimaient le Révérend plus encore que Frederick.

Le Révérend n'avait pas quitté Dante des yeux.

— Intéressant, dit-il à Frederick. Passionnant, même. Je crois que nous avons une première, avec votre protégé.

— Comment cela ?

Le Révérend posa une main sur la joue de Dante.

— Celui-ci n'aura pas même besoin d'être... baptisé.

— Nous étions convenus que vous n'appliqueriez votre « sacrement » à aucun de mes hommes ! protesta Frederick.

— Ne montez pas sur vos grands chevaux, Frederick ! répondit le Révérend en continuant de caresser Dante du regard. Ce charmant garçon est si profondément touché par la grâce que ce serait gâcher le métier de lui en accorder davantage.

Leur train entra en gare de Flagstaff, Arizona, avec dix minutes d'avance. Aussitôt descendus sur le quai, Doyle,

Innes, Presto et Lionel Stern furent accueillis par deux officiels de la Santa Fe Railroad venus les escorter vers leur train spécial, une locomotive et son tender attelés à un seul wagon de voyageurs.

Marche Seule et Jack apparurent les derniers en se tenant par le bras. Elle n'avait pas quitté le compartiment de Jack depuis que Doyle et Innes y avaient fait irruption la veille au soir. Pendant le court trajet d'un train à l'autre, ils restèrent en arrière, sans adresser la parole à leurs compagnons et même en évitant leurs regards. Sous la chaleur accablante de midi, Jack paraissait pâle et fatigué au point d'avoir à peine la force de poser un pied devant l'autre. Elle aussi épuisée, Marche Seule semblait vouloir réserver son énergie à soutenir Jack.

Selon ce qu'elle m'a révélé de ses méthodes, pensa Doyle qui l'observait à la dérobée, elle aurait invité la maladie de Jack à pénétrer en elle. Si c'est vrai, je frémis à l'idée de ce qu'elle affronte en ce moment. Mais si elle avait échoué ? Pire encore, s'ils étaient désormais tous deux handicapés ? Que pourrais-je faire ? Je ne suis pas de taille à mener seul une telle lutte...

— Les circonstances ne sont guère propices aux histoires d'amour, vous ne croyez pas ? lui chuchota Presto à l'oreille.

Doyle sursauta :

— Mais... que voulez-vous dire, grand Dieu ?

— Elle passé toute la nuit dans son compartiment. J'ai même entendu des cris... disons, de passion.

— Vous avez entendu crier, c'est exact. Mais la passion n'avait rien à y voir.

Parlons plutôt de compassion. Quant à l'incroyable déploiement de pouvoir surnaturel dont il avait été témoin, il ne se sentait nullement enclin à en discuter.

Innes le détourna de ses réflexions en lui tendant un télégramme confirmant que les fournitures commandées les attendaient à Prescott. Après avoir surveillé le transfert des bagages, Innes monta à bord du wagon au moment où Jack et Marche Seule s'enfermaient dans un compartiment.

— Va-t-elle encore lui extraire un morceau de gelée de framboise de la poitrine ? murmura-t-il à son frère.

— Espérons qu'un seul aura suffi, répondit Doyle, un doigt sur les lèvres pour lui intimer le silence.

Cinq minutes plus tard, le train s'ébranla. Dans deux heures, ils arriveraient à Prescott.

— Je n'aime pas que vous y alliez seul, déclara Eileen.

— Cela ne me plaît guère non plus, répondit Jacob, mais de la manière dont il présentait l'invitation, je ne pouvais décemment pas refuser.

— Vous n'êtes pas bien, vous devriez vous reposer.

— Vous me rappelez ma défunte épouse : « Jacob, viens te coucher, tu vas t'user les yeux dans cette lumière »...

— Et vous ne l'écoutiez pas davantage, sans doute ?

— Je l'ai toujours écoutée. La preuve, je lui survis depuis six ans.

— N'y allez pas, Jacob.

— Je ne suis venu que pour cela. À quoi bon avoir fait tant d'efforts si je recule au dernier moment ?

— Alors, laissez-moi vous accompagner !

— Mais vous n'êtes pas invitée, ma chère Eileen.

— Le Révérend ne me chassera pas.

— Je ne vous parle pas du Révérend, mais du rêve.

Eileen vit ses yeux brillants de joie et de résolution, sans une ombre de crainte. Une larme perla dans les siens.

— Soyez prudent, je vous en prie...

Il sourit, lui prit la main, la porta à ses lèvres. Puis, d'un pas décidé, il sortit de l'hôtel en repoussant les portes battantes. Comme un cow-boy, se dit-il, amusé, en traversant la rue vers la Demeure de l'Espérance.

Les comédiens se rassemblaient pour se rendre au théâtre, où une répétition devait avoir lieu. Ne voulant pas être surprise en train de pleurer, Eileen s'essuyait les yeux à la hâte quand un homme, assis au fond du hall, se leva et se dirigea vers elle. Veste de cuir fauve, bottes, Stetson : on aurait dit un acteur costumé pour un mélodrame-western. Six adolescents en chemises blanches, la mine inquiète, se précipitèrent en bloc sur ses talons.

— Puis-je vous dire deux mots, madame ?

Grand, large d'épaules, une voix de violoncelle — le mot « séduisant » ne lui rendait pas justice. Eileen révisa son premier jugement. Elle fréquentait trop d'acteurs depuis trop longtemps : la démarche, le comportement étaient bien d'un authentique cow-boy. Elle prit une cigarette dans son sac, son truc habituel pour gagner du temps. Avant même qu'elle l'ait portée à ses lèvres, le cow-boy gratta une allumette sur l'ongle de son pouce et la lui tendit.

— Merci... À quel sujet ?

— Si nous allions parler dehors un instant ? dit-il en désignant du menton ses six anges gardiens.

— Volontiers.

Il poussa la porte pour la laisser passer puis, avant de sortir, barra le passage aux six chemises blanches qui s'apprêtaient à lui emboîter le pas.

— Vous, les gamins, restez là. Ou plutôt, ajouta-t-il en leur lançant un dollar d'argent, allez vous acheter des sucettes.

— Mais, monsieur, nous devions vous accompagner dans votre chambre ! protesta Clarence.

— Écoute, Clarence, si je te prends encore une fois à me suivre comme un toutou, je te flanquerai un coup de pied au derrière qui t'expédiera jusque dans la Lune. Compris ?

Sur quoi il referma la porte au nez des six et rejoignit Eileen sur le trottoir.

— Vous vous appelez Eileen, n'est-ce pas ?

— Oui. Et vous ?

— Frank.

— J'ai comme l'impression que vous n'êtes pas venu me demander un autographe, Frank.

— Non, c'est vrai. Combien de temps comptez-vous rester dans cet asile de fous ?

— Une semaine, en principe. Pourquoi ?

— En deux mots, parce que nous sommes assis sur un baril de poudre qui est sur le point d'exploser.

Les passants lançaient des regards surpris ou soupçonneux à ces deux étrangers, dont la mise et l'allure détonnaient.

— N'arrêtons pas de sourire, chuchota Frank.

— Il n'y a pourtant pas de quoi, dans ce bled, répondit Eileen en arborant son plus radieux sourire. On nous garde sous clé depuis notre arrivée — avec des comédiens, remarquez, cela vaut souvent mieux. Depuis quand êtes-vous ici ?

— À peu près une heure.

— Et vous avez déjà idée de ce qui se passe ?

— Eh bien, pour commencer, ils dévalisent les arsenaux de l'armée fédérale.

— Ces gens-là, voler des armes ?

— Oui. Et ils se retrouveront tous bientôt sous quelques pelletées de terre.

Une grosse femme entre deux âges se planta devant eux et leur brandit sous le nez un exemplaire du Règlement :

— Pardon, mes amis, mais les visiteurs n'ont pas le droit de se promener sans escorte.

Frank lui décocha son sourire le plus enjôleur :

— Merci, madame, mais le Révérend nous l'a permis.

— Nous venons juste de le voir, renchérit Eileen avec un sourire angélique. Il vous envoie toute son affection.

Foudroyée, la femme s'écarta pour les laisser passer.

— Et il est interdit de fumer ! lança-t-elle par acquit de conscience pendant qu'ils s'éloignaient.

Eileen jeta sa cigarette d'un geste désinvolte.

— Je voulais donc vous suggérer, reprit Frank, que s'il vous venait l'envie de prendre le large avant qu'Oncle Sam vienne en force récupérer ses flingues et que la merde — pardonnez l'expression — se mette à voler dans tous les sens, je serais très heureux de vous donner un coup de main.

Elle s'arrêta, le jaugea du regard. Il était sincère.

— C'est très aimable à vous, Frank...

— Tout le plaisir est pour moi, Eileen.

— Sauf que je ne peux pas encore partir. Pas sans Jacob, en tout cas.

— Le vieux ?

— Il n'est pas si vieux que ça !

— Ce n'est pas votre mari, au moins ?

— Non.

— Tant mieux, dit-il avec le premier vrai sourire qu'elle ait vu depuis qu'ils étaient sortis de l'hôtel. On emmènera donc Jacob avec nous.

— Ce ne sera pas tout à fait aussi simple.

— Pour moi non plus. Pas précisément.

Ils étaient environnés de chemises blanches. Eileen lui fit signe de la suivre dans la première ruelle déserte.

— Commencez, je vous écoute, dit-elle.

Frank rejeta son chapeau en arrière d'une pichenette et s'accrocha un pouce à la ceinture.

— Je voudrais que vous me parliez du Chinois.

Elle l'examina avec attention et dut admettre que, pour un si bel homme, il ne semblait dénué ni de caractère ni de facultés intellectuelles.

— Avez-vous fait des rêves inhabituels ces derniers temps, Frank ?

Il réfléchit un instant.

— Non, Eileen.

— Alors, il faut d'abord que je vous raconte une très curieuse histoire.

— Entrez, rabbin Stern, dit le Révérend en montrant un canapé. Je suis enchanté que vous ayez pu venir.

— Mon emploi du temps est chargé, mais j'ai réussi à me libérer, répondit Jacob.

Son hôte ne se levant pas pour lui serrer la main, Jacob s'assit sur le siège indiqué. À l'exception d'une icône byzantine au mur et d'une Bible ouverte sur un lutrin, rien dans l'ameublement opulent de cette pièce ne dénotait le ministère du maître des lieux. Il faisait frais ; seuls, les rayons du soleil qui filtraient par les volets clos rappelaient que la maison était située dans un désert torride. La pénombre empêchait Jacob de voir clairement le Révérend.

— Vous avez une demeure confortable, dit Jacob.

— N'est-ce pas ? Je l'ai fait construire en adobe, ces briques crues propres à l'architecture locale, elles isolent de la chaleur. Quant au mobilier, je le dois à la générosité de mes fidèles. J'estime qu'un ministre du culte ne devrait pas percevoir de salaire régulier. Ce serait, à mon sens, trahir la confiance qui doit régner entre le Seigneur et ses représentants. Qu'en pensez-vous, rabbin ?

— C'est fort bon pour le Seigneur, mais un homme doit avoir de quoi manger.

— La dîme constitue une solution que les Églises pratiquent depuis des siècles. Il est juste, après tout, que les ouailles consacrent une partie de leurs gains à l'entretien de leur pasteur, qu'il soit évangéliste, prêtre ou rabbin.

— Dix pour cent représente en effet une proportion raisonnable.

— Pour ma part, j'y ai apporté une légère amélioration. Je prélève cent pour cent.

Emporté par son sujet, le Révérend se pencha en avant et, pour la première fois, un rayon de soleil lui éclaira le visage. Jacob vit ses yeux chercher le contact avec les siens, lui palper le visage comme des tentacules visqueux. Il se détourna, déglutit. Son cœur manqua un battement.

— J'ai eu la bonne fortune, dès les premiers temps de ma carrière ecclésiastique, de baptiser dans notre Église un nombre considérable de millionnaires. Je n'irais pas jusqu'à dire qu'ils m'aient spontanément fait donation de leurs biens mais, une fois l'idée suggérée, ils s'y sont montrés remarquablement réceptifs. J'ai ainsi découvert que les États de l'ouest recèlent de prodigieuses fortunes : armement maritime, agriculture, mines d'argent, pétrole... Ici, les millionnaires ne sont pas des oiseaux rares comme dans l'Est, on marche pratiquement dessus. Et en dépit de la légendaire incompatibilité entre les chameaux et le chas des aiguilles, je puis vous affirmer qu'un nabab se préoccupe autant de son salut éternel qu'un pêcheur indigent.

— Et ces nababs repentis sont toujours avec vous ?

— Bien sûr, ici même à La Cité Nouvelle, répondit le Révérend — en s'abstenant d'ajouter que le spectacle de ces puissants industriels et de leurs élégantes épouses en train de nettoyer les latrines lui procurait une joie sans mélange. Si vous leur posiez la question, je parierais volontiers qu'ils vous répondraient tous que, depuis, leur existence s'est enrichie de cent pour cent.

— Cent pour cent, cela va sans dire...

— Le fardeau du matérialisme est si lourd à porter, voyez-vous. L'angoisse de conserver tout ce qu'on a acquis, les efforts démesurés qu'il faut sans cesse consentir pour en accroître la valeur au-delà du raisonnable. Imaginez le soulagement de se trouver enfin déchargé de ces pesants soucis, le bonheur de pouvoir se consacrer à une vie simple, entièrement tournée vers le spirituel.

— La fortune est en effet un fardeau écrasant, dit Jacob en regardant autour de lui le luxe ostentatoire qui régnait dans la pièce. Mais dites-moi, comment parvenez-vous à le supporter vous-même sans chanceler ?

Le Révérend se leva, contourna son bureau en boitant et se rapprocha lentement de Jacob.

— Le Seigneur a daigné m'accorder un inestimable bienfait : l'argent ne pèse pas plus sur mon âme qu'un roitelet perché sur mes faibles épaules.

— Quel est donc votre secret ?

— Il est fort simple : je n'exige rien pour moi-même. Je suis le serviteur et non le maître, je ne vis qu'afin de remplir mes obligations envers Dieu. Les biens matériels qui me passent par les mains n'y laissent aucun stigmate. Si vous me demandiez, rabbin Stern, ce que l'argent représente pour moi, je vous répondrais en toute sincérité que je suis incapable de distinguer une pièce d'or d'une lame de scie. Je considère l'argent comme un outil qui m'est confié afin d'accomplir l'Œuvre Sacré.

— L'Œuvre Sacré ?

— Oui : La Cité Nouvelle, notre cathédrale, tout ce que vous voyez ici.

— À quelles fins ?

— Rapprocher l'homme de Dieu. Ou plutôt, devrais-je dire, Le rapprocher de l'homme...

Le Révérend s'interrompit et fit un étrange sourire.

— Votre curiosité paraît insatiable, reprit-il. Pourquoi ne nous parlons-nous pas plus... ouvertement ?

— De quoi ?

Le Révérend s'assit dans un fauteuil en face de lui.

— Je sais qui vous êtes, Jacob Stern. Sans votre barbe qui vous vieillissait, j'avoue ne pas vous avoir reconnu de prime

301

abord. Le Congrès des religions l'année dernière à Chicago. Vrai ou faux ?

Jacob acquiesça d'un signe de tête. Un martèlement sourd lui ébranlait la poitrine.

— Vous n'êtes pas un innocent retraité qui voyage pour son plaisir. Vous êtes spécialiste de la Kabbale, et parmi les plus réputés au monde. Or, la Kabbale est un des livres sacrés que je m'efforce de déchiffrer depuis que j'ai entrepris de les collectionner. Vous comprendrez donc sans peine, rabbin Stern, pourquoi votre présence pique ma curiosité. Qu'êtes-vous, au juste, venu faire ici ?

Jacob sentit une onde lui encercler la tête et la poitrine, tel une liane ou un insecte invertébré cherchant une faille par laquelle s'insinuer en lui. Il dut rassembler toute son énergie pour dresser une barrière autour de son esprit afin de repousser l'intrusion.

— Je crois vous l'avoir demandé en premier.

— C'est exact. Nous avons tout notre temps, aucune autre occupation ne vous appelle ailleurs, dit le Révérend avec un rire plus cruel qu'ironique.

— Je vous écoute.

Le Révérend se pencha vers lui et commença, du ton d'un adulte racontant une histoire à un enfant :

— Un jour, un homme se réveille pour découvrir en lui une éclatante lumière, source d'un extraordinaire Pouvoir. Appelez cela une étincelle divine, si vous préférez. Quoi qu'il en soit, il a été touché par la grâce.

— Le fait s'est produit, opina Jacob.

— Avec le temps, il apprend à user de ce Pouvoir — non, disons plutôt qu'il apprend comment permettre à ce Pouvoir d'accomplir son œuvre par son truchement. À compter de ce moment, la Lumière qui l'habite guide toutes les pensées et tous les actes de cet homme. Elle l'incite à rassembler autour de lui des fidèles pour les entraîner à l'écart du monde corrompu où se vautre l'humanité. Pour bâtir dans le désert la Jérusalem Nouvelle. Et le Pouvoir lui accorde une Vision pour lui montrer où et comment son peuple et lui bâtiront Son église, une tour noire érigée dans le sable.

Jacob leva les yeux et les rabaissa aussitôt.

— Vous avez fait ce rêve ?

— Je le fais depuis neuf ans. Depuis le jour où je me suis réveillé gisant dans la boue, au bord d'une rivière en Suisse. Sans aucun souvenir de qui j'étais ni d'aucun détail de ce qu'avait été ma vie jusqu'alors. Je ne possédais rien au monde, rien que ce rêve, cette Vision. Et je payais mon initiation d'un prix exorbitant : le corps brisé, cent fois plus gravement que ce que vous voyez aujourd'hui. Un an de convalescence, deux ans avant de pouvoir marcher. Cela en valait-il la peine ? Oui, sans l'ombre d'un doute.

« Va en Amérique, m'ordonna ma Vision, va planter ma semence dans le désert. » Comment me dérober à son autorité ? Je suis donc parti pour l'Amérique et, faute d'une ordination en règle, j'y ai pris l'habit, dit le Révérend en agrippant les revers de sa lévite. En fait, poursuivit-il d'un ton badin, je l'ai pris sur le dos d'un pasteur baptiste que j'ai tué à Charleston, en Caroline du Sud. Il m'allait comme un gant, pas une seule retouche — avec mes légers... défauts, je ne suis pourtant pas facile à habiller. En tout cas, c'est l'habit qui fait le moine, contrairement à ce que prétend le proverbe. Qu'en pensez-vous, rabbin ? Ne suis-je pas l'image même de l'évangéliste des Temps modernes ?

Sur quoi le Révérend éclata de rire et fredonna quelques mesures d'une opérette à la mode.

— C'est donc votre vision qui vous a amené ici ? demanda Jacob, en luttant pour conserver sa concentration.

— Oui, avec le concours des millionnaires gagnés à ma cause entre Charleston et ici. La Nouvelle-Orléans s'était révélée particulièrement fructueuse. Pour peu que vous les culpabilisiez, les nouveaux riches qui mènent une vie dissolue vous supplient à genoux de leur donner l'absolution. Bref, grâce à la générosité de ces braves gens, La Cité Nouvelle n'a pas tardé à prospérer dans ces contrées désolées. Vous imaginerez sans peine l'attention aux détails qu'exige la mise au monde d'un tel enfant : architecture, organisation sociale, approvisionnement, administration, on ne peut rien laisser au hasard.

« Les années s'écoulaient sans m'accorder le temps de me consacrer à la théologie, jusqu'au jour où je vis que notre petite ville se développait à merveille. Nous étions déjà un millier, les adeptes continuaient d'affluer grâce à mes tournées dans les provinces de l'Ouest, où je débitais mes sermons juché sur une charrette. Je pris alors conscience d'avoir totalement négligé d'assurer à notre communauté ses fondations... scripturales. Nous avions l'esprit plein de bonne volonté, mais la chair plongée dans l'ignorance.

« Je fis donc l'an dernier un pèlerinage à Chicago afin de me mêler à mes collègues du clergé. Quelle abondance de sagesse ! Quelle inspiration ! Je vous le dis du fond du cœur, rabbin, ce Congrès des religions m'a changé la vie en me révélant la voie à suivre. Une voie ardue : je devais étudier les grandes religions du monde afin d'en extraire la matière première, dans le dessein de combiner leurs vérités respectives au nom de l'unique et véridique Vision que je possédais déjà, mais que je ne savais exprimer.

« C'est ainsi que j'ai entrepris de collectionner dans le monde entier les livres saints les plus essentiels et d'étudier les secrets qu'ils renferment. L'un des premiers principes qui ressort de cette lecture est qu'il n'existe pas de coïncidences fortuites. Aussi suis-je persuadé, Jacob Stern, que votre apparition à La Cité Nouvelle en un moment tel que celui-ci ne doit rien au hasard.

— Pourquoi donc ?

Le Révérend rapprocha son siège. Le martèlement dans la tête de Jacob se fit assourdissant. En même temps, une écœurante odeur de fleurs pourries se répandit dans l'air.

— Parce que vous avez été envoyé vers moi afin que nous accomplissions ensemble l'Œuvre Sacré. Voilà la vraie raison de votre présence. Voilà aussi pourquoi vous avez partagé mon rêve de notre église.

— Qu'est-ce qui vous en rend si sûr ?

— Pas d'hypocrisie entre nous, de grâce ! Je savais que vous viendriez, le rêve m'en avait averti. J'en sais beaucoup sur votre compte et je vous crois assez sensé pour saisir le « pourquoi » par vous-même.

Jacob hocha la tête. Peu importait « pourquoi ». Ce qui comptait, c'était « comment » — comment arrêter cet homme.

— Et que suis-je censé faire, selon vous ?

— Je n'ai pas eu depuis si longtemps l'occasion de m'entretenir avec un interlocuteur assez savant pour apprécier mes découvertes que je ne sais par où commencer ! Alors, laissez-moi vous exposer les conclusions de mes études, vous me direz si vous êtes d'accord.

— Soit.

L'odeur de fleurs pourries redoubla d'intensité. Les yeux obstinément baissés vers le tapis persan, Jacob sentait néanmoins le regard du Révérend percer peu à peu ses défenses.

— Les Écritures hébraïques ne font jamais directement mention de Dieu. Elles Lui attribuent de nombreuses épithètes, mais la Source de toute création n'est pas citée par Son nom parce que Son identité serait hors de portée de l'entendement humain. Si je me trompe, n'hésitez pas à me corriger.

Jacob se borna à acquiescer d'un signe. La douleur devenait telle qu'il dut se prendre la tête à deux mains, sans cesser de fixer des yeux les dessins du tapis.

— L'absence de Dieu est ténèbres, les ténèbres sont assimilées au Démon. Avant que la Lumière n'apparaisse dans le monde, avant que le Bien n'existe — puisque Dieu est le Bien — ne régnaient que les ténèbres. Nous savons que le libre-arbitre est un don de Dieu à l'homme, puisqu'Il voulait que nous vivions libres sur Terre. Mais si nous voulons être réellement libres, nous devons défier la volonté de Dieu, car ce n'est qu'en défiant Dieu que nous pouvons participer à Sa nature divine, comprenez-vous ? Telle était Son intention première en nous créant, c'est pourquoi Il a créé le Diable. Afin que l'homme puisse vivre selon Son intention, le Mal devait exister dès l'origine dans le cœur de l'homme car, sans lui, sans la possibilité de *choisir* entre les deux voies, l'homme ne dispose d'aucun libre-arbitre. Le Démon, le Mal, est par conséquent le don originel fait par Dieu à l'homme. Me suivez-vous jusqu'à présent, rabbin ?

Jacob trouva la force de secouer négativement la tête. Le bourdonnement dans ses oreilles couvrait tous les sons autres que la voix du Révérend.

— Le Mal joue un rôle, mais seulement afin d'offrir à l'homme la possibilité de lutter contre ses défaillances et de réconcilier ses antagonismes, parvint-il à répondre.

— C'est une des voies qui nous est ouverte, je vous l'accorde. Mais à l'évidence, il en existe une autre vers la divinité : la quête de ce pouvoir que nous appelons le Mal, déclara le Révérend en s'animant jusqu'à la fébrilité. Cette voie n'est pas à la portée de tous les hommes, certes. Ne peuvent s'y engager que ceux, et ils sont rares, qui sont tombés dans les ténèbres, en ont été corrompus et ont trouvé en eux la force d'en émerger...

— Cette voie ne peut être suivie par des êtres humains.

— Vous m'enlevez les mots de la bouche ! dit le Révérend avec un large sourire. Car cette voie si peu fréquentée amène à rivaliser avec Dieu, non à Lui obéir. À devenir soi-même divin en maîtrisant le Pouvoir, en s'élevant *au-delà* du Bien et du Mal. Elle conduit, en défiant Dieu et en réfutant Son autorité, à s'assimiler à Lui — ce que l'homme a trop rarement osé faire.

Jacob sentait maintenant un poids écrasant paralyser ses membres et peser sur sa nuque.

— On ne remporte pas de victoire contre Dieu.

— Le croyez-vous ? Disons-le autrement, si vous voulez : c'est afin de suivre la voie du Bien, la voie de Dieu aveuglément empruntée par la plupart des humains, qu'ont été écrits les livres sacrés. Ce sont des manuels de bonne vie et mœurs, des recueils de préceptes moraux qui énumèrent les lois divines. Ils nous sont donnés comme la Parole même de Dieu, s'exprimant par l'intermédiaire de Ses prophètes des diverses religions.

— Certes. Mais...

— Tout nous porte donc à croire que Dieu *est* dans ces livres, n'est-ce pas ? Qu'Il se montre à nous par Son Verbe et Ses Lois, qui nous limitent et nous définissent. C'est de cette manière qu'Il se manifeste dans le monde physique.

— En un sens, oui.

Le Révérend se pencha pour rapprocher son visage de celui de Jacob.

— Comment, rabbin, pouvons-nous être aussi certains que l'homme a pour destinée de se plier à la volonté de Dieu plutôt que de s'en libérer ? Pourquoi devrions-nous continuer à vivre en acceptant sans discussion l'hypothèse que les projets de Dieu nous concernant sont réellement ceux qui figurent dans ces livres ?

— Cela dépasse nos capacités de...

— Puisqu'Il nous a fait don de notre libre-arbitre, qui nous dit que ce n'était pas dans le dessein que nous libérions le monde de Son influence pour nous permettre de développer notre parcelle de nature divine jusqu'à devenir nous-mêmes divins ? Qui nous dit que cette libération ne constitue pas la véritable mission du Messie auquel se réfèrent les livres ?

Jacob s'accrochait désespérément à sa conscience qu'il sentait faiblir. Un voile noir rétrécissait son champ de vision, des larmes lui coulaient des yeux.

— Je ne comprends pas.

— Ce que je vais vous dire vous paraîtra peut-être blasphématoire, mais imaginons que notre prétendue Divinité ne soit rien de plus, selon les normes cosmiques, qu'un jeune chiot inéduqué, aussi troublé et ignorant de ses propres intentions que le premier homme venu. Imaginons un tel être hors d'état de nous guider ou renonçant à ses responsabilités, comme un père incapable de dominer ses enfants qui n'ont plus besoin de sa protection...

— Il ne nous appartient pas de le savoir.

— Je ne suis pas du tout d'accord ! Regardez autour de vous, Jacob, les preuves crèvent les yeux : partout, on ne trouve que le vice, la violence, la corruption, la guerre. Qualifieriez-vous d'infaillible le créateur d'un monde aussi infernal ? Ses actions, ses méthodes sont-elles à l'abri de nos reproches ? J'estime que non.

— Ce sont les actions des hommes, pas celles de Dieu !

Le Révérend agrippa Jacob par les poignets.

— Je suis parvenu à la conclusion que la véritable destinée de l'homme consiste à effacer la présence de Dieu sur terre, à se libérer des interdits qu'Il nous impose depuis des millénaires. Et je suis convaincu que cette rébellion finale — chasser Dieu de notre monde, Le vaincre, Le surpasser — est la raison profonde pour laquelle Dieu a créé l'homme à Son image, même s'Il répugne à l'admettre.

— Comment pourriez-vous effacer Sa présence ?

— La méthode pour Le détruire est cachée dans Ses livres depuis le début. Je l'ai décryptée et c'est selon Ses propres directives que j'ai bâti une crypte sous mon église afin d'amplifier la puissance de l'Acte.

— Quel acte ?

— Il veut que nous brûlions les livres.

Les yeux baissés, Jacob luttait désespérément pour s'abriter de la démence que l'autre projetait sur lui.

— Oui, brûler les livres ! Anéantir Ses lois, effacer Sa présence sur terre ! Tel est le Grand Œuvre, l'Œuvre Sacré pour lequel Dieu a créé l'homme. Et son accomplissement ouvrira la voie au Messie qui guidera l'humanité vers sa libération finale. L'unique, le vrai Messie !

— Vous ?

Le Révérend éclata d'un rire grinçant. Des filets de sang apparurent à ses narines, ses yeux, ses oreilles.

— Non, pas moi ! Je ne suis qu'un humble messager. Notre Messie est l'Archange porteur de lumière, trop pur et trop bon pour plaire à Dieu ! Lucifer qu'il a chassé du Paradis, chargé de chaînes et plongé dans un gouffre de peur qu'il ne révèle un jour à l'homme sa haute et véritable destinée. J'ai fondé cette Cité dans le dessein d'accomplir l'Œuvre de l'Archange. Nous détruirons les livres, nous briserons les chaînes qui retiennent notre Messie dans les ténèbres. Tel est le vrai caractère divin de la Vision, telle est la raison pour laquelle nous... nous...

Le Révérend se dressa d'un bond, secoué de violents tremblements. Les yeux révulsés, il poussa un cri rauque et s'abattit de tout son long, les membres agités de mouvements spasmodiques. Le sang ruisselait de son nez et de sa bouche.

Jacob sentit l'étau qui lui étreignait la tête se desserrer d'un seul coup. Sa vision redevint normale et il comprit aussitôt pourquoi.

L'homme était épileptique. Son Pouvoir ne pouvait rien contre un accès du haut mal.

Jacob se leva péniblement. Aurait-il la force d'accomplir son devoir ? L'autre l'avait presque tué sans même le regarder dans les yeux. Si la crise semblait devoir durer, il ignorait de combien de temps il disposait.

Il regarda autour de lui et trouva un presse-papier de cristal posé sur le bureau. Titubant, respirant avec peine, il traversa la pièce, prit l'objet à deux mains, le soupesa. Oui, il était assez lourd. Un peu plus gros que les boules de fer avec lesquelles il voyait jouer les Italiens dans le square de Greenwich Village.

Jacob revint sur ses pas, baissa les yeux vers le Révérend. L'accès paraissait perdre de son intensité. En luttant pour garder l'équilibre, il leva la boule au-dessus de sa tête, mais l'effort était trop grand. Un vertige le saisit, sa vision se brouilla. Il tomba à genoux et dut poser la boule à côté de lui pour essuyer d'un revers de manche son front ruisselant de sueur.

Ressaisis-toi, Jacob ! Si c'est la dernière chose dont tu es capable, rachète ton existence inutile en débarrassant la Terre de cet abominable souillure, de cette insulte à la grâce de Dieu !

Les spasmes se faisaient moins violents. La langue à demi pendante, l'écume aux lèvres, le Révérend gémissait.

Achève le, Jacob ! Achève cette bête enragée...

Jacob se traîna un peu plus près, souleva la boule et attendit que l'autre cesse d'agiter la tête pour frapper au milieu du front... Le Révérend rouvrit les yeux, aussitôt lucide, comme s'il n'avait cessé d'épier Jacob depuis les ténèbres de son mal.

Jacob évita son regard, jeta la boule. Trop tard : une onde lui détourna le bras et le projectile tomba sur l'épais tapis, à un pied de sa cible. Le Révérend se releva, fit un geste. Jacob recula jusqu'au bureau, contre lequel il se sentit plaqué par une force à laquelle il était hors d'état de résister.

— Les hindous ont une intéressante théorie, dit le Révérend en s'avançant vers lui. Ils croient que Dieu leur parle par les yeux.

CHAPITRE 15

Promise à un brillant essor après la jonction des lignes nord-sud traversant le Territoire, la gare de Prescott n'était encore qu'un cul-de-sac en plein désert. Le train spécial de Doyle et de ses compagnons était donc le seul à encombrer ses voies en ce milieu d'après-midi.

Six robustes chevaux de selle et deux mules de bât piaffaient sous la halle des marchandises, où s'entassaient les autres fournitures commandées par Innes : cartes, fusils, munitions, trousses médicales, sans oublier les vivres et l'eau pour une semaine. L'ancien prospecteur qui officiait derrière le comptoir avait équipé pendant quinze ans nombre d'expéditions minières et même quelques Anglais. Il n'avait pourtant jamais rencontré de gens plus excentriques ni plus impatients que ceux avec lesquels il traitait ce jour-là.

Dans un coin, assis sur un baril, un jeune homme regardait distraitement les étrangers en taillant un bâton pour tuer le temps. Les voyant conclure leurs transactions, il se leva et se dirigea sans hâte vers le bureau du télégraphe.

Jack et Mary Williams étaient descendus du train les derniers. Elle paraissait avoir recouvré ses forces et son visage avait repris des couleurs, alors que Jack restait pâle et inerte. Elle le fit asseoir sur une grosse pierre, drapé dans une couverture, la mallette d'Edison à ses pieds, pendant qu'elle allait seller et brider leurs chevaux.

Doyle, qui sortait de l'entrepôt à ce moment-là, saisit l'occasion de lui parler discrètement.

— Comment va-t-il ?

— Il est trop tôt pour le savoir, répondit-elle en bouclant une sangle sans le regarder.

— Quand le saurons-nous ?

309

— Cela dépend de lui.

À l'évidence, elle répugnait à s'étendre sur le sujet. Doyle céda à une bouffée d'agacement.

— Guère efficace votre médecine, en fin de compte !

— Ni plus ni moins que la vôtre.

Elle se tourna vers lui. En voyant ses traits tirés, marqués par l'effort, Doyle regretta son emportement.

— Écoutez, Mary, êtes-vous maintenant en mesure de me dire un peu plus précisément ce dont il souffre ?

— Je ne saurais le décrire dans vos termes.

— Dans les vôtres, alors.

Elle réfléchit un instant.

— Son âme était... égarée, répondit-elle enfin.

— Comment cela ? Expliquez-vous.

— L'âme est capable de s'éloigner du corps, mais elle doit pouvoir y rentrer. L'accès de son corps était bloqué.

— Bloqué ?

— Quand l'âme voyage, sa place peut être prise.

— Par qui ou par quoi ?

— Un windigo. Un démon.

L'image de la masse gélatineuse — irrévérencieusement qualifée par Innes de « gelée de framboise » — lui tira un haut-le-cœur rétrospectif.

— Et comment ce... démon vole-t-il la place de l'âme ?

— Peu importe, vous ne comprendriez pas.

— Écoutez, Mary...

— Je m'appelle Marche Seule.

Doyle fut touché de cette marque de confiance.

— Si je puis faire quoi que ce soit...

— Non. C'est de lui seul que le reste dépend désormais, je vous l'ai déjà dit.

Sans lui laisser le temps de poser d'autres questions, elle prit les chevaux par la bride et s'éloigna. Doyle observa la manière dont elle aidait Jack à se relever et à enfourcher sa monture. Engourdi, le regard vide de toute expression, il lui obéissait comme un somnambule.

Résigné, Doyle alla rejoindre les autres. Seul d'entre eux à n'avoir jamais approché un cheval, Lionel Stern considérait le sien avec une méfiance mêlée de frayeur.

— L'idée de me hisser sur un animal plus gros et plus bête que moi me déplaît souverainement, déclara-t-il à Doyle qui le rassura d'un sourire.

À quelques pas de là, Innes et Presto étudiaient la carte étalée sur une grosse pierre.

— Le vieux du comptoir nous a signalé l'existence d'une route qui ne figure pas encore sur les cartes, dit Innes en traçant au crayon une ligne est-ouest.

— Les illuminés l'ont construite eux-mêmes, précisa Presto. Elle aboutit directement à leur colonie.

— Combien de temps nous faudra-t-il ?

— En marchant bon train, nous pourrions arriver au début de la nuit.

Doyle montra du doigt le départ du trait de crayon :

— Quel est cet endroit, Skull Canyon ?

— Un relais de diligences. Nous couperons à travers ces collines pour rejoindre la route une dizaine de milles à l'ouest de Skull Canyon, décida Innes avec autorité.

— Ces dernières années, ajouta Presto, le vieux a vu passer un flot ininterrompu de gens qui se rendaient à cette Cité Nouvelle. Tous des fanatiques à moitié fous, selon lui.

— Il nous a dit aussi, enchaîna Innes, que cinq hommes arrivés ici par le train hier matin sont repartis à cheval.

— Et ils correspondent trait pour trait au signalement de Frederick Schwarzkirk et de ses acolytes. Y compris un certain petit blond avec un œil de verre, compléta Presto à mi-voix en lançant un regard en direction de Marche Seule.

Doyle fronça les sourcils. L'éventualité d'un lien entre l'agression dont l'Indienne avait été victime et les voleurs de livres saints ne l'avait pas encore effleuré.

— Inquiétant, se borna-t-il à commenter.

— Plutôt, oui, approuvèrent à l'unisson Presto et Innes.

Un bruit de chute les fit se retourner. Lionel Stern se relevait d'entre les jambes de son cheval en époussetant ses vêtements couverts de poussière.

— Je crains fort d'avoir besoin de votre aide et de... quelques conseils, dit-il d'un air penaud.

Les autres eurent la charité de ne pas éclater de rire.

De la fenêtre de sa chambre d'hôtel, Frank bénéficiait d'une vue plongeante sur la Demeure de l'Espérance. Il la surveillait depuis une heure, comme il l'avait promis à Eileen quand elle l'avait quitté pour aller au théâtre.

Jacob n'était toujours pas sorti de sa rencontre avec le Révérend Day. Eileen était allée à six heures le chercher et avait été refoulée : les deux hommes étaient en conférence, lui avait dit un garde en tenue noire, et ne voulaient pas être dérangés. Plus inquiète que jamais, elle était rentrée à l'hôtel où Frank l'avait calmée de son mieux en lui donnant sa parole de retrouver Jacob et de la rejoindre au théâtre après la représentation.

Non qu'il manquât lui-même de raisons de se faire des cheveux ! Le Chinois avait voyagé dans leur chariot depuis Wickenburg, lui avait-elle avoué. Penser que le matin où Frank les avait vus à Skull Canyon, il avait eu ce forcené du coupe-coupe dans sa ligne de mire et l'avait laissé filer ! Maintenant, Dieu seul savait où il se cachait dans ce repaire de cinglés. Il n'était pas chinois, d'ailleurs, mais une sorte de prêtre japonais et il s'appelait Kanazuchi. S'il fallait croire Eileen, Jacob et lui avaient tous deux été attirés ici par le même cauchemar où il était question de la grande tour noire. Au bon vieux temps, une histoire pareille lui aurait suffi pour se remettre à boire !

Une chose, en tout cas, était claire comme de l'eau de source : s'il voulait se faire bien voir d'Eileen — et il y pensait le plus sérieusement du monde depuis qu'il lui avait parlé —, vider un chargeur sur le Japonais ferait tomber ses chances très au-dessous de zéro. Ce n'était pas souvent dans sa vie que Frank s'était trouvé pris entre un aussi gros marteau et une enclume aussi dure.

Sa montre, posée sur l'appui de la fenêtre, affichait sept heures et demie. La représentation commençait à huit heures. Pour aller faire un tour à la Demeure de l'Espérance, comme il en avait l'intention, il devrait attendre la tombée de la nuit. D'un autre côté, Frank serait beaucoup plus volontiers allé voir Eileen sur scène. Cruel dilemme.

Une solution pouvant tout concilier prenait forme dans sa tête. Il lui faudrait récupérer sa carabine et un petit coup de pouce de la chance pour ne pas y laisser sa peau, mais cela valait la peine d'être risqué.

Frank mit son chapeau, sortit sur le palier et jeta un coup d'œil par-dessus la rampe. Clarence et son escouade de jocrisses l'attendaient toujours dans le hall. Il revint dans le couloir, essaya les portes jusqu'à ce qu'il en trouve une ouverte, enjamba la fenêtre et glissa le long de la gouttière jusqu'à la ruelle déserte, d'où il gagna la rue principale. Une foule de chemises blanches se pressait devant le théâtre.

Le plaisir de voir Eileen sur scène devrait attendre. Au moins une bonne raison de rester en vie.

D'une ruelle, Kanazuchi vit les dernières chemises blanches entrer au théâtre et attendit la tombée du crépuscule avant de traverser la rue pour gagner l'écurie et les remises. Il avait appris que le Révérend Day habitait la grande maison blanche en face du théâtre. Cet homme devait connaître l'accès de la salle souterraine et l'endroit où les livres étaient cachés, puisque c'était sans doute lui qui avait ordonné le vol du Kojiki.

Kanazuchi avait attendu des heures que le Révérend sorte de cette maison, que les chemises blanches appelaient la Demeure de l'Espérance. En vain. Elle était étroitement surveillée par des gardes en noir, plus dangereux et plus efficaces que ceux en blanc. Pour y pénétrer, il ne pourrait se passer de l'assistance de son sabre.

Peu après le début de sa surveillance, Kanazuchi avait été témoin d'un étrange incident : le comportement des chemises blanches s'était brusquement altéré, comme s'il y avait eu une coupure de l'énergie qui les animait. Les uns s'arrêtaient au milieu de la rue, d'autres tombaient à genoux, certains semblaient même frappés de violentes douleurs. Quelques minutes plus tard, le contrôle avait repris son cours aussi soudainement et les chemises blanches s'étaient remises à leurs occupations, comme s'il ne s'était rien passé.

Il ne rencontra personne en cours de route, les écuries paraissaient vides. Dans l'arrière-cour, il s'approcha sans bruit des chariots des comédiens, s'arrêta, tendit l'oreille. Personne. Kanazuchi souleva avec précaution la bâche de celui dans lequel il avait caché son sabre... et se trouva nez à nez avec le canon d'un fusil.

— Eileen m'a demandé de ne pas vous tuer, dit l'homme embusqué à l'intérieur.

Le chien était armé, le doigt de l'homme sur la détente. Si j'attaque, pensa Kanazuchi, la balle partira quand même. Il regarda l'homme dans les yeux : sérieux, professionnel. Il savait comment se cacher, il savait comment tuer.

— Que voulez-vous ? lui demanda Kanazuchi.

— Ils ont pris Jacob. Eileen dit que vous avez besoin de lui et que voulez le récupérer. Exact ?

— Oui.

— Alors, vous allez m'aider.

L'homme désarma le chien mais n'abaissa pas le canon.

— Où est Jacob ? demanda Kanazuchi.

— Dans la grande maison blanche.

— Nous devons le sortir de là.

— J'espérais vous l'entendre dire. C'est ça ce que vous venez chercher ? ajouta l'homme en lui jetant son sabre.

Kanazuchi l'attrapa par le fourreau et, du même geste, dégaina. L'homme ne cilla pas. Il méritait le respect.

— Je m'appelle Frank.

— Kanazuchi, dit-il en s'inclinant.

— Kana... Cela veut dire quelque chose, en anglais ?

313

— Marteau, je crois.

Frank abaissa enfin le canon de son arme.

— Salut, Marteau. Allons foutre un peu de pagaille.

Kanazuchi s'écarta pour laisser Frank descendre du chariot. Ils s'étudièrent du regard exercé des guerriers qui jaugent leurs qualités mutuelles. Chacun attendit que l'autre fasse le premier geste puis, tels des danseurs bien accordés, ils partirent côte à côte en marchant du même pas.

— Ils ont pris mon Colt en arrivant mais ils ont laissé ma carabine dans la fonte de ma selle. Et ils n'ont pas non plus regardé dans ma botte, dit Frank en touchant la crosse de son deuxième Colt dans l'étui à sa ceinture.

— Erreur, commenta Kanazuchi.

— Cette ville de fous est sur le point de crever.

— Comme une horloge dont le ressort se détend.

— Vous le sentez aussi ?

— Oui. Coupez la tête, le corps tombera.

— Au moins, vous savez de quoi vous parlez.

— Pardon ?

— Rien, une mauvaise plaisanterie.

Kanazuchi réfléchit un instant.

— Je vois, dit-il avec un léger sourire.

Une vague de rires et d'applaudissements leur parvint du théâtre. Le silence revint. Ils s'arrêtèrent au coin de la rue principale pour étudier la maison. Six gardes en tenues noires patrouillaient devant la façade.

— Douze hommes en tout, trois seulement à l'arrière, dit Kanazuchi. Ils sont relevés toutes les heures.

— J'ai une idée sur la manière de nous introduire à l'intérieur, dit Frank.

Il l'exposa en traversant la rue. Kanazuchi approuva. Ils prirent une ruelle transversale afin de contourner la maison pour l'aborder par l'arrière.

Les trois gardes étaient assis sur les marches du perron de service. Frank, les mains sur la tête, s'avança vers eux suivi de Kanazuchi, le Colt à la ceinture et le sabre sous sa chemise blanche, qui le menaçait de sa carabine braquée entre les omoplates. Les gardes se levèrent.

— J'ai trouvé cet homme aux écuries, dit Kanazuchi.

— Je t'ai déjà dit, espèce de fils de pute de Chinetoque mal lavé, que je voulais voir si ces connards soignaient bien mon cheval ! répliqua Frank d'une voix pâteuse.

— Silence ! aboya un garde.

— Il avait des coliques la semaine dernière ! protesta Frank. Ces andouilles de gamins ne sont pas foutus de...

— On t'a dit de te taire, l'interrompit Kanazuchi en lui assenant un coup de crosse sur la tête.

Frank trébucha et s'étala sur les marches. Les trois gardes le regardèrent avec curiosité, l'arme à la bretelle. Les mains sur le ventre, Frank poussait des borborygmes comme s'il allait vomir.

— Un des visiteurs, observa un garde.

— Il a trop bu. C'est interdit, déclara Kanazuchi.

— Emmenez-le au centre de correction, ordonna le chef des gardes aux deux autres.

Ils se penchaient pour le relever quand Frank sortit le couteau de Kanazuchi de sous sa chemise et se redressa d'un bond en lançant un coup de coude dans le ventre du plus proche. L'homme s'affala contre un pilier du perron. Frank l'empoigna au visage et lui trancha la carotide. Le garde tomba sans avoir proféré un son. Frank entendit derrière lui un double sifflement. Quand il se retourna, les corps des deux autres gardes étaient tombés à terre et leurs têtes roulaient sur les marches comme des ballons. Kanazuchi avait déjà remis son sabre au fourreau.

Merde ! pensa Frank. Il a le coup de main, le bougre.

Ils procédèrent à l'échange de leurs armes. Kanazuchi remit le couteau dans son étui, Frank fit de même avec son Colt et arma sa carabine. Puis ils montèrent les marches et se postèrent de part et d'autre de la porte. Personne ne se manifestait. Les autres gardes n'avaient rien entendu.

— Ce n'était pas la peine de me frapper si fort, chuchota Frank.

— Plus authentique, répondit Kanazuchi.

— Encore heureux que j'aie la tête dure.

Frank manœuvra la poignée, la porte s'ouvrit. Ils entrèrent dans un corridor mal éclairé où d'épais tapis étouffaient leurs pas. Partout, des meubles opulents, des tableaux aux murs. Dans le hall d'entrée, un lustre de cristal au-dessus de l'escalier. On se croirait dans un bordel de Saint Louis, pensa Frank.

Entendant des éclats de voix sur leur gauche, ils s'approchèrent d'une porte entrebâillée. Dans un salon, quatre hommes en tenue noire de la garde d'élite écoutaient leur chef, un grand blond à l'accent étranger. Frank reconnut les cinq cavaliers qu'il avait vus arriver le matin.

— Selon le télégramme de notre guetteur, ils ont quitté Prescott à cheval cet après-midi. Cinq hommes et une femme. Surveillez leur arrivée par la route de l'Est. Ils ont un livre dans leurs bagages, le Révérend ne veut pas lâcher un sou avant de l'avoir en main. Vous les laisserez passer pour les éliminer après la barrière. Exécution !

Voyant les quatre hommes se diriger vers la porte, Frank et Kanazuchi se glissèrent dans une pièce obscure de l'autre côté du hall.

— Pas vous, monsieur Scruggs ! dit le grand blond. Vous restez avec moi.

Un des quatre, un petit blond au visage poupin portant une mallette, s'arrêta docilement. Le grand blond le prit par le bras et l'entraîna vers la porte d'entrée.

Frank et Kanazuchi attendirent qu'elle soit refermée pour sortir de leur cachette. À travers les rideaux, ils voyaient les gardes aller et venir. Du menton, Kanazuchi montra l'escalier, Frank approuva d'un hochement de tête. Ils atteignaient le premier palier intermédiaire quand le parquet grinça au-dessus de leurs têtes : un garde en tenue noire se penchait sur la rampe pour regarder dans le hall.

Frank vit le bras de Kanazuchi se détendre comme un ressort et, simultanément, le manche du couteau se planter dans la gorge du garde qui s'affaissa. Kanazuchi gravit les marches en trois enjambées et l'acheva d'une manchette qui lui brisa les vertèbres cervicales.

Oui, pensa Frank, ce bougre a un sacré coup de main.

Ils entrèrent dans la première pièce à droite sur le palier de l'étage. Kanazuchi referma la porte derrière lui et tourna la clé. La pièce paraîssait plus habitée que les autres. Des fauteuils, un canapé, des rayons de bibliothèque chargés de livres, des papiers étalés sur la table. Une icône au mur, une Bible ouverte sur un lutrin.

— Le bureau du Révérend, dit Kanazuchi.

Frank s'était agenouillé pour examiner des taches sur le tapis.

— Du sang. Encore frais, pas plus de deux heures.

— Jacob ?

— Peut-être. En tout cas, il s'est défendu et ils l'ont traîné... par là, dit-il en suivant les traces de sang qui s'interrompaient devant un mur nu.

Pendant que les deux hommes l'examinaient, des appels s'élevèrent derrière la maison. On avait découvert les cadavres des gardes. Des bruits de pas précipités retentirent dans l'escalier.

Sans perdre leur calme, Frank et Kanazuchi poursuivirent leur examen. Frank repéra une fente presque invisible parallèle à la jointure de deux lés de papier peint. Kanazuchi découvrit à mi-hauteur une tache à peine perceptible, un peu grasse. Il y posa le doigt, pressa. Il y eut un déclic et le panneau pivota, révélant un étroit passage.

Une main agita furieusement la poignée de la porte. La serrure tint bon. Un bruit de clé dans la serrure. Frank mit un genou en terre, manœuvra la culasse de sa carabine et vida les quinze balles du chargeur en moins de cinq secondes à travers la porte puis, par acquit de conscience, les six de son Colt. Kanazuchi courut ouvrir la porte : quatre gardes en noir gisaient morts sur le palier.

Cet homme sait ce qu'il fait, pensa Kanazuchi. Il mérite le respect.

Au bruit de la fusillade, les cris redoublèrent au dehors et répandirent l'alerte alentour. Frank et Kanazuchi s'engouffrèrent dans le passage secret. Les traces de sang aboutissaient à un escalier qu'ils descendirent jusqu'à un couloir fermé par une porte donnant sur un office contigu à la cuisine. Les traces de sang s'arrêtant là, ils firent une pause pendant laquelle Frank rechargea calmement ses armes.

Les cris et les bruits de pas se multipliaient autour d'eux, se rapprochaient. Ils entendirent bouger dans le passage derrière eux.

— Il serait peut-être temps de s'en aller, dit Frank.

Ils traversèrent la cuisine et sortirent dans une ruelle déserte. On entendait une foule affluer devant la maison. Guidés par Kanazuchi, ils partirent en courant dans le dédale des venelles jusqu'à ce que le tumulte s'atténue dans le lointain. Les taudis étaient vides de leurs occupants : ceux qui n'étaient pas au théâtre couraient sans doute à la Demeure de l'Espérance.

Les deux fugitifs firent halte sous un appentis.

— Ils vont tous nous prendre en chasse, chuchota Frank. Au moins, ils ne savent pas à quoi nous ressemblons.

— Mais nous, rétorqua Kanazuchi toujours impassible, nous ne savons pas où est Jacob.

Progressant aussi vite que le permettait la maîtrise équestre de Lionel Stern, ils rejoignirent la route de La Cité Nouvelle peu avant sept heures du soir. Formé par l'armée de Sa Majesté à la lecture des cartes, Innes les guidait sans erreur et l'instinct de Marche Seule les tirait des passages difficiles. Pendant ce temps, Doyle observait Jack sans déceler le moindre signe d'espoir : le visage inexpressif, le regard vide, fixé à l'horizon, il ne répondait pas même aux questions.

La plaine désertique qui s'étendait maintenant devant eux à

perte de vue, la route moins mauvaise, la lune qui se levait dans un ciel clair leur permirent de forcer l'allure et de soutenir le galop. Cramponné au pommeau de sa selle, Lionel suivait sans trop de peine. Mais au bout de quelques milles, les chevaux se cabrèrent et firent un violent écart en hennissant de frayeur. Innes faillit vider les étriers, Lionel s'étala dans le sable. Au-dessus d'eux, un cercle de gros oiseaux planait au clair de lune.

— Des grands ducs ? s'étonna Doyle.

— Non, dit Marche Seule.

Elle mit pied à terre et disparut dans un étroit défilé entre des rochers. Quelques instants plus tard, les autres l'entendirent appeler. Menant les chevaux par la bride, ils s'engagèrent à pied dans le passage mais, en approchant de l'extrémité, les chevaux refusèrent d'aller plus loin. Jack et Lionel restèrent les garder, les autres parcoururent les derniers mètres l'arme au poing.

Quand ils débouchèrent dans un cirque rocheux, leur arrivée dispersa trois douzaines de vautours et une insoutenable puanteur les frappa de plein fouet.

Plus qu'à demi décomposés par le soleil torride de l'après-midi, trente-huit cadavres gisaient, pour la plupart tués par balle. Une douzaine semblait avoir été dépecée à l'arme blanche et les charognards étaient en train d'achever la besogne. Sous la lumière froide de la lune, les mares de sang qui imprégnaient le sable paraîssaient noires.

Doyle vit que Jack était lui aussi sorti du défilé et contemplait l'horrible scène, le regard étincelant, les traits tordus par la fureur. L'odeur de la mort et la vue du sang semblaient enfin débloquer ses émotions.

Doyle fit quelques pas, ramassa un badge dans le sable.

— Shérif adjoint, lut-il à haute voix. Phoenix.

— Ils portent tous le même, dit Marche Seule qui s'était aventurée un peu plus loin dans le charnier.

Doyle se pencha sur un cadavre, puis un autre.

— Tous d'âge moyen, visiblement sédentaires.

— Y comprenez-vous quelque chose ? demanda Presto.

— Ils n'ont ni l'allure ni la tenue de policiers professionnels, observa Innes.

Doyle prit une feuille de papier tachée de sang qui dépassait de la poche d'un cadavre.

— En effet, ce sont des volontaires, dit-il en la parcourant. Ils formaient une milice — c'est le terme, je crois ? — lancée à la poursuite de cet homme.

Doyle tendit le papier à Presto qui craqua une allumette pour mieux voir. Un visage asiatique grossièrement dessiné illustrait la liste des crimes dont l'homme était accusé.

— Il est question d'une récompense de cinq mille dollars pour sa capture, commenta Doyle. Cela explique le nombre des volontaires.

— Un homme seul n'a pas pu faire... tout cela ! s'exclama Presto en désignant le carnage.

— Sûrement pas, dit Doyle. Ils ont été pris sous des feux croisés. Un véritable guet-apens. Quatre tireurs au moins, embusqués derrière ces rochers.

— Et armés de fusils à répétition, compléta Innes qui s'était éloigné. Je trouve des douilles partout.

— Aucun n'est décapité, dit Presto. Cela ne correspond pas au *modus operandi* de ce Chinois.

Jack, qui s'était approché sans bruit, prit le papier des mains de Presto et fixa intensément le visage du Chinois.

— Qu'y a-t-il, Jack ? demanda Doyle, intrigué.

— Il le connaît, dit Marche Seule. Cet homme est dans le rêve. Il est un des Six.

Jack leva les yeux et l'approuva d'un signe de tête.

— Nous pouvons donc en déduire que ces malheureux le poursuivaient en direction de La Cité Nouvelle lorsqu'ils sont tombés dans cette embuscade, déclara Doyle.

Jack rendit le papier à Presto et partit en courant vers le défilé où attendaient les chevaux. Les vautours planaient, impatients de reprendre leur sinistre festin.

— Allons-y, dit Doyle.

— Nous pourrions au moins inhumer décemment ces pauvres gens ! s'insurgea Presto.

— Le désert s'en chargera mieux que nous, lança Marche Seule qui s'éloignait à son tour.

— Avez-vous vu vous aussi cet individu dans votre rêve ? demanda Innes à Presto.

— À la réflexion, c'est possible. Mais le portrait n'est pas très ressemblant.

Presto se signa, fit une prière muette pour le repos des défunts et courut rejoindre ses compagnons.

Jack était déjà parti au grand galop, suivi de près par Marche Seule. Sans mot dire, les autres sautèrent en selle. La perspective de ce qui les attendait à La Cité Nouvelle assombrissait toutefois la joie que la miraculeuse guérison de Jack inspirait à Doyle.

Quelle étrange impression de jouer devant un public en uniformes blancs ! se dit Eileen. Mais après tout, celui-ci ou un autre... Même s'ils semblaient aussi peu spontanés que s'ils obéissaient à un même esprit s'exprimant par mille voix, les rires fusaient aux bons moments et les applaudissements roulaient comme la foudre.

Depuis la veille, Rymer ne cessait de se répandre en louanges dithyrambiques sur le théâtre de La Cité Nouvelle. Eileen était en partie d'accord avec lui : si les loges et les coulisses n'étaient pas mal agencées mais rudimentaires, la salle elle-même, aussi luxueuse que tout ce qu'on pouvait voir à Londres ou à New York, avait de quoi surprendre.

Au lieu de regagner sa loge après ses scènes du premier acte, Eileen resta derrière un portant afin d'observer le public en s'efforçant de faire taire ses inquiétudes.

Elle se répéta que Frank lui avait promis de retrouver Jacob d'ici la fin de la représentation — et elle avait la conviction de pouvoir se fier à sa parole. Lorsque Frank l'aurait rejointe avec Jacob, ils quitteraient tous les trois cette ville de fous et elle inscrirait Bendigo dans la longue liste de ses erreurs passées. Que ce lamentable Harpagon garde donc ses arriérés de salaire : elle jouait ce soir pour la dernière fois avec les Pénultièmes Baladins !

Et après ? Elle irait dans l'Est avec Jacob pour veiller à ce qu'il rentre chez lui sain et sauf. Ensuite... Tu l'aimes bien, c'est vrai, mais sois réaliste, ma fille : finir tes jours avec un rabbin, lui faire sa popote, sa lessive, le voir décliner peu à peu, ce n'est pas précisément le genre de vie qui te convient. Par contre, un homme comme Frank McQuethy, ça, c'est une autre paire de manches...

Un groupe d'hommes en noir, les premiers qu'elle ait vus dans cet océan de blanc, lui attira l'œil dans une loge d'avant-scène. Ils étaient debout, comme s'ils montaient la garde autour d'un homme assis seul à l'avant de la loge.

La main en visière pour s'abriter des lumières de la rampe, Eileen reconnut le Révérend Day.

Sa discussion avec Jacob avait donc pris fin. Frank et lui la rejoindraient après le rideau final. Pourquoi, alors, sentait-elle son angoisse redoubler ? Il émanait du regard de cet homme et de ses traits anguleux une aura de jubilation morbide, d'intelligence calculatrice, de cruauté froide qui la firent frissonner.

Jacob était en danger, elle en avait la certitude.

On entendit soudain au-dehors des détonations crépiter comme des pétards, des clameurs étouffées. Dans la loge, les gardes tendirent l'oreille. Le Révérend se retourna, fit un geste et deux d'entre eux se hâtèrent de sortir. Sur scène, Bendigo et les autres acteurs ne s'apercevaient de rien.

Un instant plus tard, plusieurs gardes en noir firent irruption dans la loge à la suite du colosse en longue blouse grise qu'Eileen avait vu le jour de leur arrivée. Le Révérend se tourna vers eux. Il y eut un bref conciliabule, des éclats de voix qui couvrirent celles des acteurs.

— Non ! cria le Révérend.

Toutes les têtes se tournèrent vers la loge, où l'agitation redoublait.

— Non, non et NON ! ! hurla le Révérend, fou de rage.

Effrayés, les gardes s'écartèrent. Conscients qu'il survenait quelque chose d'anormal, les acteurs se turent les uns après les autres, des machinistes passèrent la tête de derrière les portants. Outré de ce crime de lèse-théâtre, Bendigo Rymer s'avançait vers la rampe quand le Révérend se leva dans sa loge et s'adressa au public :

— MES ENFANTS, LE SIGNE EST APPARU ! LE TEMPS EST PROCHE !

Des cris de joie et d'extase s'élevèrent de la foule.

— LE TEMPS DE L'ŒUVRE SACRÉ EST IMMINENT ! LE TEMPS DE NOTRE DÉLIVRANCE !

Comme un seul homme, les spectateurs se levèrent, prêts à se précipiter vers la sortie.

— Ah, mais ! Je vous demande pardon !... commença Bendigo.

— TOUS À VOS POSTES ! SUR-LE-CHAMP ! LE TEMPS EST PRO...

— Je vous demande pardon ! hurla Bendigo, congestionné par la fureur, en brandissant son épée de pacotille.

Dans le silence de mort soudain retombé, le Révérend se tourna vers lui avec un évident ahurissement.

— Enfin, monsieur ! Nous nous évertuons à donner une représentation théâtrale de qualité ! déclama Bendigo. Le sujet qui vous occupe est d'une grande importance, j'en suis sûr. Mais ce n'est pas trop vous demander, je crois, d'avoir au moins la courtoisie d'attendre que nous ayons fini !

La salle entière retenait son souffle. Ulcéré, sûr de son bon droit, Bendigo bombait le torse.

Alors, le Révérend éclata de rire, un rire sincèrement amusé d'abord qui se mua peu à peu en une énorme hilarité dont l'écho, ricochant sur les murs de la salle, gagna le public jusqu'à ce qu'un raz-de-marée de rire submerge la scène et emporte Rymer dans son flot. Titubant, le visage ruisselant de sueur et de fard fondu, il vacillait en lançant autour de lui de muets appels à l'aide. Mais les autres acteurs, sentant l'imminence d'un désastre, évitaient ses regards désespérés et refluaient vers les coulisses.

Les rires cessèrent d'un coup. Appuyé à la balustrade de sa loge, le Révérend se pencha en souriant vers Rymer :

— La comédie est finie.

De la main droite, il fit un geste : le rideau s'abattit. Désormais seul au bord de la rampe, Bendigo se retourna et tenta frénétiquement d'écarter ou de soulever le rideau. Le Révérend serra les poings, fit un mouvement de torsion : les bretelles de Rymer se brisèrent, son pantalon lui tomba sur les chevilles. Sans s'en être rendu compte, il voulut faire un pas, trébucha et s'affala de tout son long.

Derrière le rideau, comédiens et machinistes détalaient déjà et s'enfuyaient du théâtre. Seule, paralysée par la frayeur, Eileen tomba à genoux, incapable de se relever.

Accoudé à la balustrade de sa loge, le Révérend agita alors les mains comme un chef d'orchestre ou, plutôt, comme un manipulateur tirant les fils d'une marionnette. Bendigo ne contrôlait plus ses propres muscles. Au gré des caprices de son tortionnaire, il se redressait, s'inclinait, bondissait, esquissait de grotesques pas de danse. Et c'est en observant son expression de joie diabolique qu'Eileen prit conscience de connaître celui qui le tenait en son pouvoir.

Le Révérend n'était autre qu'Alexander Sparks.

Dix ans plus tôt, elle avait été témoin du même acte de possession exercé, cette fois-là, sur un pauvre voyou repenti du nom de Barry, ridiculisé et torturé de la même manière dans la salle des banquets d'un château du Yorkshire. Avec la complicité de six aristocrates déments, Alexander Sparks complotait alors contre la famille royale pour s'emparer du trône de Grande-Bretagne. Tombée par hasard dans les mailles de cette sinistre toile d'araignée, Eileen s'était retrouvée au cœur de l'action pour combattre les Sept aux côtés du frère de Sparks, agent secret de la reine Victoria, et d'un jeune médecin devenu depuis un auteur célèbre. Ayant quitté l'Angleterre pour l'Amérique aussitôt après, elle n'avait jamais revu les protagonistes du drame.

Bel homme vigoureux, Alexander Sparks ne ressemblait pourtant en rien à ce Révérend difforme et décharné. Eileen ne concevait pas la cause d'une telle différence d'aspect physique, à moins que sa nature démoniaque n'ait fini par le ronger de l'intérieur pour éclater à la surface. Si c'était bien le même personnage, cela expliquait la domination absolue qu'il exerçait sur la ville et ses habitants. Par quels moyens, dans quels desseins, elle l'ignorait. Il semblait, Dieu merci, ne pas l'avoir reconnue. Mais cette découverte redoublait sa terreur, qui la figea sur place plus sûrement que si elle avait été transformée en statue de glace.

— *Être ou ne pas être...*

Bendigo déclamait maintenant le monologue d'Hamlet. Il marchait de long en large comme un automate, en s'assenant des coups d'épée avec une telle violence que le sang giclait.

— *... dans le sommeil de la mort viennent les rêves...*

Les yeux écarquillés, la bouche tordue par un rictus, flottant en l'air comme une marionnette pendue à ses fils, Bendigo Rymer poussa un cri qui était son dernier soupir.

— Bravo ! cria le Révérend en applaudissant. Bravo !

Au signal, alors que le Révérend manipulait le cadavre en de grotesques saluts, les spectateurs debout donnèrent au malheureux l'ovation qu'il n'avait jamais reçue de son vivant.

Aveuglée par les larmes, tremblante de rage, d'horreur, du remords aussi d'avoir tant médit de ce pitoyable pantin dont elle avait vu l'épouvantable martyre, Eileen parvint à se relever. Une lanterne brûlait à la porte des coulisses. Elle la saisit, la jeta de toutes ses forces contre le rideau fermé où elle se fracassa. Le pétrole se répandit, s'enflamma au contact de la mèche, l'étoffe prit feu.

Les flammes jaillissaient vers les cintres quand Eileen tourna enfin les talons et partit en courant.

Dante assistait pour la première fois à une pièce de théâtre. Arrivés un peu après le début de la représentation, Frederick et lui avaient pris place dans la loge du Révérend. Dante ne comprenait rien de ce que les acteurs débitaient sur la scène, mais les décors et les costumes lui plaisaient beaucoup, surtout les uniformes des soldats, d'un beau rouge vif avec des boutons de cuivre.

Ce qui l'attirait le plus, c'était la belle brune dont on voyait les seins dans le décolleté de la robe. Il glissa une main dans sa mallette, tâta du pouce le fil d'un de ses scalpels et se prit à rêver du plaisir qu'il prendrait en travaillant sur elle. Le Révérend et Frederick avaient l'air si contents de son travail qu'ils ne refuseraient sans doute pas de lui donner la fille s'il la leur demandait.

C'est alors que le grand Cornelius fit irruption dans la loge pour dire qu'il y avait eu des coups de feu et que des gardes avaient été tués. Le Révérend se fâcha, se leva pour crier quelque chose au public et Dante sentit qu'on allait s'amuser pour de bon. Tout de suite après, le gros comédien se mit à sauter en l'air en se donnant des grands coups d'épée. C'était beaucoup plus drôle que tout ce que Dante avait vu dans les foires.

Après, le théâtre prit feu et le Révérend cria de nouveau à tous les gens en chemises blanches :

— À VOS POSTES ! ALLEZ, ALLEZ ! ATTENDEZ MON SIGNAL !

Ce qui tenait le gros comédien en l'air lâcha alors brusquement et il retomba sur les premiers rangs de fauteuils comme un paquet de linge sale. Les gens en chemises blanches étaient si pressés de partir qu'ils se bousculaient, se piétinaient, s'écrasaient. Dante regardait en se tordant de rire, parce que c'était beaucoup plus amusant que ce que les acteurs avaient fait sur la scène.

Le Révérend se tourna alors vers Cornelius :

— Convoquez la brigade ! Chacun connaît son devoir, suivez le Plan à la lettre !

— Oui, Révérend.

Et Cornelius partit en courant.

— Combien de vos hommes me reste-t-il ? demanda le Révérend à Frederick.

— Près de soixante.

— Rassemblez-les à l'église pour l'Œuvre Sacré. Vous viendrez seul dans la crypte m'apporter le livre aussitôt après l'arrivée des visiteurs. Vous disposez d'une heure.

— Et l'incendie ? demanda Frederick en montrant le rideau en flammes.

— Bah ! Laissons tout flamber.

Frederick se tourna vers la porte de la loge en faisant signe à Dante de le suivre, mais le Révérend l'arrêta :

— Non, il reste avec moi.

Dante vit que Frederick n'était pas content du tout, mais il claqua des talons, s'inclina et sortit. Le Révérend tendit la main à Dante et ils quittèrent la loge ensemble, comme de vieux amis. La fumée remplissait déjà les couloirs et l'escalier, la température montait, mais à aucun moment ils ne pressèrent le pas.

— Comment vous sentez-vous, mon bon Dante ?

— Bien, Révérend. Vraiment très bien.

— Tant mieux, mon garçon, tant mieux. Vous verrez, nous allons vivre une nuit radieuse. Une nuit radieuse, répéta le Révérend en lui serrant la main plus fort.

CHAPITRE 16

Lorsque Frank parla à Kanazuchi du convoi de fusils volés à l'armée, le Japonais mentionna les mitrailleuses découvertes dans l'entrepôt et les deux hommes décidèrent de commencer par là. Ils reprirent donc le chemin de la rue principale, en évitant les patrouilles armées qui convergeaient vers le centre de la ville.

La lueur rouge d'un incendie grandissait à vue d'œil.

— On dirait que c'est le théâtre qui brûle, dit Frank. Eileen y est encore.

— Elle en sortira, le rassura Kanazuchi.

— Pour aller où ? Si le feu prend aux baraques voisines, la ville entière flambera comme un fagot.

Jacob introuvable, Eileen perdue Dieu savait où. Son beau plan s'écroulait... Frank grommelait des jurons quand il s'aperçut que Kanazuchi le regardait avec insistance.

— Quoi, encore ?

— Puis-je vous donner un conseil ?

— Au point où on en est...

— Les événements suivent toujours un courant, comme l'eau d'un fleuve.

— Oui. Et alors ?

— Plus il y a d'eau, plus elle coule avec force. Une inondation emporte tout sur son parcours, on ne lui résiste pas. Nous sommes dans un fleuve en crue.

Arrivés au coin de la rue principale, ils virent un important rassemblement d'hommes armés se former devant la grande maison blanche. Cornelius Moncrief braillait des ordres. Frank reconnut la troupe qu'il avait vue manœuvrer la nuit précédente.

— Ce qui veut dire, si je comprends bien, qu'une fois qu'on a les pieds mouillés, il vaut mieux se jeter à l'eau.

— Et se laisser porter sans plus se soucier de rien, compléta Kanazuchi.

— D'accord.

Voyant la brigade se scinder en petits groupes qui se dispersaient dans les ruelles transversales, les deux hommes comprirent qu'ils étaient l'objet des recherches. Inutile d'attendre plus longtemps. Un fleuve de chemises blanches coulait dans la rue en direction de l'église, vers laquelle tous les regards se tournaient. Au passage d'une masse un peu plus compacte, ils s'y mêlèrent sans que nul ne leur prête attention et se laissèrent porter jusqu'au coin de la rue aboutissant au dépôt d'armes.

Une intense activité y régnait. À la porte principale, des chemises blanches défilaient en bon ordre devant des gardes qui donnaient à chacun un fusil et une boîte de cartouches. Kanazuchi guida Frank vers la porte de l'arrière. À l'intérieur, dissimulés derrière une pile de caisses encore en place, ils jaugèrent rapidement la situation.

Des chemises blanches faisaient la chaîne pour passer les fusils et les munitions à l'équipe de distribution. Des gardes en tenue noire chargeaient les mitrailleuses sur des chariots plates-formes. Deux d'entre eux roulaient déjà vers la porte du bâtiment.

— Des mitrailleuses Gatling ! chuchota Frank. Merde, vous ne me racontiez pas d'histoires.

— Vous savez manœuvrer ces engins ? demanda Kanazuchi.

Frank fit un signe affirmatif.

Ils s'apprêtaient à sortir quand deux gardes en noir franchirent la petite porte, l'arme au poing, et réagirent immédiatement en mettant en joue les intrus. Kanazuchi se laissa tomber à terre et, du même mouvement, lança son couteau. Le bras cloué à la porte, l'homme pressa la détente par réflexe mais sa balle alla se perdre au plafond. Déjà, Kanazuchi se relevait et le tuait d'un coup de sabre avant qu'il ait poussé un cri. Frank fit feu sur l'autre, qui tira en tombant ; la balle atteignit Frank à la joue, qu'elle érafla sans gravité.

Au claquement des détonations, l'activité cessa dans l'entrepôt et les gardes se ruèrent vers la source du bruit. Les deux hommes parvinrent à prendre la fuite, traversèrent l'esplanade en courant et s'engagèrent sans ralentir dans le dédale des ruelles. Devant eux, ils voyaient les flammes gagner du terrain ; derrière eux, ils entendaient les pas de leurs poursuivants. Hors d'haleine, ils trouvèrent refuge dans un poulailler. Il était temps : un groupe de gardes armés passa à quelques pas sans les voir.

Le rugissement et les crépitements de l'incendie se rapprochaient. Partout retentissaient des cris de terreur et le fracas des baraques effondrées. Les cendres dispersées par le vent flottaient dans l'air comme des flocons de neige noire. À la lueur rougeoyante des flammes, Frank rechargeait son Colt quand le son totalement inattendu d'un chœur d'enfants le fit sursauter.

— Qu'est-ce que ?..., commença-t-il.

— Venez, dit Kanazuchi. Vite.

Ils sortirent de leur cachette et, se guidant sur les voix, remontèrent la ruelle jusqu'à une rue parallèle à la rue principale. En colonne par quatre, solidement encadrés par des chemises blanches, les cent enfants que Kanazuchi avait vus dans l'enclos marchaient en chantant une comptine. Parmi les plus jeunes, certains pleuraient, apeurés, mais les autres riaient et se tenaient par la main.

Pour la première fois, Frank vit les yeux de Kanazuchi étinceler de rage.

— Mais... où vont-ils ? demanda-t-il, stupéfait.

— On les emmène à l'église.

Longtemps avant d'arriver, ils virent le ciel embrasé par l'incendie. Avec le train d'enfer qu'il soutenait depuis le départ du charnier, Jack avait pris une avance considérable. Il ne ralentit qu'avant le premier poste de garde pour attendre Marche Seule. Les quatre autres étaient encore loin derrière eux.

— Trois hommes, chuchota-t-il quand elle le rejoignit, en montrant à droite une sorte de cirque rocheux.

— Prenons-les à revers.

Ils contournèrent les rochers et laissèrent leurs chevaux près d'un passage où ils s'engagèrent à pied, le poignard à la main. Ils virent trois chevaux entravés près des cendres d'un feu de camp. Jack se hissa sur un rocher pour évaluer la situation.

De l'autre côté du cirque, trois hommes vêtus de noir, armés de fusils à répétition, étaient postés en embuscade à vingt pas l'un de l'autre. L'un d'eux surveillait à la jumelle la route par laquelle allaient arriver Doyle et ses compagnons. Jack indiqua à Marche Seule la position de celui de gauche, sauta à terre et se dirigea vers celui du milieu. Il leur fallut moins d'une minute pour égorger les deux premiers guetteurs. Mais aussi silencieux qu'ils aient été, le troisième les avait entendus. Ils virent l'homme détaler et se lancèrent à sa poursuite. L'autre sauta sur son cheval et partit au galop vers la ville. Jack courut à son cheval prendre sa carabine et fit feu sur le fuyard.

Du poste de garde qu'ils s'étonnaient de trouver désert, Doyle et les autres entendirent les détonations et sortirent en hâte sur la route au moment où Jack et Marche Seule déboulaient au galop.

— Suivez-nous ! leur cria Jack sans s'arrêter. Un des gardes nous a échappé.

— Lionel, lui dit Doyle, vous feriez peut-être mieux de nous attendre ici...

— Tout seul ? Pas question ! répliqua le jeune homme, qui sauta en selle comme un écuyer chevronné.

Ils se lancèrent tous quatre derrière Jack. Devant eux, l'horizon rougeoyait. Arrivés en vue de La Cité Nouvelle, ils virent que les flammes attisées par le vent ravageaient une moitié de la ville. L'autre, isolée par la large rue principale, semblait encore intacte. Dans l'axe de cette rue se dressait la haute tour noire sur laquelle les flammes projetaient des reflets irisés. Il leur fallut un instant pour comprendre que le moutonnement au pied de la tour était une foule uniformément vêtue de blanc.

La route butait contre une clôture qui s'étendait sans solution de continuité de chaque côté d'une barrière. Jack et Marche Seule la franchirent au galop. Deux gardes en faction devant le poste épaulèrent leurs fusils. Avant qu'ils aient eu le temps de faire feu, Innes et Presto les abattirent d'un tir bien ajusté.

— La voie est libre ! cria Innes en levant la barrière.

— Nous allons laisser les chevaux ici, dit Doyle.

— Mais les autres continuent ! protesta Lionel.

— Nous aurons besoin de nos chevaux pour repartir, dit Doyle d'un ton sans réplique. Attachons-les à la barrière.

Les autres s'exécutèrent et se munirent de leurs armes.

— Lionel, reprit Doyle, vous pourriez peut-être rester surveiller nos montures...

— Ah, non ! s'exclama Lionel en armant sa Winchester. Et cessez de me traiter comme si j'étais un poids mort ! Mon père est en danger, j'ai le droit plus que les autres de...

Un coup de feu l'interrompit, son chapeau tomba. Les quatre hommes coururent s'abriter derrière le poste de garde tandis qu'une autre balle sifflait à leurs oreilles.

— Je vous présente mes excuses, murmura Doyle à Lionel, qui passait nerveusement un doigt dans son chapeau perforé.

Pendant ce temps, Jack et Marche Seule arrivaient dans la rue principale, mais les flammes étaient trop violentes pour qu'ils veuillent risquer leurs chevaux plus avant. Ils mirent pied à terre devant une maison blanche encore intacte, empoignèrent leurs fusils et, d'une claque sur la croupe, renvoyèrent les bêtes dans la direction d'où ils venaient.

Tout au bout de la rue, on distinguait à travers la fumée et la poussière une foule vêtue de blanc qui entrait lentement dans la grande église noire.

— C'est là que nous sommes censés aller nous aussi, n'est-ce pas ? dit Jack.

Marche Seule acquiesçait d'un signe de tête quand une patrouille de quatre hommes sortit d'une ruelle pour les intercepter. Calmement, Jack les abattit de quatre coups de feu. Une autre silhouette blanche émergea alors de l'ombre et courut vers eux. Marche Seule épaula sa carabine, Jack en détourna aussitôt le canon en voyant qu'il s'agissait d'une femme en robe blanche de style Empire, un diadème de strass sur la tête, le visage noirci de suie.

— Aidez-moi, de grâce ! cria-t-elle d'un ton implorant.

Jack la dévisagea, bouche bée. La femme s'arrêta.

— Grand Dieu ! s'exclamèrent-ils à l'unisson.

Et ils tombèrent dans les bras l'un de l'autre.

— C'est vous ? C'est vraiment vous ? répéta Eileen.

— Vous n'êtes pas blessée ? s'inquiéta Jack.

Elle fit signe que non et fondit en larmes.

— Où est Frank ? demanda-t-elle, comme s'il allait de soi qu'ils se connaissaient tous.

— Qui est Frank ? demanda Jack.

— Il est parti à la recherche de Jacob.

— Jacob est ici ? intervint Marche Seule.

— Vous le connaissez aussi ? s'exclama Eileen.

— Donc, Jacob est ici, déclara Jack.

— Oui, avec votre frère. Il a tué Bendigo.

— Qui, Jacob ?

— Non, votre frère.

— Qui est Bendigo ? demanda Marche Seule, de plus en plus perplexe.

— Qui est-elle ? s'enquit Eileen en désignant l'Indienne.

— Une amie. Où est Jacob ?

— Je ne sais plus. Nous étions arrivés avec le Japonais...

— Le Japonais ? l'interrompit Marche Seule.

— Celui-ci ? demanda Jack en montrant l'avis de recherche.

— Oui, répondit Eileen, mais ce n'est pas ressemblant.

— Où est-il, maintenant ? demanda Jack.

— Je ne sais pas. Avec Frank, je crois...

— Mais qui est ce Frank ? voulut savoir Marche Seule.

— Attendez ! déclara Jack. Reprenons depuis le début.

Et il entraîna les deux femmes dans une ruelle obscure.

Pendant qu'Eileen résumait de son mieux la situation à Jack et à Marche Seule, les quatre autres étaient immobilisés au poste de garde par un feu ininterrompu. Leurs ripostes restant sans effet, Doyle finit par repérer que le tireur qui les harcelait était embusqué dans une cabane distante d'une centaine de mètres, au bout d'un espace nu.

— Nous ne pouvons quand même pas rester bloqués ici, bougonna Doyle.

— Je m'en charge, dit Presto. Je connais tous les trucs de la chasse au tigre, ce sera un jeu d'enfant.

— Non, répliqua Doyle. Vous faites partie du rêve, vous avez un rôle à jouer, pas question de prendre de risques.

— À moi, alors, déclara Innes.

Doyle acquiesça. Innes sortait en rampant du couvert du poste de garde quand il vit les chevaux de Jack et de Marche Seule revenir au galop.

— Une action de diversion me rendrait service, dit-il.

Pendant que les trois autres lâchaient une salve sur l'abri du tireur, Innes courut au devant des chevaux, en agrippa un par la bride et s'en couvrit pour traverser l'espace nu. Lorsque le tireur s'aperçut de la manœuvre, le cheval était déjà reparti au galop. Alors, profitant de ce que le tireur détournait son feu sur Innes, Doyle attrapa les chevaux qu'il entrava avec les leurs derrière le poste de garde. Presto reconnut la mallette d'Edison sanglée à la selle de Jack et la détacha.

Arrivé en rampant derrière la cabane du tireur, Innes enfonça la porte d'un coup de pied. Il constatait qu'elle était vide quand il entendit derrière lui un claquement de culasse et n'eut que le temps de se jeter à terre. La première balle lui traversa le gras du bras gauche, la deuxième lui frôla la tête. Il fit feu à son tour, manqua sa cible. Le tireur s'apprêtait à l'achever quand trois coups de feu éclatèrent. L'homme tomba d'un bloc. Arthur apparut à la fenêtre, son fusil encore fumant à la main.

— J'arrive à temps, je crois, déclara-t-il avec flegme.

Innes se releva en grimaçant de douleur.

— Est-ce celui qui avait échappé à Jack et à l'Indienne ?

— Peut-être. Pas trop grave, mon garçon ? lui demanda son frère avec sollicitude.

— Non, rien de cassé. En fin de compte, les petits frères sont bons à quelque chose, n'est-ce pas ?

— Il est commode aussi d'avoir un médecin sous la main.

Doyle déchira un pan de sa chemise pour lui poser un pansement de fortune. Les autres les rejoignirent en courant.

— Maintenant, dit Doyle, il faut rattraper Jack.

Ils retournèrent près des chevaux prendre leurs armes. Doyle se munit de sa trousse médicale, Lionel de la boîte renfermant le Zohar et les quatre hommes s'engagèrent dans la rue principale. Tous les bâtiments à leur gauche étaient en cendres. L'autre côté paraissait relativement épargné, mais le vent tournait et l'incendie menaçait de se propager.

Ils approchaient d'une grande maison blanche encore intacte quand ils virent Jack sortir d'une ruelle transversale et leur faire signe de le rejoindre.

— Quelqu'un qui veut vous voir, Doyle.

Eileen sortit de l'ombre à son tour, s'avança :

— Bonjour, Arthur.

Sa voix réveilla en lui tant de souvenirs qu'il resta muet de stupeur, bouleversé.

— Eileen... murmura-t-il enfin.

Elle paraissait à la fois intimidée, heureuse, apeurée aussi, comme si elle revivait en quelques secondes l'éventail complet des émotions de leur brève mais inoubliable passion. Les autres s'écartèrent discrètement.

— Je suppose que vous avez reçu ma lettre, dit-elle lorsqu'ils furent seuls.

Comment aurait-il pu oublier cette lettre d'adieu qui lui avait brisé le cœur dix ans auparavant ?

— Oui, parvint-il à répondre.

— Je ne vous demande pas ce que vous êtes devenu. Vous êtes célèbre, maintenant, riche comme Crésus, marié — j'ai lu dans un magazine un article sur votre charmante épouse et vos adorables enfants. Quant à moi, eh bien... vous voyez.

— Vous êtes toujours aussi belle.

— Et vous toujours aussi gentil, Arthur.

— Non, sincère.

Avec un sourire mélancolique, elle arracha son diadème de strass.

— Si j'étais restée avec vous, il serait peut-être en vrais diamants. Que voulez-vous, j'ai toujours eu un jugement infaillible... Non, je n'ai pas à me plaindre de ma vie. Je traverse juste une mauvaise passe, voilà tout...

Elle fondit en larmes. Doyle posa une main sur son épaule. Elle se jeta dans ses bras, se ressaisit aussitôt :

— Laissez-moi seule un instant, voulez-vous ?

Elle s'éloigna en évitant son regard. Il resta sur place, foudroyé. Tant de choses qu'il avait si longtemps rêvé de lui dire, tant de joies qu'ils auraient pu partager... Il l'aimait encore, il la désirait toujours autant, mais c'était impossible. Pas ici, en tout cas, pas maintenant. Et ce serait sans doute nulle part ni jamais, s'il ne voulait pas détruire l'existence qu'il s'était donné jusqu'à présent tant de mal à bâtir.

Jack s'approcha de lui :

— Nous ne pouvons pas nous attarder, Arthur.

Doyle approuva d'un geste las. Jack désigna Innes, qui soutenait son bras entouré d'un pansement ensanglanté.

— Comment est-il ?

— Il n'en mourra pas.

— Et vous ? demanda Jack en lançant un regard à Eileen.

— Je me le demande...

— Écoutez, Arthur, rien ne vous oblige à rester avec nous. Vous en avez déjà fait plus que votre part. C'est à nous de continuer, maintenant.

— Mais, Jack...

— Non, Arthur. Nous sommes les seuls invités à cette fête, ne l'oubliez pas.

— Que ferez-vous quand vous serez face à face avec Alexander ?

— Sincèrement, je n'en sais rien.

Malgré le tourbillon d'émotions qui lui brouillait l'esprit, Doyle reconnut le vieil ami dont il avait redouté la perte. C'était bien le Jack qu'il avait connu et admiré, avec ses yeux pétillants d'intelligence, ses gestes pleins de vivacité, son sourire ironique au coin des lèvres. Et dire, pensa-t-il, que je le retrouve au moment même où je risque de le perdre à nouveau.

— Je vous reconnais enfin, Jack. C'est bien vous...

— Nul autre, cher vieil ami. Toujours à votre service.

Ils s'étreignirent la main. Un long échange muet passa entre eux. Doyle essuya une larme, Jack lui fit un salut désinvolte. Puis, flanqué de Presto et de Marche Seule, il s'éloigna en direction de l'église noire.

Les cloches avaient cessé de sonner. Le ronflement de l'incendie meublait seul le silence.

— Attendez-moi ! Je vais avec vous, leur cria Lionel Stern qui partit en courant, le Zohar sous le bras.

— Nous devrions vous suivre, Jack ! le héla Doyle.

— Comme vous voudrez, mon vieux, je ne peux pas vous en empêcher ! lança Jack par-dessus son épaule.

Doyle alla rejoindre Innes et Eileen, qui faisaient connaissance et échangeaient quelques mots.

— Vous savez encore vous servir de cet instrument ? demanda-t-il à Eileen en lui tendant une Winchester.

— Je n'ai rien oublié depuis dix ans, Arthur.

— Tant mieux. Alors, allons-y.

La destruction de la ville désorganisant les recherches entreprises pour les retrouver, Frank et Kanazuchi purent suivre la

332

troupe d'enfants sans être inquiétés. Après les dortoirs ouvriers, où Kanazuchi avait passé sa première nuit, ils arrivèrent enfin en vue de la cathédrale. Le vaste espace nu qui la séparait du reste de la ville ayant servi de coupe-feu, ni l'église ni les constructions voisines ne se trouvaient menacées.

À aucun moment, les deux hommes n'avaient pu attaquer l'escorte d'adultes sans mettre en danger la vie des enfants. Cachés derrière une baraque de chantier, ils les virent traverser l'esplanade et se fondre dans la foule des chemises blanches massées devant l'église. Puis, une fois tout le monde entré, les lourdes portes se refermèrent, les cloches cessèrent de sonner. On n'entendait plus que le grondement des flammes apporté par le vent.

Kanazuchi entraîna Frank vers une baraque mieux située. Ils venaient d'y pénétrer quand ils virent une cinquantaine de gardes en tenue noire traverser l'esplanade et se déployer devant l'église, dont une équipe bloqua les portes à l'aide de madriers. Les deux hommes échangèrent un regard perplexe : pourquoi condamner les portes de l'extérieur ?

Cornelius Moncrief aboya un ordre. Des gardes poussèrent les mitrailleuses sur leurs plates-formes, une devant chaque porte et la quatrième à l'arrière. Sur un nouvel ordre de Cornelius, des équipes composées de trois hommes, un tireur et deux servants, prirent position à chaque mitrailleuse.

— Tout ça pour nous ? s'étonna Frank. Nous sommes forts, mais à ce point... Ou alors, ils ont appris que l'armée venait récupérer ses armes ?

— Non, dit Kanazuchi. Venez.

Pour la deuxième fois, Frank vit ses traits indéchiffrables exprimer un sentiment — l'angoisse, cette fois.

Ils gagnèrent l'arrière de l'église. Dissimulés derrière une pile de déblais, ils observèrent les gardes installer la mitrailleuse à quelques pas de la porte.

— Ils s'attendent à une attaque de ce côté-ci ? s'étonna Frank en montrant la falaise abrupte derrière eux.

Un instant plus tard, les gardes se déployèrent de manière à encercler l'église. Chaque homme était armé d'un fusil à répétition et de munitions de réserve. Une fois le dispositif en place, les servants de la mitrailleuse la firent pivoter pour la braquer directement sur la porte.

— Allez-vous enfin me dire ce que tout cela signifie ? dit Frank.

— Ils vont les tuer. Tous les gens à l'intérieur.

Frank marqua une pause.

— Mais... ils sont fous !

Kanazuchi approuva d'un signe de tête.

— Et vous pensez que nous devrions les en empêcher ?

— Oui.

Frank leva les yeux, au-delà du mur de flammes qui barrait l'horizon.

— C'est loin, le Mexique, murmura-t-il.

— Comment ?

— Rien... Dans quelle partie de la rivière sommes-nous maintenant, à votre avis ?

— Nous abordons les rapides.

— Vous avez peut-être une idée de la manière dont il faut nous y prendre ?

Kanazuchi lui exposa son plan.

Pendant tout le trajet jusqu'à l'église, le Révérend s'appuya lourdement au bras de Dante. Le fumée et la chaleur rendaient l'air irrespirable. Le Révérend ne disait rien et, dans le rougeoiement ambiant, son visage paraissait gris. En sortant du théâtre, ils s'étaient d'abord rendus à la Demeure de l'Espérance. Sans même un regard aux cadavres des quatre gardes, le Révérend avait fouillé son bureau et lu quelques papiers. C'est en prenant ensuite le chemin de l'église qu'il parut s'affaiblir à chaque pas, au point que Dante eut vraiment peur qu'il ne lui arrive malheur.

La foule, dans laquelle Dante remarqua un groupe de jeunes enfants, finissait d'entrer dans l'édifice lorsqu'ils s'en approchèrent. Le Révérend consulta sa montre d'un air satisfait, puis il obliqua vers le côté droit du bâtiment jusqu'à une trappe un peu à l'écart, fermée par deux lourdes plaques de fer. Il sortit un trousseau de clé de sa poche et le tendit à Dante en lui demandant d'ouvrir le cadenas et de soulever les plaques.

Un escalier s'enfonçait sous terre, si raide que Dante dut aider le Révérend à descendre. Au bas des marches, le Révérend lui fit allumer une lanterne et ouvrit lui-même une deuxième porte. Une bouffée d'air frais leur caressa le visage. Épuisé, respirant avec peine, le Révérend s'adossa un moment au montant de la porte.

— Êtes-vous souffrant, Révérend ? s'inquiéta Dante.

Le Révérend sourit, lui ébouriffa les cheveux comme à un enfant et lui fit signe d'entrer. La salle taillée dans le roc était fraîche et accueillante. Il y régnait une bonne odeur de terre humide, comme dans un cimetière après la pluie. Le Révérend s'assit sur l'unique siège de la pièce, reprit sa montre et vérifia l'heure.

— Vous resterez ici, mon garçon, dit-il à Dante. Laissez la

porte ouverte. Frederick m'apportera bientôt le livre dont j'ai besoin. Quand il sera là, sonnez la cloche que vous voyez sur ce mur et je viendrai. Ne remontez pas à la surface et ne me suivez pas dans ce couloir, ajouta-t-il en montrant un étroit passage ouvert dans un coin de la salle. Si quelqu'un d'autre que Frederick venait ici, vous devrez le tuer. Avez-vous compris ?

— Oui, Révérend.

— C'est bien, mon garçon, dit le Révérend en lui tapotant la main. Et maintenant, aidez-moi à me lever, il est temps de se mettre à l'ouvrage.

Dante souleva le Révérend, aussi léger qu'un corbeau. Le Révérend prit la lanterne, salua Dante d'un signe de la main et s'éloigna dans le couloir en boitant.

Une fois seul dans le noir, Dante s'assit face à la porte, sa mallette sur les genoux. Il prit ses deux couteaux préférés qu'il reconnut au toucher et reposa la mallette par terre, à portée de la main. Sa vision s'accommoda peu à peu à l'obscurité. Une lueur diffuse dessinait le rectangle de la porte entrouverte. Dante remarqua alors que les cloches avaient cessé de sonner.

Jacob vit s'approcher une lumière encore lointaine, réfléchie par les parois lisses de la crypte. Il était depuis si longtemps dans l'obscurité totale qu'il ne put en déterminer aussitôt l'origine. Depuis un moment, il entendait aussi des murmures confus dont l'écho, qui semblait provenir d'en haut, contribuait à le désorienter.

Il était couché sur un sol de pierre, les mains et les pieds engourdis par la corde qui les serrait. Quand il avait repris connaissance et senti qu'il respirait, Jacob en était d'abord resté incrédule : le Révérend l'avait sûrement tué ! Peut-être était-il mort, après tout. Peut-être était-ce une preuve de la vie après la mort. Dans ce cas, Enfer ou Paradis, ils pourraient au moins donner un peu de lumière... Non, il se sentait trop mal en point pour être mort, donc il vivait. Mais sans doute plus pour longtemps, si c'était ce maudit Révérend qu'il entendait approcher.

Jacob tendit l'oreille : un boitement, des tintements d'éperons. Oui, c'était bien lui.

Le Révérend entra enfin et, à la lumière de sa lanterne, Jacob vit pour la première fois qu'il se trouvait dans une salle circulaire. Il gisait au centre d'une légère cuvette, ornée d'une mosaïque dont il ne pouvait distinguer les motifs. Autour de lui, six piédestaux d'argent disposés en cercle et, un peu à l'écart, un brasero. Le vent froid qui soufflait depuis son arrivée montait d'un puits béant, à l'autre bout de la salle. Une profonde rigole allait de la cuvette où il était étendu jusqu'au bord du puits. Une large ouverture circulaire, fermée par une grille, était ménagée dans le plafond au-dessus de lui. C'était de là que provenaient les voix désincarnées qu'il entendait.

Après avoir allumé les lanternes fixées aux parois autour de la pièce, le Révérend s'approcha. Voyant que Jacob ne bougeait pas, il le poussa du bout du pied.

— Je suis réveillé, dit Jacob.

— Vivant, j'aurais compris, mais réveillé ! Tant mieux, tant mieux. Je craignais que vous ne manquiez le plus beau.

Jacob garda le silence.

— Je sais, rabbin, que vous connaissez la Torah de fond en comble. Êtes-vous aussi versé dans le Nouveau Testament ? L'Apocalypse, par exemple ?

Jacob sentit son cœur manquer des battements. Il tenta de changer de position pour l'aider à reprendre son rythme et, pour la première fois, vit le Révérend de face. Grand Dieu ! pensa-t-il, il a l'air encore plus mal en point que moi. On dirait un cadavre à peine déterré.

— Permettez-moi de vous rafraîchir la mémoire, reprit le Révérend. *Le sang de l'innocent ruissellera dans la plaie de la terre. Et il en sortira la Bête, l'Ange du puits sans fond dont le nom en hébreu est Abaddon.* Cela ne vous rappelle rien, rabbin ?

Jacob fit un signe de dénégation.

— N'ayez crainte, dit le Révérend en levant les yeux vers la grille. Cela vous reviendra lorsque les cloches recommenceront à sonner et que l'Œuvre Sacré s'accomplira.

Dante vit une ombre derrière la porte. Il se leva, prêt à bondir, mais se détendit en reconnaissant Frederick, dont l'expression éveilla toutefois son inquiétude.

— Il est là ? demanda Frederick en montrant le couloir.

— Oui.

— Alors, c'est fichu !

Jamais Dante ne l'avait vu dans un tel état de colère et d'agitation.

— Vous apportez le livre ?

— Non, monsieur Scruggs. Nous sommes dans une situation intenable. Le Révérend renie sa parole, dit-il avec rage. Il refuse de payer la somme considérable qu'il nous doit et je n'ai pas trouvé un sou dans toute la ville. Nous n'avons plus de temps devant nous. Donner nos vies sans contrepartie n'a jamais été prévu dans nos accords. Comprenez-vous ce que je vous dis ?

Nous n'avons plus rien à faire ici ! Je pars. Si vous tenez à votre peau, je vous engage à en faire autant.

Dante hésita et secoua négativement la tête. Il aimait bien Frederick, mais ses Voix préféraient le Révérend.

— À votre aise, lâcha Frederick en s'engouffrant dans l'escalier.

Dante fut au comble de l'indécision. Que faire ? Sonner la cloche, faire revenir le Révérend pour lui dire que Frederick n'avait pas apporté le livre ? Il serait sûrement mécontent. Aller le rejoindre ? Mais le Révérend lui avait défendu de le suivre...

Il allait céder au découragement quand il entendit à nouveau du bruit dans l'escalier.

En s'approchant de la façade de l'église, ils virent des gardes en noir faire rouler devant les portes des sortes de gros canons cylindriques. Jack poussa ses trois compagnons derrière la palissade d'un chantier de tailleurs de pierres.

— Ce que nous cherchons se trouve sous le bâtiment à l'aplomb de la tour, n'est-ce pas ? dit Jack.

— Exact, répondit Presto.

Sur leur droite, à une centaine de mètres, Marche Seule remarqua un homme en costume de ville qui sortait de sous la terre et disparaissait en courant dans l'obscurité.

— Par là, dit-elle.

Elle les guida jusqu'à l'endroit d'où l'homme avait surgi. Ils virent une trappe ouverte, un escalier.

— C'est ici, approuva Jack.

Marche Seule descendit la première.

— D'après leur rêve, dit Innes, ils sont censés être six, n'est-ce pas ?

— En effet, répondit Doyle.

Eileen, Innes et lui étaient embusqués à la limite de l'esplanade et observaient de loin Jack et les trois autres qui s'approchaient de l'église avec prudence.

— Jack, Presto et Mary, cela fait trois.

— Jacob et Kanazuchi, ajouta Eileen, à plat ventre entre les frères Doyle, l'arme épaulée et prête à faire feu.

— Ce qui fait cinq, compléta Doyle.

— La question que je me pose, reprit Innes, est donc la suivante : si ce chiffre de six est aussi important qu'ils le disent, qui est le sixième ?

— Bonne question, approuva Doyle.

L'œil collé à sa longue vue, il vit leurs amis suivre Marche

Seule vers un côté de l'église, où ils s'arrêtèrent pour regarder quelque chose à ras de terre.

— Que font-ils donc ? s'étonna-t-il à mi-voix.

Il avait à peine fini de parler qu'ils disparurent tous quatre sous terre.

— Que diable signifie ?...

— Que se passe-t-il ? voulut savoir Eileen.

— Innes, te sens-tu en état de continuer ? lui demanda son frère.

— Naturellement !

— Et vous, Eileen ?

— Je n'ai aucune envie de rester seule ici, merci bien !

— Alors, allons voir cela de plus près.

Quand la porte s'ouvrit, Dante recula dans l'ombre du couloir. Le Révérend lui avait donné l'ordre de tuer quiconque la franchirait, il n'allait pas se priver de ce plaisir ! Les couteaux bien en main, les muscles tendus, il se prépara à bondir... et s'arrêta net en reconnaissant l'Indienne.

La stupeur retarda son attaque assez longtemps pour permettre à trois hommes d'entrer derrière elle. Ils étaient tous armés. L'un d'eux portait un paquet sous le bras, un autre une petite mallette. Ah, diable ! Il avait laissé la sienne par terre à côté de la chaise.

Celui qui paraîssait le chef, un grand maigre qui lui rappela vaguement le Révérend, se pencha sur la mallette de Dante, leva le couvercle et montra le contenu aux autres. Ils se parlèrent en chuchotant — Dante ne put entendre que le mot *Chicago* — jusqu'à ce que le grand maigre désigne l'entrée du couloir où Dante se cachait.

À tâtons, Dante s'enfonça plus avant. Au premier coude, il hésita un instant et reprit sa marche dans l'obscurité.

Presto sortit le projecteur électrique de la mallette d'Edison. Jack prit dans une de ses poches une boussole et une poignée de petits carrés de papier, sur lesquels il braqua un instant le faisceau de la lampe.

— Vous souvenez-vous de cette partie du rêve ? demanda-t-il sans élever la voix.

— Des souterrains tortueux, dit Marche Seule.

— Une sorte de labyrinthe, précisa Presto.

Près de l'entrée du couloir, au niveau des yeux, Jack appliqua sur la paroi un petit carré : le dos était gommé et la face visible émettait une luminescence verdâtre.

— Pour arriver à l'aplomb de la tour, annonça-t-il, nous devrons prendre une direction nord-nord-ouest.

Il confia la boussole à Lionel, la lampe à Presto, chaussa les lunettes de vision nocturne et s'engagea dans le couloir, les trois autres à sa suite. Au bout de quelques pas, ils furent plongés dans une obscurité complète. Continuant d'avancer avec précaution, ils parvinrent au premier coude, d'où trois autres passages partaient en patte d'oie.

— Boussole, lumière, murmura Jack.

Pesto manœuvra le commutateur et dirigea le pinceau lumineux sur le cadran de la boussole que tenait Lionel.

— Le nord-ouest est par ici.

Jack colla un carré luminescent à la paroi et s'enfonça dans le couloir indiqué par Presto. Conçues pour distinguer des objets émettant de la chaleur, les lunettes ne pouvaient encore leur être utiles et ils progressaient pas à pas.

C'est alors que Marche Seule perçut une vague odeur apportée par la brise froide qui balayait le passage : du choloroforme ? Était-ce possible ? Faisait-elle un cauchemar ?

À tout hasard, elle dégaina son poignard.

Au pied de l'escalier, Doyle, Eileen et Innes pénétrèrent dans une salle. Pendant que leur vision s'accommodait à la pénombre, Innes remarqua une tache luminescente à l'entrée d'un couloir et voulut s'y engager.

— Non, dit Doyle. Remontons.

Tapis au niveau du sol, accoudés aux plaques métalliques de la trappe, ils observèrent l'église.

— Je ne voudrais pas avoir l'air de tout critiquer, dit Eileen, mais qu'attendons-nous au juste ?

— Je ne sais pas encore, murmura Doyle.

— Vous ai-je beaucoup manqué, Arthur ? chuchota-t-elle un instant plus tard.

— Pas beaucoup : monstrueusement.

— Tant mieux. Mais quel dommage...

Un silence complet s'était abattu. Doyle vit des hommes en noir déployés devant la façade, un colosse en blouse grise consulter sa montre, donner un signal. Des hommes enlevèrent des madriers qui bloquaient les portes, d'autres firent pivoter les mitrailleuses pour les braquer directement sur l'intérieur de l'église.

Doyle comprit et refréna de justesse un cri d'horreur.

Ils marchaient à la boussole, mais Marche Seule les aurait tout

339

aussi sûrement guidés en remontant le courant d'air qui soufflait avec constance. Sentant au bout de son pied une forme irrégulière, Jack s'arrêta.

— Lumière.

Presto dirigea le faisceau de la lampe sur le sol. Un renflement apparut, Jack y posa le pied, appuya : un mètre de dallage bascula sur toute la largeur du couloir. La lumière révéla des rangées de piques au fond du puits.

— On saute ou on recule ? demanda Jack.

— C'est bien le chemin, dit Marche Seule.

— Alors, sautons.

Lionel passa le premier, Presto le dernier avec la lampe. Le temps de consulter la boussole, la lumière donna des signes de faiblesse. Presto l'éteignit aussitôt.

Tâtant chaque pas du bout du pied avant d'avancer, ils arrivèrent à une nouvelle patte d'oie de trois couloirs, tous trois avec la même orientation générale. Jack les scruta l'un après l'autre à l'aide de ses lunettes. Presto crut distinguer une vague lueur à l'extrémité de chacun.

— Nous sommes près du but, dit Marche Seule.

Jack colla un carré lumineux à la paroi et distribua les autres à Presto et Marche Seule.

— Prenons chacun un couloir. Celui qui verra la lumière s'accroître dans le sien appellera, nous nous rejoindrons ici avant de continuer. Lionel, vous restez avec moi.

Tenant la lampe d'une main, le revolver armé de l'autre, Presto s'engagea avec précaution dans un couloir. Le poignard dégainé, Marche Seule s'avança à tâtons dans le deuxième. Lionel suivit Jack dans le troisième. Au bout de quelques pas, ils s'arrêtèrent en entendant des voix.

— Jacob ! s'écria Jack.

— Mon père ! s'exclama Lionel.

Sur l'écran trouble de ses lunettes, Jack distingua des sources de chaleur derrière une série d'écrans rocheux et se rendit compte qu'il avait pris le mauvais passage.

Le Révérend sursauta en entendant l'écho des voix dans le souterrain. Que signifiait cette intrusion ? Dante était censé éliminer les gêneurs ! Il regarda sa montre : plus que deux minutes avant le signal de Cornelius marquant le début de l'Œuvre Sacré. Un rire derrière lui le fit se retourner.

— Vous attendez quelqu'un ? demanda Jacob avec un sourire ironique.

Le Révérend tendit l'oreille : un sourd grondement montait du plus profond du puits.

— Eh bien, oui, figurez-vous ! répondit-il en rendant à Jacob son sourire.

Les mains en l'air, sa propre carabine pointée sur son dos, Frank marchait devant Kanazuchi. Du déjà vu, se dit-il. Mais après tout, il ressemble assez aux autres avec son pyjama noir pour qu'ils s'y laissent prendre. Sinon, rien n'aura plus d'importance.

Ils traversèrent ainsi l'esplanade en se dirigeant droit vers la mitrailleuse en batterie devant la porte principale de l'église. Les hommes en noir les regardèrent passer, trop stupéfaits pour intervenir.

Ils arrivèrent devant la façade au moment où Cornelius Moncrief débouchait du côté du bâtiment.

— Deux minutes ! cria-t-il à ses troupes.

Des hommes débloquèrent les madriers et ouvrirent les portes. Les servants de la mitrailleuse la firent pivoter sur son affût pour la braquer vers l'intérieur de l'église. Cornelius remarqua alors les deux hommes qui approchaient et fonça vers eux, l'arme au poing. Frank estima qu'ils se rejoindraient devant la mitrailleuse ; il nota aussi avec satisfaction que la bande était engagée dans la culasse.

— Que signifie ce cirque ? aboya Cornelius.

— J'ai pris un des suspects, déclara Kanazuchi.

Ils s'arrêtèrent à trois pas les uns des autres.

— Salut, Moncrief, dit Frank. Tu me reconnais ?

Cornelius le dévisagea, les sourcils froncés. Un instant plus tard, une lueur mauvaise lui alluma le regard. Frank ne lui laissa pas le temps de faire feu.

— Tiens, ordure, c'est tout ce que tu mérites.

Frank vida le barillet de son Colt dans la poitrine de Cornelius pendant que Kanazuchi abattait d'une salve les trois servants de la mitrailleuse.

Alors, l'enfer se déchaîna.

Kanazuchi dégaina son sabre et attaqua à droite, Frank bondit à la mitrailleuse et balaya à gauche. Avant qu'il ait pu ajuster son tir, une balle lui fracassa la cheville, une autre lui traversa la cuisse, mais il continua à tourner la manivelle au même rythme et, bientôt, les survivants prirent la fuite vers l'arrière de l'église.

Pendant ce temps, le sabre de Kanazuchi opérait un carnage chez les autres hommes en noir, qui hésitaient à faire feu sur celui qu'ils prenaient pour un des leurs. Ses adversaires éliminés,

Kanazuchi fonça vers la mitrailleuse en batterie devant la porte latérale de droite.

Frank se penchait pour prendre une nouvelle bande quand une volée de balles lui passa au ras de la tête : la mitrailleuse de gauche tirait sur lui à travers l'église. Par la porte ouverte, il vit qu'elle avait déjà opéré un massacre. Des hurlements s'élevaient de la foule des chemises blanches. Il se redressait pour engager la bande dans la culasse quand une balle lui brisa l'épaule gauche. Frank retomba, réussit à engager la bande, tourna la manivelle. Trop haut, son tir fracassa un vitrail rouge, dont les éclats retombèrent en pluie en se mêlant aux flaques de sang.

De l'escalier du souterrain où ils étaient embusqués, Doyle et ses compagnons entendirent les mitrailleuses et les salves des fusils, couverts par les hurlements des victimes. Ils avaient dans leur ligne de tir la mitrailleuse en batterie à la porte arrière de l'église. Innes épaulait avec peine et souffrait à chaque recul ; mais à eux trois, en visant avec soin, ils eurent bientôt éliminé les servants de la mitrailleuse et dépêchèrent de même une équipe venue prendre la relève. Ce problème réglé, ils s'attaquèrent méthodiquement aux tireurs individuels.

En rechargeant son arme, Doyle lança un coup d'œil à Eileen. À l'évidence, elle n'avait rien perdu de son habileté avec les armes à feu.

Aux premières détonations, le Révérend arpenta nerveusement la crypte, sa montre à la main.

— Et les cloches ? répétait-il. OÙ SONT LES CLOCHES ?

Le fracas enflait de minute en minute, réverbéré par les parois de pierre jusqu'à devenir assourdissant. Jacob ne soufflait mot ni ne faisait un geste. Depuis qu'il avait cru reconnaître la voix de son fils émanant du passage obscur, il n'osait plus attirer l'attention du Révérend.

Un étrange bruit de chute d'eau se fit alors entendre. Jacob leva les yeux : un ruisseau de sang coulait par la grille et s'accumulait autour de lui.

Son sabre d'une main, son couteau de l'autre, Kanazuchi fondit sur les servants de la mitrailleuse qui balayait l'intérieur de l'église. Absorbés par leur sinistre besogne, ils ne l'entendirent même pas venir. Ces hommes éliminés, Kanazuchi braqua la mitrailleuse sur les tireurs individuels qu'il liquida d'une rafale bien ajustée. On entendit encore quelques coups de fusil sporadiques, puis plus rien.

Kanazuchi baissa les yeux vers les taches sombres qui s'élargissaient sur ses vêtements : il avait été touché en trois endroits. Aucun organe vital n'était atteint, mais il perdait son sang en abondance et risquait de s'affaiblir très vite. Il n'avait pas de temps à perdre.

L'horreur régnait à l'intérieur de l'église. Des corps jonchaient le sol, des gémissements s'élevaient de toutes parts. Kanazuchi ne pouvait dénombrer les morts et les blessés, mais il voyait le sang ruisseler partout.

L'oreille tendue, il entendit sur sa droite des cris d'enfants. Remontant le flot des survivants qui refluaient vers la sortie en se bousculant, il découvrit les enfants massés dans un renfoncement abrité du tir des mitrailleuses. Ils étaient tous vivants.

Kanazuchi s'approcha, leur parla avec douceur sur un ton rassurant. Il les rassembla autour de lui, releva ceux qui s'étaient couchés, les guida vers la porte par laquelle il était entré. Les enfants le suivirent docilement. Ils pleuraient, trébuchaient sur les cadavres, glissaient dans les flaques de sang. Hébétés, les yeux vitreux, les adultes qu'ils croisaient regardaient droit devant eux sans leur prêter aucune attention.

Marche Seule s'arrêta en entendant Jack et Lionel appeler Jacob. L'écho d'une fusillade grondait quelque part à la surface. Peu après qu'ils se furent séparés, elle se trouva devant une nouvelle patte d'oie. Se rendant compte qu'en avançant à l'aveuglette elle se perdrait définitivement, elle revint sur ses pas, si préoccupée que lorsque l'odeur du monstre borgne et l'onde de sa course l'atteignirent, elle réagit avec une seconde de retard.

La première lame lui lacéra l'épaule gauche, la deuxième lui rasa la hanche droite. Il avait donc un couteau dans chaque main. Elle se jeta à terre, prit son poignard à deux mains, poussa au jugé de toutes ses forces et sentit sa lame pénétrer dans de la chair. Avec un cri de surprise et de douleur, l'homme frappa des deux mains et la manqua de justesse. Elle lança un nouveau coup. Cette fois, elle sentit que sa lame sectionnait les tendons d'une jambe de l'agresseur, qui tomba à genoux en hurlant.

— Vas-tu crever, salope ?

Fou de rage et de douleur, le monstre borgne revint à la charge. Elle parvint à dévier un de ses couteaux avec la lame de son poignard mais l'autre lui lacéra un bras. Il se jeta sur elle de tout son poids. Elle le repoussa de son mieux, mais elle sentait faiblir son bras blessé.

La voix de Presto, toute proche.

— Jack ! Par ici, vite !

343

Un éblouissant rayon de lumière frappa l'homme en plein visage, aveuglant son bon œil. Marche Seule roula sur le côté, plongea son poignard dans l'œil de verre qui se brisa. Avec un épouvantable hurlement, l'homme se redressa en tirant à deux mains sur le manche du poignard. Alors, Marche Seule prit son revolver et tira deux fois à bout portant. Le monstre tomba tandis que les détonations emplissaient l'étroit boyau d'échos assourdissants.

Jack bondit près d'elle. Presto dirigea le faisceau de la lampe sur le corps du monstre borgne.

— Je ne veux pas le voir, dit-elle d'une voix rauque. Je ne veux pas le voir...

La soutenant chacun par un bras, ils s'éloignèrent du cadavre de Dante et regagnèrent le point de rendez-vous.

Jack était si vite parti dans le noir que Lionel n'avait pu le rattraper et s'était égaré. Quelque part sur sa gauche, il entendait des cris lointains et des détonations étouffées. La lumière lui paraissant plus vive dans cette direction, il partit en courant et se retrouva, sans savoir comment, à l'entrée d'une salle circulaire. Des salves de coups de feu entrecoupées de cris et de gémissements semblaient provenir directement d'en haut. Ébloui par la lumière soudaine, le bras levé pour s'abriter les yeux, il vit un ruisseau de sang se déverser d'une ouverture au plafond et tomber en pluie sur une silhouette d'homme gisant dans une sorte de cuvette creusée au centre de la salle.

La silhouette ressemblait à son père.

— Qu'apportez-vous là ? fit une voix à sa gauche.

Il se retourna. Un homme à l'aspect cadavérique tendit la main vers lui. Stupéfait, Lionel vit la boîte du Zohar lui échapper et voler à travers la salle jusque dans les mains du personnage de cauchemar, qui l'ouvrit avec avidité.

— Je ne sais comment vous remercier, lui dit l'homme, qui se désintéressa aussitôt du nouveau venu.

Lionel courut vers son père, le tira à l'écart du flot de sang, qui débordait de la cuvette pour s'écouler dans une rigole et se déverser dans un puits au fond de la salle.

— Vous êtes en vie !

— Et bien content de te voir enfin, mon fils, dit Jacob calmement. As-tu une arme sur toi ?

Lionel prit le revolver à sa ceinture.

— Alors, tue-le.

D'un signe de tête, Jacob désigna l'homme squelettique qui

leur tournait le dos pendant qu'il plaçait le Zohar dans un reliquaire d'argent posé sur un piédestal.

Les mains tremblantes, Lionel visa, pressa la détente. L'homme tourna la tête, fit un geste. La balle alla se perdre au loin, le revolver fut arraché des mains de Lionel et vola jusqu'au puits tandis que Lionel tombait à genoux, poussé par une force invisible.

Sans plus leur prêter attention, le Révérend s'approcha d'un brasero, prit des allumettes dans sa poche, en frotta une contre le métal. L'allumette se brisa. Il en essaya une deuxième, puis une troisième. En vain.

— Par exemple ! dit-il en éclatant de rire. Échouer pour une malheureuse allumette...

Un hurlement suivi de deux coups de feu tout proches retentirent dans le couloir par lequel Lionel était arrivé. Le Révérend tendit l'oreille puis, n'entendant plus rien, il alla décrocher du mur une lanterne et revint vers le brasero.

Pendant ce temps, Lionel dénouait fébrilement la corde qui liait les poignets de son père. Au-dessus, les coups de feu se raréfiaient. Ils finirent par cesser pour faire place à de pitoyables gémissements de douleur.

Mais le sang continuait à couler par la grille et à se déverser dans le puits, d'où montait un grondement plus puissant et plus soutenu de minute en minute.

Les derniers survivants des chemises noires avaient jeté leurs armes et pris la fuite peu après que la dernière mitrailleuse eut été neutralisée. Les premières chemises blanches ensanglantées commençaient à sortir de l'église.

— Allons-y, dit Doyle.

Suivi d'Eileen et d'Innes, il partit en courant et ne s'arrêta que sur le seuil de l'église, horrifié de découvrir une véritable tuerie : des corps entassés les uns sur les autres, le sol couvert de sang. Ici et là, des blessés et des survivants se relevaient, s'éloignaient en titubant.

Eileen et Innes qui l'avaient rejoint étaient eux aussi muets d'horreur. Les blessés se comptaient sans doute par centaines et avaient besoin de secours immédiats.

— Dieu Tout-Puissant ! Que pouvons-nous faire, Arthur ? murmura Innes.

— D'abord les faire sortir, nous y verrons plus clair. Eileen, dit-il avec fermeté, j'ai besoin de votre aide. Pas de larmes ni d'évanouissement, d'accord ?

Elle acquiesça d'un hochement de tête.

Ils entrèrent tous trois. Les survivants auxquels ils s'adressaient pour leur demander de prêter main forte semblaient être devenus sourds et muets. Certains poursuivaient leur chemin sans même les voir, d'autres ne comprenaient qu'à la deuxième ou troisième fois. Les victimes les plus nombreuses gisaient au centre de l'édifice, où le sang ruisselait dans des rigoles vers une ouverture circulaire fermée par une grille.

Des pleurs d'enfants attirèrent Innes vers une porte latérale.

— Arthur, viens voir !

À une cinquantaine de pas, plus de cent enfants assis par terre écoutaient un homme vêtu de noir agenouillé près d'eux. Quand il vit Doyle et Innes s'approcher, l'homme se tourna vers eux. Il était livide, gravement blessé sans doute, estima Doyle d'un regard exercé.

— Êtes-vous Kanazuchi ?

— Oui. Occupez-vous d'eux, je vous en prie.

Ses vêtements couverts de sang, Kanazuchi grimaçait de douleur. Doyle l'aida à se remettre debout.

— Ne partez pas ! dit Innes. Vous devez vous reposer.

— Non. Mais soyez remerciés de votre aide.

Il s'inclina, rassembla ses forces et s'éloigna vers l'église, la main sur la poignée de son sabre.

Doyle et Innes baissèrent les yeux vers les enfants qui levaient sur eux des regards pleins d'espoir et de frayeur.

— Je me charge d'eux, dit Innes.

Les deux frères s'étreignirent.

— Grand Dieu, murmura Doyle. Jamais je n'aurais cru...

— Il ne faut pas leur montrer que nous avons peur nous aussi, Arthur, chuchota Innes.

Doyle se détourna, serra une dernière fois la main de son frère et partit derrière Kanazuchi.

Pendant ce temps, Eileen avait traversé l'église. Par une porte ouverte, elle vit Frank affaissé sur l'affût d'une mitrailleuse et courut près de lui.

— Non, Frank, non ! s'écria-t-elle en tombant à genoux dans la poussière. Nous allons vous soigner.

Frank ouvrit les yeux.

— C'est toi, Molly ?

— Non, Frank, je suis Eileen.

Il se tourna vers elle.

— Tu es belle dans cette robe, Molly.

Impuissante à retenir ses larmes, elle lui prit une main entre les siennes.

— Oui, Frank, c'est Molly. Je suis là, près de toi.

— Tu sais, Molly, je ne voulais pas te faire de mal.

— Je sais, Frank. Tu ne m'as jamais fait de mal.

— C'est bête de t'avoir tuée. Tu me pardonnes ?

— Oui, Frank. Tu es déjà pardonné.

— Plus rien ne nous sépare maintenant, toi et moi.

— Non, Frank, plus rien.

— C'est bien, Molly. C'est bien.

— Oui, Frank. C'est bien.

Frank sourit. Il était si content de la revoir...

— Je t'aimerai toujours, murmura-t-il.

Son regard se perdit au loin. Il ferma les yeux. Elle sentit sa main inerte entre les siennes.

La tête basse, agenouillée dans la poussière ensanglantée, Eileen versa longtemps des larmes silencieuses.

En rentrant dans l'église, Doyle renonça à estimer le nombre des victimes. Sur le millier de personnes qu'il avait vues s'y entasser, un quart peut-être étaient mortes, un autre quart plus ou moins grièvement blessées. Mais ce bilan déjà lourd eût été pire si les mitrailleuses avaient accompli jusqu'au bout leur œuvre de mort. Dieu merci, plusieurs centaines d'innocents avaient échappé au massacre.

Il retrouva Kanazuchi agenouillé près de la grille centrale par où ruisselait le sang des victimes.

— Aidez-moi, lui dit Kanazuchi, le temps presse.

Ils conjuguèrent leurs efforts et parvinrent à soulever une section de la lourde grille.

Soutenant Marche Seule, Jack et Presto parcoururent les derniers détours du labyrinthe en se guidant sur la lumière dont ils voyaient l'intensité croître devant eux. La terre tremblait sous leurs pas, de sourds grondements résonnaient dans le couloir. Lorsqu'ils parvinrent à la salle circulaire, le Révérend vidait le réservoir de pétrole d'une lanterne sur le charbon d'un brasero qu'il enflamma avec la mèche. Puis, muni d'un long cierge allumé à la flamme, il se dirigea vers le premier reliquaire d'argent.

Lionel avait déjà détaché les poignets de Jacob et finissait de lui délier les chevilles. Jack laissa Marche Seule à la garde de Presto et pénétra dans le cercle, l'arme au poing. Sentant une présence derrière lui, le Révérend se retourna. Jack s'arrêta à deux pas de lui. Les traits tendus par une froide résolution, il leva son arme et la braqua sur la tête du Révérend qui fit de la main un geste impatient, comme pour chasser un insecte importun.

Ce geste aurait suffi à arracher l'arme des mains de tout autre, ainsi que Lionel en avait fait l'expérience, mais Jack ne broncha pas. Loin de reculer, il s'avança d'un pas, arma le chien et posa le canon sur la lèvre supérieure du Révérend. Son visage exprima d'abord l'étonnement, car la peur lui était devenue étrangère au point de le rendre incapable de reconnaître un danger pressant. Ce ne fut qu'en mesurant la gravité de l'affront qu'il subissait de la sorte que la fureur le saisit. Concentrant tout son pouvoir dans ses yeux, il le déchaîna sur Jack qui n'en parut pas affecté et resta impassible. Au bout d'un moment, toutefois, les autres le virent abaisser lentement son arme.

— Je vais vous régler votre compte, gronda le Révérend.

Son geste n'était pourtant pas un acte de soumission. Alors que le Révérend se détournait avec dédain pour mettre le feu aux livres, marquant ainsi le début de l'Œuvre Sacré qu'il se vantait d'accomplir, Jack le retint par le bras et éteignit la mèche du cierge entre ses doigts. Enragé, le Révérend leva la main pour le frapper. Jack lui agrippa le poignet, le tordit et fit tomber le cierge sur les dalles.

Le sang continuait à se déverser dans le puits, d'où montait un grondement de plus en plus fort. Des secousses toujours plus puissantes et plus rapprochées secouaient le sol et les parois de la salle mais les autres, fascinés par l'affrontement des deux hommes, n'osaient faire un geste.

— Lâchez-moi ! ordonna le Révérend, en dardant sur Jack un regard étincelant de fureur.

Avec une lenteur calculée, Jack le lâcha et laissa tomber son arme. Mais avant que l'autre ait pu réagir, il lui empoigna la tête à deux mains, l'attira vers lui et le fixa droit dans les yeux.

— Regarde-moi, dit Jack sans élever la voix.

Une fois encore, le Révérend fit passer dans son regard une décharge d'énergie si formidable que les témoins virent l'air vibrer entre les deux hommes. D'autres auraient péri pour beaucoup moins. Cette fois, il ne se passa rien. Jack soutenait ce regard mortel sans en subir aucun effet.

Mais l'effort épuisait le Révérend. Le sang lui jaillit des narines et il se rendit compte avec stupeur qu'il ne pouvait rien contre cet inconnu en qui il ne décelait aucune faille, aucune faiblesse grâce à laquelle il pourrait exercer sur lui une quelconque influence.

Cet homme ignore la peur, pensa Jacob qui observait Jack

avec attention. Sans la peur, le Révérend n'a pas de prise sur lui ni ne peut rien contre lui.

Au bout d'un long moment, le Révérend discerna dans le regard de l'étranger une ombre familière. Alors, la terreur le saisit. Il se débattit, griffa les mains qui le retenaient prisonnier de ce regard, tenta de se détourner. Mais Jack restait inébranlable. Il parvenait enfin au but recherché : être reconnu. De minute en minute, sa volonté devenait plus forte et il l'imposait à l'autre en dépit de ses efforts.

— Que voulez-vous ? murmura enfin le Révérend.

Jack garda le silence.

— Qui êtes-vous ? demanda-t-il d'une voix étouffée.

— Tu sais qui je suis, répondit jack.

Dans un dernier effort, le Révérend tenta de repousser l'évidence. Puis, sa résistance céda et il se serait affaissé si Jack ne l'avait maintenu d'une poigne de fer.

— Tu sais qui je suis, répéta Jack.

— Oui.

— Qui suis-je ? Dis-le moi.

Il y eut un long silence.

— Mon frère, dit le Révérend d'une voix à peine audible.

— Quel est mon nom ?

— Jack.

— Et le tien ?

Un nouveau silence, encore plus long que le précédent.

— Je suis... Alexander.

Jack inclina la tête. Les masques étaient arrachés, les faux-semblants évanouis. Ils n'étaient plus que deux frères réunis à l'issue d'une trop longue séparation.

— Écoute-moi, Alex, commença Jack. Nous sommes tous ici, dans cette salle. Notre père, notre mère. Notre petite sœur aussi. Aucun d'entre nous ne sait pourquoi tout cela s'est passé, pourquoi tu t'es éloigné de nous, pourquoi les ténèbres t'ont englouti et t'ont fait commettre ces crimes contre nous et tant d'autres. Plus rien de tout cela n'a maintenant d'importance. M'entends-tu, Alex ?

Alexander Sparks dévisageait son frère avec l'expression d'un enfant qui implore le réconfort et la compassion.

— Ils sont tous présents dans cette salle. Leur esprit est avec nous, car c'est ici que tout doit se dénouer. Je te parle en leur nom. Écoute-moi. Écoute-les. Ce sont eux qui te parlent par ma voix.

Alors, se penchant à son oreille, Jack murmura les mots qui lui venaient d'eux-mêmes :

— Nous te pardonnons, mon frère.

Avec un sanglot étouffé, Alexander s'affaissa entre les bras de Jack. Soutenant sans peine son corps décharné, son frère l'allongea avec douceur sur les dalles, s'agenouilla près de lui et le prit dans ses bras.

— Tu es pardonné, murmura-t-il.

Une plainte s'échappa des lèvres d'Alexander, un cri de deuil et de remords pour tant d'âmes en peine, tant de vies perdues par sa faute. Le corps secoué de sanglots, il se blottit entre les bras de son frère comme pour y retenir les forces qui l'abandonnaient. En dépit de l'horreur que leur inspiraient ses crimes, les autres ne pouvaient s'empêcher d'éprouver pour lui de la pitié.

On entendit soudain un grincement métallique. Au-dessus d'eux, une partie de la grille se souleva. Kanazuchi se glissa par l'ouverture et se laissa tomber près des autres. Avec lui, le dernier flot de sang s'écoula dans la rigole et se déversa dans le puits. Le grondement se mua en rugissement, un vent glacé issu des profondeurs fit vaciller la flamme des lanternes. Assommé par sa chute, Kanazuchi ne bougeait pas. Le voyant hors d'état de se relever, Jacob se redressa avec peine et s'approcha de lui, la main tendue.

— Venez, mon ami.

Il l'aida à se remettre debout puis, se soutenant l'un l'autre, ils rejoignirent Jack et Alexander. Jacob aida Kanazuchi à s'asseoir près d'eux et s'assit à son tour. Marche Seule fit signe à Presto, s'appuya à son bras et ils allèrent occuper leurs places. Chacun prit une main de son voisin. Les Six étaient au complet. Le cercle était fermé.

Ses sanglots apaisés, Alexander leva les yeux vers Jack, qui lui fit de la tête un signe affectueux. Puis Jack chercha à tour de rôle le regard de ses compagnons. Bientôt, un courant d'inexprimable compréhension s'établit entre eux.

Sachant qu'il n'avait pas sa place parmi eux, Lionel se leva. Il fit le tour de la salle, enleva les livres saints des reliquaires, alla les déposer à l'écart. Puis, sa tâche accomplie, il se retourna vers le cercle des Six et ce qu'il vit le força à s'agenouiller, lui qui n'avait jamais prié.

Les Six se fixaient du regard, absorbés dans leur méditation. Alors, un cercle de lumière apparut au-dessus d'eux, une sorte de voile translucide tissé dans une étoffe renfermant dans sa trame une myriade de silhouettes et de visages d'où émanaient la force, la pitié, la beauté indicibles de millions d'âmes. Telle fut du moins la vision de Lionel en cet instant. Il ne pourrait jamais plus, par la suite, affirmer l'avoir réellement vue.

Plus l'intensité de la lumière croissait au-dessus du cercle, plus le grondement montant du puits faiblissait et s'assourdissait. Lorsqu'il eut cessé tout à fait, la lumière s'estompa peu à peu à son tour. Dans le silence qui suivit, Alexander poussa un léger cri et mourut paisiblement dans les bras de son frère.

Lionel alla aider son père à se relever. Ils lancèrent tous deux un regard compatissant sur les deux frères que seule la mort avait enfin pu réunir.

— Que cherchait-il donc à accomplir en volant ces livres ? demanda Lionel à voix basse.

— Il croyait vouloir détruire Dieu, répondit Jacob.

— Mais... il aurait provoqué la fin du monde !

— Il s'illusionnait, dit Jacob avec tristesse. Tout ce qu'il voulait détruire, en fin de compte, c'était lui-même.

Une fois Kanazuchi descendu dans la crypte, Doyle avait cherché et trouvé une corde dans un coin encore inachevé de l'édifice. Lorsque les secousses et les grondements eurent cessé — un tremblement de terre ou autre phénomène sismique sans réelle gravité, avait-il estimé sur le moment, ce dont nul ne le détrompa par la suite — il noua un bout de la corde autour de sa taille et fit tomber l'autre extrémité dans la crypte. Puis il appela ses compagnons et les remonta l'un après l'autre, chacun porteur de son livre saint sauvé de la destruction.

Jack Sparks fut le dernier à sortir. Resté seul pour se recueillir sur la dépouille de son frère et confier son âme à la miséricorde de leur famille disparue, il saisit la corde à son tour. Et son vieil et fidèle ami l'aida à se hisser enfin vers la lumière.

TABLE

Composition réalisée par Graphic-Hainaut
Achevé d'imprimer en février 1997
sur presse Cameron
dans les ateliers de Bussière Camedan Imprimeries
à Saint-Amand-Montrond (Cher)
pour le compte de la Librairie Plon

Nº d'Edition : 12724. Nº d'Impression : 1/506.
Dépôt légal : mars 1997
Imprimé en France